## Franck Thilliez

Né en 1973 à Annecy, Franck Thilliez, ancien ingénieur en nouvelles technologies, vit actuellement dans le Pas-de-Calais. Il est l'auteur d'une vingtaine de romans dont *La Chambre des morts*, adapté au cinéma en 2007, prix des lecteurs Quais du Polar 2006 et prix SNCF du polar français 2007, *Puzzle* (2013), *Rêver* (2016) ou bien encore *Le Manuscrit inachevé* (2018). Il est également connu pour avoir donné vie à deux personnages emblématiques, Franck Sharko et Lucie Henebelle, qui sont réunis pour la première fois dans *Le Syndrome [E]* (2010), qui a été adapté en BD, et qu'on retrouve notamment dans les récents *Sharko* (2017) et *Luca* (2019) chez Fleuve Éditions. Son recueil de nouvelles, *Au-delà de l'horizon et autres nouvelles*, a paru en 2020 aux éditions Pocket. Son dernier roman, *Il était deux fois*, a paru aux éditions Fleuve en 2020.

Ses titres ont été salués par la critique, traduits dans le monde entier et se sont classés à leur sortie en tête des meilleures ventes. Franck Thilliez est également le 4e auteur de fiction moderne le plus lu en France d'après le classement du Figaro.

**Retrouvez l'auteur sur sa page Facebook :**
**www.fr-fr.facebook.com/Franck.Thilliez.Officiel**

# DEUILS DE MIEL

DU MÊME AUTEUR
*CHEZ POCKET*

TRAIN D'ENFER POUR ANGE ROUGE
DEUILS DE MIEL
LA CHAMBRE DES MORTS
LA FORÊT DES OMBRES
LA MÉMOIRE FANTÔME
L'ANNEAU DE MOEBIUS
FRACTURES
LE SYNDROME [E]
[GATACA]
VERTIGE
ATOM[KA]
PUZZLE
[ANGOR]
PANDEMIA
RÊVER
SHARKO
LE MANUSCRIT INACHEVÉ
AU-DELÀ DE L'HORIZON ET AUTRES NOUVELLES
LUCA

TRAIN D'ENFER POUR ANGE ROUGE / DEUILS DE MIEL
(en un seul volume)

LA CHAMBRE DES MORTS / LA MÉMOIRE FANTÔME
(en un seul volume)

LE SYNDROME [E] / [GATACA] / ATOM[KA]
(en un seul volume)

L'ENCRE ET LE SANG
**avec Laurent Scalese**

FRANCK THILLIEZ

# DEUILS DE MIEL

POCKET

Pocket, une marque d'Univers Poche, est un éditeur qui s'engage pour la préservation de son environnement et qui utilise du papier fabriqué à partir de bois provenant de forêts gérées de manière responsable.

Le Code de la propriété intellectuelle n'autorisant, aux termes des paragraphes 2 et 3 de l'article L. 122-5, d'une part, que les « copies ou reproductions strictement réservées à l'usage privé du copiste et non destinées à une utilisation collective » et, d'autre part, sous réserve du nom de l'auteur et de la source, que les « analyses et les courtes citations justifiées par le caractère critique, polémique, pédagogique, scientifique ou d'information », toute représentation ou reproduction intégrale ou partielle, faite sans le consentement de l'auteur ou de ses ayants droit ou ayants cause, est illicite (article L. 122-4). Cette représentation ou reproduction, par quelque procédé que ce soit, constituerait donc une contrefaçon sanctionnée par les articles L. 335-2 et suivants du Code de la propriété intellectuelle.

© Éditions Pocket, un département de Univers Poche, pour la présente édition.
ISBN : 978-2-266-20500-9

*À ma sœur Delphine*

# Chapitre premier

Un an... Un an depuis l'accident.

Un moment d'inattention. Une seconde. Même pas. Une pulsation. Bordure de nationale. Une crevaison. Je me baisse, ramasse un boulon échappé sous le châssis. Me relève. Trop tard. Ma femme court au milieu de l'asphalte, ma fille au bout de ses doigts. Un véhicule qui surgit, trop vite. Bleu. Je vois encore ce bleu trop saillant, alors que je m'élance en hurlant. Le crissement des freins sur la chaussée détrempée. Puis, plus rien...

Un jour, on réapprend à vivre.

Et, le lendemain, tout fout le camp...

Devant moi, au creux des remparts de Saint-Malo, un type déambule tranquillement, les cheveux à l'air, le teint flatté par les rouges d'un crépuscule flamboyant.

C'est lui, je l'ai reconnu sans l'once d'une hésitation. La France n'est pas assez grande, il faut que je croise sa route, au terme de mes congés. Celui qui leur a arraché la vie.

Le chauffard.

À cet instant, quelque chose craque en moi. Une déchirure abominable...

Dire que je pensais qu'elle allait mieux, ma Suzanne, après six années de traitements abrutissants et de cris dans la nuit. Le traumatisme de son enlèvement[1] semblait s'essouffler, elle savait sourire à nouveau, au moins à mes yeux, avait réappris les choses simples de la vie. Se laver, s'habiller, s'occuper un peu de notre petite Eloïse. Bien sûr, ce n'était plus la combattante d'autrefois, tellement lointaine parfois, si décrochée de la réalité et dépendante d'autrui. Sans cesse à arpenter la frontière de la folie. Mais j'avais perçu dans ses yeux le renouveau, la soif de vivre surpassant celle de partir.

Suzanne... Pourquoi t'es-tu lancée sur une nationale avec notre fille ? Quel démon s'est emparé de toi, en ce triste matin d'automne ?

Ces questions, je les ai ressassées des centaines et des centaines de fois. Un livre, qu'on ne referme jamais...

Devant, l'homme, Chartreux, il s'appelle Patrick Chartreux, s'adosse sur la vieille pierre et sort son téléphone portable. Il se retourne brusquement vers moi, je détourne la tête et simule un intérêt soudain pour le grand large. L'onde tranquille, ses bateaux paisibles. Je ne sais pas comment réagir. Une haine grandissante me brûle la gorge et je me sens capable d'une connerie. Mes poings se crispent, tandis que Chartreux s'engouffre dans un bar branché. Le voir disparaître me soulage. J'aurais pu repartir, l'oublier. Alors, pourquoi me suis-je décidé à l'attendre, grillant clope sur clope ? Pas bon signe...

Le front perlant, les mains moites, j'ouvre et ferme mon portefeuille d'un geste nerveux. Ma carte tricolore de flic occupe à nouveau son emplacement. Après tant d'années loin du pavé et des traques, j'ai repris le métier. Quitter le Nord, son ciel bas, ses souvenirs trop

1. *Train d'enfer pour Ange rouge* – Rail Noir n° 5, Pocket n° 13053.

blessants. Puis retrouver la Grande Pieuvre, ses rues surpeuplées, cette vie de dingue au 36. Leclerc, mon divisionnaire, m'a mis plusieurs fois à l'épreuve ces six derniers mois et je n'ai pas failli. Il pense avoir retrouvé le commissaire d'antan, sa hargne au combat. Il a sans doute raison. Jamais cette hargne n'a été aussi grande...

Le commercial friqué sort enfin, fringant dans son costume de marque. Il hume l'air iodé, réajuste son col de chemise griffée avant d'attaquer sa marche. Des flashs me fracassent l'esprit. Sa tête de vainqueur, au procès. Ses faux airs de compassion. Ses larmes simulées. Trente kilomètres au-dessus de la moyenne, deux existences volées et une si petite punition ! À l'époque, des bras avaient su m'empêcher de le démolir. Plus maintenant. J'accélère le pas et me rapproche de lui...

Bifurquer dans une ruelle déserte restera très certainement sa plus grande erreur. Son corps ploie sous le feu de ma colère, tandis que mes chéries hurlent là, dans ma tête... Encore et encore... Je me relève, tremblant, le visage dans l'ombre. Mes yeux sont gorgés de sang et de sueur...

Qu'est-ce que j'ai fait ?

Je m'enfuis subitement et précipitamment vers ma voiture. Contact. Autoradio à fond. Direction l'autoroute... Curieusement, je n'éprouve aucun soulagement... pitoyable... Sur le volant, mes mains tremblent fort.

Sous la traînée des astres, je quitte les douceurs océanes pour les forges rougeoyantes de la capitale. L'étau de chaleur qu'aucun souffle ne daigne apaiser ne se desserre plus, même la nuit. Alors je souffre en silence, transpercé par une grande brûlure dévorante... La brouette d'acier qui me sert de véhicule bougonne mais me transporte quand même à bon port...

L'Haÿ-les-Roses... Mon immeuble... Sa solitude acide...

Là-haut, au troisième étage, se déroulent des rubans teigneux de marijuana. Un raccourci osé qu'a trouvé mon voisin de palier, un Rasta solitaire, pour ramener à lui l'exubérance de la Guyane. Sa grand-mère et moi étions liés d'une amitié sans frontières. Elle aussi, dans ses grands ensembles de madras, a disparu dans des conditions abominables.

L'Ange rouge a décidément détruit ma vie et éliminé ceux que j'aimais.

Aujourd'hui, un seul mot me hante l'esprit. *Traque*. Profiter de la carapace de flic pour les traquer, tous, les uns après les autres. Leur éclater le crâne sous ma semelle, comme autant de moustiques.

Sur la moquette de ma chambre, des pieuvres de fer épandent leurs tentacules jusqu'en bordure de salle à manger. Les trains miniatures, vapeurs vives ou motrices électriques, attendent la délicatesse d'une main pour promener leurs wagons. Avant de me coucher, j'en propulse deux, pleins rails. Malgré ces rivières pourpres qui ont irrigué ma vie, il reste une peur que je ne maîtrise pas, celle du silence... Aidé de somnifères, je sombre lentement, dans la fureur des raclements de bielles. Le visage de Chartreux m'apparaît une dernière fois, une bulle de sang entre les lèvres...

Tard dans la matinée, je m'extirpe de ma couche, réveillé par le téléphone. Je suis censé reprendre le travail demain mais un message, sur mon répondeur, change la donne. Mon divisionnaire me demande d'aller dans une église. Un curé a découvert sur l'agenouilloir d'un confessionnal une femme morte, nue et rasée des orteils au sommet du crâne. Tout mon être s'embrase d'un feu dangereux.

Au moment où j'éteins le transformateur brûlant qui agite mon réseau de trains, où les locomotives épuisées de leur course nocturne arrachent les derniers mètres, alors, à ce moment-là, l'homme, l'humain, s'endort, tandis que le flic s'éveille.

La *traque*.

La traque reprend...

## Chapitre deux

Depuis l'accident de mes chéries, je n'étais plus jamais entré dans la maison de Dieu. Aussi, ma cicatrice intérieure se rouvrit lorsque je m'enfonçai, en cet après-midi de fournaise, dans l'église d'Issy-les-Moulineaux. Au cœur de l'allée, entre la rigueur trop dure des bancs, je distinguais encore les cercueils, dont l'un, si petit, avait soulevé la bouffée étranglée des sanglots... Tout, dans l'édifice de pierres, respirait ma souffrance.

Une bouche glissa le long de mon oreille. Martin Leclerc, mon divisionnaire, se précipitait vers la sortie, le portable hurlant.

— Je te laisse gérer ! ajouta-t-il en reluquant mes cheveux coupés à ras. On a le feu vert du procureur Kelly pour la levée du corps et l'autopsie ! On se voit tout à l'heure pour un point !

J'acquiesçai et me dirigeai vers un attroupement d'où grimpaient des haussements de voix et des crépitements de flashs. En face, Jésus pleurait, traînant derrière lui ses siècles de calvaire.

Le lieutenant Sibersky m'accosta avec cet air grave des mauvais jours. Sur sa gauche, les deux Rangers du légiste dépassaient du confessionnal.

— Bonjour commissaire, fit-il sans le sourire. On a déjà vu des retours de congés plus gais...

Sa voix vibrait d'une assurance toute modérée.

— Annonce !

— OK. La porte, derrière l'autel de gauche, a été forcée au pied-de-biche. D'après le curé, c'est la deuxième fois qu'une effraction a lieu, la dernière, sans conséquences, remontant au trimestre dernier. Les techniciens de la scientifique ont relevé des empreintes un peu partout. L'enquête de proximité est en cours, des inspecteurs interrogent les habitants des alentours.

— Parle-moi de la victime.

— Femme blanche, une cinquantaine d'années. Aucune trace apparente de blessures ou de sévices. Les chevilles sont encore entravées, mais les mains ont été libérées de leur corde, abandonnée sur le sol. Les yeux étaient bandés avec du sparadrap. Le prêtre a retrouvé le corps agenouillé, à huit heures trente-cinq ce matin, dans la loge des pénitents du confessionnal. Le crâne rasé était couvert de... papillons.

Je fronçai les sourcils.

— Des papillons ? Morts ?

— Vivants. Sept gros papillons à longues antennes, avec... le dessin d'une tête de mort sur l'abdomen. Quand on a essayé de les attraper au filet, ils ont... crié. Un couinement terrifiant.

— Où sont-ils ?

— Partis pour le labo. La lampe à ultraviolets a révélé, sur la tête de la victime, des taches blanchâtres, invisibles à l'œil nu, expliquant peut-être la présence de ces bestioles. L'entomologiste nous en dira plus...

— D'accord, d'accord, d'accord... Un corps nu, rasé, les chevilles entravées, mais pas les mains. Des insectes sur le crâne. Le tout dans une église. Du grand classique quoi !

— On ne peut pas plus classique, en effet... Pour en revenir au confessionnal, la partie centrale était ouverte, contrairement à la veille. Après sa découverte, le curé a immédiatement prévenu la police d'Issy, qui a débarqué quinze minutes plus tard, talonnée par nos équipes.

Le légiste sortit du lieu de pardon. Van de Veld avait tout du militaire, l'intelligence en plus. Treillis, barbe d'une rigueur mathématique et un beau visage de roche dénué d'expression.

— On y va pour le topo, commissaire ?

Après une poignée de mains, il m'invita à le suivre. Le cadavre m'apparut de dos, recroquevillé, tassé par le poids des chairs meurtries. La tête chauve et les avant-bras s'écrasaient sur un prie-Dieu, tandis que l'index de la main droite, fermée, pointait sur le côté. Sous le tranchant d'un halogène à batterie, le crâne immaculé luisait.

Van de Veld se faufila dans la loge.

— On peut ordonner la levée du corps. Sans autopsie, impossible de déterminer la cause de la mort. Nul hématome ou blessure. Aucun écoulement nasal ou buccal qui pourrait impliquer un décès par asphyxie. Le visage n'est pas cyanosé, pas de pétéchies, donc, a priori, pas d'étranglement.

De l'arrière, j'examinai la toile humaine avec l'œil d'un étrange passionné. Oubliés les trains miniatures et les sensibleries de comptoir. La machine Sharko, boulonnée d'insensibilité, reprenait du service.

— Des rapports sexuels ?

— À première vue, non. Par contre, la victime a perdu énormément d'eau. Ces auréoles, sur le sol et le prie-Dieu, témoignent d'une forte sudation.

— On ne sue plus après la mort, je me trompe ?

— Non. La femme a été amenée ici vivante. Observation confirmée par le fait que le corps n'a pas été déplacé. Elle est morte dans ce confessionnal sans que je comprenne de quoi. Et ça m'énerve !

— Je peux ?

Il me laissa la place dans le confinement. Les sourcils, les aisselles et les poils pubiens de la victime manquaient aussi à l'appel.

— Les techniciens ont ôté l'adhésif sur ses yeux ?

— Oui. Du chatterton, posé par-dessus les paupières. Vous verrez sur les épreuves photographiques.

Le médecin poursuivit, alors que mon regard suivait la direction du doigt mort.

— Dents saines et soignées, physique propre, mais ongles longs, y compris ceux des orteils. Quatre d'entre eux, à la main droite, sont cassés ou arrachés. Ce qui pourrait témoigner d'un enfermement forcé... et prolongé...

Je me penchai par-dessus le prie-Dieu, les narines attentives.

— Oui, anticipa le légiste, on sent des odeurs de parfum ou de crème, présentes sur la totalité de la peau, même le crâne. Dans la bouche et aux commissures des lèvres, j'ai relevé les traces d'un composé sucré, foncé, peut-être du miel. Sans doute ce qui a retenu ces papillons. Les analyses sanguines et du contenu stomacal confirmeront...

La lumière crue de l'halogène me cisaillait les pupilles. Plus j'emmagasinais d'informations, plus le trouble m'envahissait.

De quoi était morte cette femme ?

— Une idée sur l'heure du décès ?

— D'après la rigidité cadavérique et la température rectale, je dirais au beau milieu de la nuit, entre deux et quatre heures du matin... L'autopsie précisera...

Van de Veld ôta ses gants de latex, rabattit le dessus

de sa mallette lourde d'instruments tranchants avant de s'enfiler une demi-bouteille d'eau.

Je me tournai vers la chevelure blonde de Sibersky.

— Les chevilles sont ligotées, contrairement aux mains, volontairement déliées. L'index pointe cette partie du confessionnal. Le technicien chargé des relevés n'a rien décelé ?

— Pas à ce que je sache, non. Ni empreintes, ni marques particulières.

J'ordonnai aux croque-morts d'emmener le cadavre pour l'institut médico-légal. Après leur départ, Sibersky plongea les mains dans les poches de son jean.

— Alors commissaire ? Vous en pensez quoi ?

— Je me pose surtout des questions. Pourquoi ici ? Pourquoi vivante ? Pourquoi rasée et nue ?

Le jeune lieutenant m'exposa ses impressions à chaud.

— La victime se trouvait dans la loge du pénitent. L'assassin s'est, lui, rendu dans la centrale, celle du confesseur, puisque la porte était ouverte. Tout, dans la mise en scène, indique donc le rituel de la confession. Le pécheur d'un côté, agenouillé, le confesseur de l'autre.

— Sauf que notre pécheresse n'est pas venue de son plein gré.

— Ça, c'est clair ! Ses membres entravés prouvent qu'on l'a forcée à une certaine forme de soumission, peut-être physique, un effort ayant pu générer toute cette sueur, ou alors simplement auditive et verbale.

— Un truc du genre *Parle-moi, confesse tes péchés et Dieu te pardonnera...*

— Exactement. Quant à la nudité... Voir une femme nue, attachée, agenouillée et réclamant son pardon, n'est-ce pas le symbole suprême de la domination, du rapport maître-esclave ?

Je clignai des yeux.

— Une cause possible, en effet, mais...

J'embrassai l'espace, bras écartés.

— ... Regarde autour de toi. L'église forme un même bloc, orienté vers une mission unique : la prière, le don de soi, la foi. Tu vois, je n'y connais pas grand-chose en religion, à peine si j'ai lu la Bible, mais je sais qu'à la Genèse, Adam et Ève étaient nus, aussi nus que notre victime. La pureté des premiers jours... La nudité originelle, celle de toutes les créatures de Dieu...

Sibersky émit un drôle de sifflement.

— Oh là ! Vous voulez me faire comprendre quoi, là ?

— Juste que, dans une scène de crime, l'environnement peut justifier les actes. Peut-être l'a-t-il rasée et déshabillée non pour répondre à un fantasme quelconque, mais dans l'unique but de l'amener ici, afin de la préparer à... une sorte de cérémonie. Cherchait-il à l'offrir au jugement de Dieu dans sa forme primitive, dans cette nudité absolue qui replace tous les humains au même rang ?

Je fixai un grand vitrail, face à moi.

— Ce que je veux dire, c'est qu'il ne faut pas tout ramener au sadisme, aux fantasmes de pervers sexuels. Certains cherchent à atteindre un but plus... élaboré...

— Elaboré comme la présence de ces papillons étranges. Que viennent faire ces sales bêtes là-dedans ?

Je haussai les épaules.

— J'en sais fichtre rien. Qu'est-ce qu'on ressasse à leur sujet, le plus souvent ? Qu'ils symbolisent la beauté, la renaissance, la transformation, lorsqu'ils sortent de leur chrysalide.

— Mouais. On a peut-être affaire à un fan du *Silence des agneaux*... Le genre de mec bien allumé.

— Allumé ou pas, il témoigne de maîtrise, de sang-froid. La scène est de type organisé. Il suffit d'observer la position de la femme, la présence du miel, le parfum, les papillons. Dans la manière dont a été commis le meurtre, aucune pulsion n'est venue le perturber, il a gardé son calme et, de ce fait, limité les erreurs.

— Il a donc préparé son opération à l'avance, avec minutie. Il connaît les lieux, le moyen de pénétrer. Peut-être un adepte des messes du dimanche matin...

Il nota cette voie d'investigation sur son carnet avant de poursuivre.

— ... Il conditionne sa proie, qu'il retient depuis plusieurs jours, la parfume, la rase, la nettoie. Il se procure ces insectes. Et il opère. Le confessionnal, en pleine nuit...

Je m'approchai à nouveau du lieu de pardon et prolongeai l'idée de Sibersky.

— Son crime perpétré, dont nous ignorons pour l'heure par quel moyen, il détache les mains de la pénitente, pour placer le bras droit d'une façon particulière. Il est évident que l'index de la morte nous signale une orientation à suivre.

— Pourtant, l'expert a déjà vérifié... Et moi aussi... Rien de particulier sur les boiseries...

— Il faut chercher encore. Ce n'est pas la victime qui s'exprime, mais son assassin. Ce fumier a des choses à dire.

Je retournai dans la loge, voûté, oppressé par le trop étroit espace. Le mur désigné présentait des rayures, quelques coups, mais rien de concret. Même en cognant sur le bois lisse, je ne discernai nulle variation de densité.

— Merde ! Ça indique forcément quelque chose ! Abstraction faite du confessionnal, la direction pointe... cet alignement de colonnes, puis, au final... cette partie du mur.

— Je ne vous ai pas attendu, je l'ai déjà inspectée, trancha Sibersky. Et le sol, les colonnes... Rien d'anormal, aucune inscription ou marque étrange. Il faudrait peut-être voir avec le prêtre...

— Un instant...

J'évoluai entre la perfection des ornements, ébloui par l'excellence de la construction. Mes phalanges palpaient la pierre centenaire. Dans le sens suggéré par le doigt mort, rien n'apparut. J'élargis ma zone de recherches. Les bancs, la nef, les décorations sculptées. Echec et encore échec. Le tueur nous parlait et nous refusions de l'écouter.

— Putain ! J'ai horreur de ça !

Dernier acharnement visuel, dernière déception.

— Bon ! Je file au 36, Leclerc m'attend pour un point. Qui s'occupe de l'enquête de voisinage ?

— Crombez, avec cinq ou six hommes.

— Et de la déposition du curé ?

— Moi, officiellement. Et je suis fichtrement en retard.

— Il faudra monopoliser un gars pour fouiller l'église. Et s'il faut regarder sous la robe de la Sainte Vierge, on regardera sous la robe de la Sainte Vierge !

En approchant de la porte arrière barrée d'un ruban jaune, je m'enquis :

— Tu m'as dit que cette porte avait déjà été forcée, le trimestre dernier. Tu as plus d'infos ?

— Ah oui ! Fin avril. Le père pense qu'il s'agissait de Gitans, installés à l'époque à deux pas de l'église.

— Qu'ont-ils volé ?

— Rien, juste une visite nocturne...

Mon bouc crissa sous un faisceau d'ongles sceptiques.

— Curieux pour des Gitans. J'en ai suffisamment côtoyé pour t'affirmer que le mot visite ne fait pas partie de leur vocabulaire.

— Je sais bien. Surtout qu'il devait y avoir pas mal de matos, genre groupes électrogènes. Une partie de l'édifice était en rénovation, la voûte et certaines colonnes se fissuraient...

Je stoppai net.

— La troisième dimension ! T'aurais pu y penser ! Le vertical !

— Quoi ?

J'étais déjà revenu au centre de la nef, la tête levée, le regard parcourant le lointain. Des maillages d'ombre, des arcades discrètes s'entrecroisaient sous le ciel de pierre.

— Cherche ! Cherche avec moi sur les cintres !

— Les cintres ? Mais comment il y aurait grimpé ?

— Comme les ouvriers ! En utilisant leurs échafaudages !

Mon cœur se comprima soudain.

— Là-haut ! La fissure ! Et cette colonne, désignée par la victime ! Elle a été restaurée en son extrémité supérieure ! Ce n'est pas en bas qu'il faut chercher... mais en haut !

Le bras tendu, les yeux rivés vers ces hauteurs, je m'écriai finalement :

— Prépare-toi à rejoindre Jésus ! Aujourd'hui, on va monter au ciel !

## Chapitre trois

*Ça nous a fait mal, tu sais... Eloïse n'a pas arrêté de pleurer. Elle pleure sans cesse à présent.*

*Je sais, ma chérie. Dis à Eloïse que je l'aime, dis-lui d'être forte.*

*Tu lui manques, il n'y a rien ici. Elle te cherche partout. Elle ne comprend pas pourquoi tu n'es pas à nos côtés. Alors je dois lui expliquer, sans cesse...*

— ...ssaire... Commissaire !

Rétraction des pupilles. Azur bleu, toits rouges... Sur le parvis de l'église, j'inspirai une grande bolée d'air, passai une main sur mon visage ruisselant avant de considérer Sibersky. Il désignait ma chaussure droite, rongée par un mégot rougeoyant. Je secouai le pied et écrasai ma cigarette du talon.

— Merde ! Des pompes neuves !

Le lieutenant tremblait d'impatience.

— J'ai découvert un message ! Inscrit au sommet d'un des piliers rénovés ! On attend l'arrivée d'un chariot élévateur et d'un technicien de la scientifique.

Je plongeai dans l'espace frais à la lumière apaisante. Sibersky m'indiqua l'emplacement concerné avant de me tendre des jumelles.

— C'est au sommet... D'ici on ne peut pas lire précisément, mais avec des jumelles j'y suis parvenu... Essayez...

— Ça dit quoi ?

— C'est... difficile à expliquer... Mais... ça fiche sacrément les jetons en tout cas...

Il me montra un point précis de la voûte.

Je réglai les optiques et les mots gravés dans la pierre, à plus de dix mètres du sol, m'apparurent.

*Derrière le tympan de la Courtisane, tu trouveras l'abîme et ses eaux noires. Ensuite, des deux moitiés, le Méritant tuera l'autre Moitié de ses mains sans foi et l'onde deviendra rouge. Alors, au son de la trompette, le fléau se répandra et, sous le déluge, tu reviendras ici, car tout est dans la lumière. Surveille les maux et, surtout, prends garde au mauvais air.*

Je restai un moment sans réaction, partagé entre un curieux sentiment de colère et d'excitation. Cette enquête puait le jeu de l'oie grandeur nature.

— Je n'y comprends pas grand-chose, avouai-je en plissant les yeux, mais ce texte sent l'avertissement ou le puzzle morbide...

— D'autant plus qu'il date, a priori, du temps des travaux et non pas d'hier. Voilà plus d'un trimestre que notre homme prépare son coup... D'abord il avertit... puis il agit... Ça, c'est de la putain de préméditation !

— Ecris qu'il faudra retrouver et interroger les ouvriers. Bizarre qu'ils n'aient pas signalé ce message.

Sybersky en prit note et proposa :

— Vous devriez appeler le légiste. Lui demander de jeter un œil aux oreilles de la victime, *derrière le tympan de la Courtisane.*

Je contactai dans la minute Van de Veld qui s'apprêtait à inciser le corps. Il promit de me rappeler dès que possible.

— Tu vas aller prendre la déposition du curé. Soumets-lui ces phrases, il y verra peut-être plus clair que nous... Si l'assassin veut nous parler... écoutons-le...

— Vous pensez à un illuminé de la Bible ? questionna Sibersky. Un de ceux qui croient tuer au nom de Dieu ?

— Trop tôt pour le dire. Mais à vue de nez, on est parti pour une longue et macabre affaire.

# Chapitre quatre

Souvent, les enquêtes nous amènent à rencontrer des tas de personnalités intéressantes. Des scientifiques, des psychologues, des fous d'informatique, des chirurgiens...

Parmi cet éventail de matière grise, j'appréciais particulièrement un docteur en théologie, Paul Legendre, professeur et conférencier à la Faculté libre de théologie protestante de Paris. Une encyclopédie religieuse, ce type, qui happait les versets de la Bible comme on lisait un canard. Au détour d'une sordide affaire de crimes pervers, nous étions devenus amis.

Après avoir cherché à le joindre par téléphone, je lui envoyai, depuis l'ordinateur de mon bureau, un mail contenant l'étrange message. Peut-être ces lignes provenaient-elles d'un quelconque ouvrage mystique ou d'un courant de pensée en rapport avec la religion. Si tel était le cas, Paul le découvrirait.

De son côté, Sibersky avait interrogé le curé, un jeune de vingt-quatre ans qui n'avait décrypté dans le propos qu'un bouillon d'incompréhension. Ça partait mal.

Adossé à mon vieux siège en cuir, je roulai des trapèzes et décrispai ma nuque.

Dans ce bureau froid et sans couleurs s'étaient succédé les pires dossiers criminels. Viols, pédophilie, tortures, meurtres. Le pain quotidien des flics de la Crim', le carburant de leurs nuits et le parasite de leurs familles. Mais, sans plus aucune accroche, on pouvait presque se sentir bien ici.

Après quelques minutes dans la nébuleuse de mes pensées, la salive afflua sur ma langue. Ça y était, mes mains tremblaient, mon front perlait. Ça recommençait...

Je sortis une petite boîte contenant de minuscules comprimés et en avalai un à contrecœur, conscient de ce que ces satanées pilules avaient fait à ma femme. Un long et sournois abrutissement, un moyen de taire les fantômes dans sa tête mais aussi de la couper du monde. Aujourd'hui, c'était mon tour. Le prix à payer pour que tout aille mieux... La sonnerie de ma ligne interne me fit sursauter.

Le divisionnaire Leclerc voulait me voir dans son bureau. Il fulminait d'une colère palpable.

Dans le même instant, l'entomologiste, Houcine Courbevoix, me contacta sur mon portable au sujet des insectes.

— Tu m'as ramené sept beaux mâles *Acherontia atropos*, plus communément appelés *sphinx têtes de mort*, à cause de ce dessin assez effrayant, sur leur thorax.

— Une idée d'où ils peuvent sortir ?

— Ces papillons nocturnes fréquentent de moins en moins nos forêts. À l'évidence, ceux-ci proviennent d'un élevage.

— Tu es certain ?

— Je veux ! D'une part, la vie de l'adulte est très éphémère, sept à dix jours ; en attraper autant en si peu de temps relèverait plutôt de l'exploit. Mais ces spécimens-là ont tous le même âge, entre quatre et cinq jours. À l'état de chenilles, ils constituent des réserves en nutriments, qui leur permettent de vivre sans se nourrir une fois adultes. C'est cette quantité, mesurée dans l'hémolymphe, qui m'a permis de définir la consommation de ces nutriments, donc leur âge. À noter que j'ai aussi trouvé des traces de miel. Les sphinx en sont très friands.

Le cachet me donnait déjà un grand coup de fouet intérieurement.

— Et les taches blanchâtres, sur le crâne ?

— Il s'agit d'une hormone appelée phéromone, que l'on trouve dans une glande située au bout de l'abdomen des femelles. Quelques millièmes de gramme suffisent à attirer les mâles de la même espèce à plus de dix kilomètres à la ronde. Un véritable aimant ! Ce qui explique pourquoi tes papillons sont restés agglutinés.

— D'accord... Et ces... sphinx, ont-ils une particularité, des connotations... religieuses, ou... représentent-ils un symbole quelconque ?

Mon interlocuteur prit le temps de la réflexion et finit par répondre :

— Ils ont toujours eu une très mauvaise réputation, en rapport avec cette tête de mort sur leur corps et ce cri inquiétant qu'ils poussent lorsqu'ils se sentent en danger. En voir voltiger un à la porte d'une maison ou à une fenêtre était censé attirer le mauvais œil... Certaines légendes leur prêtent le rôle de messagers des défunts, qui cherchent à adresser une dernière requête aux vivants. Mais tout ceci reste bien entendu totalement infondé ! Quant à la symbolique... C'est horriblement flou, ce que tu me demandes, car les lépidoptères suscitent certainement un grand nombre de symboles, de par leurs transformations successives. Celui qui revient le plus souvent, mais je pense ne rien t'apprendre, est la résurrection de l'être, lorsqu'il sort de sa chrysalide... C'est peut-être ce que ton assassin a voulu mettre en avant, en plaçant nos *têtes de mort* dans une église. Résurrection, Jésus... Tu vois le genre ?

Ma ligne interne sonna à nouveau. Leclerc s'impatientait.

— Je vais devoir te laisser, m'excusai-je en reprenant l'autre combiné. Tu m'envoies ton rapport dans la journée ?

— Sans problème.

— Notes-y tout ce qui te passe par la tête, même sans importance. Nous ferons le tri. Et n'oublie pas d'y ajouter cette histoire de résurrection...

Je raccrochai et me jetai dans les couloirs.

Le divisionnaire, d'un hochement de tête, m'indiqua de fermer la porte.

— On vient à l'instant de m'apprendre la nouvelle ! Qu'est-ce qui t'a pris, Shark, bon sang ! L'IGS va nous tomber sur le dos !

Il tapa sur la table d'un poing maigre mais incisif.

— Tu lui as broyé le nez ! Il est à l'hosto !

Je le considérai d'un air transparent.

— De qui parlez-vous ?

Des serpents bleus gonflèrent sur son cou.

— Te fous pas de moi ! Patrick Chartreux t'a reconnu ! La semaine dernière, Saint-Malo, ça te dit quelque chose ?

Je fis crisser mon bouc fraîchement taillé.

— Saint-Malo ? J'étais du côté de Brest, hôtel des Grands Salants. Vous pourrez vérifier. Chambre trois cent deux, réservée au nom de Franck Sharko...

Leclerc garda un silence tendu, plia un chewing-gum entre ses dents avant d'envoyer :

— La Bretagne, comme par hasard ! Tu sais qu'il ne leur faudra pas longtemps pour prouver que tu étais à

Saint-Malo ? Ils se fichent de tes états de services, des récompenses. L'Ange rouge, c'est de l'histoire ancienne ! T'es un sanguin, Shark, tes méthodes expéditives, tes virées en solo, ils n'apprécient que moyennement là-haut. J'y ai mis beaucoup de ma personne pour te faire réintégrer le 36. Et regarde dans quelle merde tu me flanques ! Tu n'avais pas besoin d'aller jusque-là ! Ça fait presque un an !

Ma bouche s'amincit.

— Si nous parlions plutôt de l'affaire...

Mon étonnante tranquillité le mit en furie. Le flux de sang ne quitta plus ses joues.

— Je ne peux pas te laisser seul sur le coup ! Tu es un bon flic, le meilleur que je connaisse, mais comprends-moi, s'ils réussissent à prouver que tu as démoli ce connard, tu vas te retrouver au placard et moi, avec pas mal d'ennuis sur le dos. Il me faut un leader, quelqu'un qui pourra tenir le dossier du début à la fin. Tu... tu seconderas le commissaire Del Piero...

Je me levai d'une traite, les deux mains bien à plat sur le bureau.

— Moi, lieutenant de Del Piero ? Vous vous fichez de moi ? Elle vient de débarquer !

Leclerc plaça un dossier devant lui.

— Raison de plus pour la lancer avec une affaire d'envergure. Trois ans à la brigade financière du SRPJ de Marseille, sept à l'antigang de Lyon avant d'intégrer la Crim'. Elle connaît le métier. Elle plongera dans le bouillon.

— Je m'en fiche pas mal ! Donnez-moi le feu vert ! Cette enquête est pour moi !

Leclerc appela la foudre.

— Tu n'auras que le feu orange ! Et c'est sans appel ! De quoi tu te plains, tu seras sur le terrain, bordel !

Lorsque je vis flotter dans ses yeux noirs une froideur d'iceberg, je sus qu'il ne changerait plus d'avis. Je me levai et violentai le chambranle.

— Elle t'attend, maintenant, avant de réunir les équipes pour officialiser l'annonce ! Son bureau est de l'autre côté ! grinça-t-il encore.

— Je sais ! répondis-je sans desserrer les dents. Mais aujourd'hui, je suis encore en congé. Je rentre chez moi... À demain...

La porte de Leclerc claqua et des *Tu joues au con, Shark, tu joues au con !* traînèrent dans le feu de mes pas.

Dehors, une chaleur d'étuve trempa ma chemise. Les passants aussi suaient à gouttes épaisses, la brûlure de l'air les contraignait à assiéger les fontaines ou envahir les magasins climatisés. Et, malgré les interdictions, la Seine se pailletait de baigneurs inconscients.

Jamais le soleil n'avait été aussi gros.

En route, j'achetai des gouaches, de nouveaux pinceaux ainsi que des moules en plâtre dans ma boutique fétiche, un vieux magasin de modélisme. Je voulais créer une famille de 1930, un homme, une femme et une fillette engoncés dans leurs tenues d'époque, attendant une vapeur vive Bassett-Lowke sur l'un des quais de mon réseau ferroviaire. La main dans la main, une expression de joie sur leurs visages. Un bonheur éternel, tout simplement.

Mon portable sonna alors que je traversais le parc de la Roseraie.

— Van de Veld à l'appareil. Vous m'aviez dit de vous rappeler, pour le tympan...

— Vous avez une piste ?

— Vous pensez bien... Le tympan droit de la victime était percé, j'y ai collecté un tube en étain, glissé dans la trompe d'Eustache. L'assassin a dû le piéger là en le poussant dans le conduit auditif avec une pince extrêmement fine.

Le meurtre révélait ses premiers mystères... Je collai le portable plus près de mon oreille.

— Et que contenait cet étui ?

— Des inscriptions, sur un morceau de papier calque enroulé. Mais l'ensemble est incompréhensible... Des barres horizontales, verticales, en diagonale. Ça ressemble à un code dont il manquerait les morceaux clés.

Je stoppai au milieu d'une allée de roses.

— Quoi ? Il n'y a rien d'autre ? Dans l'oreille gauche, vous avez vérifié ?

— Evidemment ! Vous m'avez déjà vu faire les choses à moitié ?

— Le labo est passé récupérer le tube ?

— Le technicien doit arriver d'un instant à l'autre.

— Dites-lui de me scanner le message et de me l'envoyer sur mon e-mail personnel dès que possible.

Je lui épelai mon adresse électronique et demandai encore :

— *Derrière le tympan de la Courtisane, tu trouveras l'abîme et ses eaux noires...* ça vous inspire quelque chose ? Vous n'avez pas découvert de trace de liquide, ou un composé noir ?

De l'autre côté de la ligne, un bruit de mastication. Je m'installai sur un banc et sortis un carnet de ma sacoche. Au loin, allongée sous l'ombre d'un saule, une môme lisait.

— Non... Non, je ne vois pas. Il y a bien un liquide, derrière la membrane, qui transmet les vibrations au nerf auditif, mais il est plutôt de couleur blanc nacré.

Je notai la remarque et invitai le légiste à poursuivre ses explications.

— Ce corps recèle autant de secrets extérieurs

qu'intérieurs, expliqua-t-il. Vous la voulez longue ou abrégée ?

— Abrégée, s'il vous plaît. L'essentiel...

— Concernant l'enveloppe charnelle et le squelette, je n'ai décelé aucun hématome, pas de lésions, de fêlures ni de fractures quelconques... Commissaire, vous avez travaillé à l'antigang, il fut un temps ?

— Je... Oui, pourquoi ?

— Je suppose que vous êtes déjà arrivé sur un site juste après une explosion ? Eh bien, c'est la même chose ici ! Ce corps a implosé comme un pétard et je ne peux, pour le moment, que constater. Il va falloir attendre le retour des analyses sanguines et toxicologiques pour un verdict plus précis.

Je m'attachai aux mots importants et m'enquis :

— De quoi est-elle morte ?

— Une quantité effroyable de caillots de sang ont bouché ses artères, peut-être apparus suite à l'éclatement des globules rouges. Ce qui a entraîné, dans un premier temps, un gonflement des vaisseaux puis un dysfonctionnement du cœur et du système vasculaire des poumons, provoquant une congestion pulmonaire. Au passage, notre victime avait contracté une bronchopneumonie aiguë, une bronchite puissance dix si vous préférez. Etrange en pleine canicule, non ?

Je me pris la tête dans la main.

— A-t-elle pu être empoisonnée, aurait-on pu lui injecter une substance toxique ?

— Aucunement. Avec l'arsenal de réactifs que nous possédons, les signes de l'empoisonnement sont faciles à détecter. La seule chose que nous ayons relevée dans l'estomac était... une énorme quantité de miel.

— Du miel ? De quelle importance ?

— Plus de cinq cents grammes. J'aime autant vous dire que l'assassin a dû salement la contraindre à l'ingurgiter, son palais et le fond de sa gorge étaient abîmés, comme si on lui avait enfoncé une cuillère ou un entonnoir avec force dans la bouche.

— Vous avez des précisions sur ce miel ?

— La digestion sérieusement entamée et les réactions chimiques nous empêchent d'en déduire le type ou l'origine.

Il profita de mon trouble pour caser :

— Croyez-moi, commissaire, cette femme était une bombe biologique ! Quelque chose lui a détruit tout l'intérieur. Une maladie, un virus peut-être. À quelle vitesse et dans quelles circonstances, nous l'ignorons encore, malheureusement. Mais vu l'état de ses organes internes, il est évident que le crime ne s'est pas passé à l'extérieur... mais à l'intérieur de son corps...

Il raccrocha avec cette violence propre aux hommes pressés. Ma nuque se posa lentement sur le banc, mes yeux embrassèrent ce ciel que nul nuage ne venait salir. Van de Veld avait employé le terme *bombe biologique*, le message parlait de *fléau*.

*Alors, au son de la trompette, le fléau se répandra.*

Qu'y avait-il à comprendre ? Fallait-il lire dans cet assassinat un premier avertissement ? Je quittai le banc, les mains dans les poches.

À ma gauche, cachée par un parterre de fleurs, la fillette lisait toujours. Ce n'est pas elle qui m'intéressait le plus, mais son livre. Mes yeux ne se décrochèrent plus de la couverture bleue et verte, alors que mon cœur tambourinait de plus en plus fort.

*Les Exploits de Fantômette*, une histoire de 1961. Celle préférée d'Eloïse, ma fille...

## Chapitre cinq

L'index d'un cadavre pointe un avertissement, gravé à une dizaine de mètres au-dessus du sol. La victime est nue, intégralement rasée, agenouillée, explosée sous ses chairs. Sur son crâne, sept papillons vivants, des sphinx têtes de mort. Le message indique :

*Derrière le tympan de la Courtisane, tu trouveras l'abîme et ses eaux noires. Ensuite, des deux moitiés, le Méritant tuera l'autre Moitié de ses mains sans foi et l'onde deviendra rouge. Alors, au son de la trompette, le fléau se répandra et, sous le déluge, tu reviendras ici, car tout est dans la lumière. Surveille les maux et, surtout, prends garde au mauvais air.*

Une fois assis en tailleur au centre de mon salon, j'éparpillai mes notes autour de moi. Derrière le *tympan de la Courtisane*, le légiste avait découvert un tube en étain, avec, pour contenu, un papier calque griffonné de signes incompréhensibles. J'en avais la copie scannée sous les yeux, que j'avais ensuite reproduite sur calque également, pour simuler l'original.

Des signes tracés à la main, sur un calque... Pourquoi ? Pourquoi pas du papier tout simple ? Quel rapport avec un *abîme* ? Que signifiaient les *eaux noires* ?

Ces pensées m'amenèrent à Paul Legendre, mon

docteur en théologie. Je me jetai sur mon PC, vérifiai les e-mails. Hormis les publicités stupides, aucun courriel intéressant. Nouveau coup de téléphone. Répondeur. Tant pis...

Les symboles réclamaient qu'on les complète. Ces traits horizontaux et verticaux, ces barres obliques pouvaient très bien représenter des mots censés reconstituer, eux aussi, un autre texte. Mais il en manquait une partie... Une partie... Mes côtes se rétractèrent. Je cueillis l'avertissement et lus, à voix haute :

*Ensuite, des deux moitiés, le Méritant tuera l'autre Moitié de ses mains sans foi.*

Des deux moitiés ! Je ne disposais que de la moitié du message ! D'où le calque ! Fallait-il le superposer à un autre ? Pourtant, Van de Veld avait dépecé le corps. Cœur ouvert, vessie crevée, crâne scié, cerveau cisaillé. De la belle ouvrage, mais la Mort n'avait rien révélé d'autre. Alors, où diable chercher cette moitié manquante ? Comment remonter jusqu'à *l'abîme et ses eaux noires* ?

Le message... Tout devait se nicher dans le message, derrière le repli des lettres. Je le relus une, dix, cent fois, m'imprégnai de chaque terme, chaque virgule, la moindre majuscule. Majuscule à *Courtisane*, la victime. Majuscule à *Moitié*...

Cette *autre Moitié* signifiait-elle le mari ? Auquel cas, il se trouvait en danger, lui aussi. Le tueur ne s'était peut-être pas attaqué à une seule personne... mais à un couple.

Ça bousculait la donne.

Je me levai brusquement, survolté. Pourquoi faire, aller où ? Je n'avais que des bribes.

Ma pizza commandée chez *Speed Rabbit* disparut dans mon estomac sans que j'en sente le goût. Ma radio bruissait. Changement de station. N'importe laquelle. Pas de silence. Surtout pas de silence...

Sinon, elles pouvaient revenir. Les voix.

Tout était forcément là, sous mes yeux. Je baissai les paupières... Une ombre, grimpée au sommet d'un échafaudage... En pleine nuit... Avril... Autour, des figures divines... Des vitraux, la croix du Christ, l'écho des prières... Pourquoi une église ? Pourquoi si haut, invisible ?

La jouissance.

Pour qu'il fût le seul à en jouir, au milieu de la foule.

Je l'imaginai, chaque dimanche, levant les yeux vers l'avertissement, alors que les hommes de foi prêchaient la parole de Dieu. En ressentait-il une forme d'exaltation, de domination ? Annoncer un crime, gravé dans la pierre, au cœur même de la maison de Dieu et sous le regard de tous, une belle petite jouissance de pervers...

Mes yeux se braquèrent à nouveau sur le libellé.

*Le Méritant...* Le tueur parlait-il de sa personne ? Pourquoi s'acharnait-il à abandonner des textes codés ? Quel rôle tenait dans son jeu cette femme, aux organes démolis ? Que signifiait : *sous le déluge, tu reviendras ici, car tout est dans la lumière* ? Où fallait-il revenir ? Dans l'église ?

Une fois mon stock d'idées épuisé, je décidai de me doucher, puis enfilai une tenue légère. Short, tee-shirt. Mes fenêtres, ouvertes au maximum, ne brassaient plus que des salves de moustiques. En bordure de balcon, mes plantes vertes crevaient de soif. Je les arrosai d'une eau bien fraîche.

Vingt-deux heures, déjà. Le soir qui dévale. La nuit, le noir. Seul. Seul dans la cuisine, seul dans le lit. Ne pas se rappeler. S'occuper l'esprit. Télé, allumer la télé. Coup de frein, cris.

*Viens nous rejoindre, Franck... Eloïse veut te voir... Viens... Viens... Ne nous laisse pas seules...*

Suzanne... Six ans qu'elle n'a pas décroché un mot... Depuis... ces horreurs... Pourquoi me harcèle-t-elle dans ma tête ? Ne pense pas, Franck, ne pense pas... Les trains. Démarre les trains... Un décor à finir. Une famille à mouler, à peindre, à installer... Demain, j'achète des rails. Agrandir le réseau. Plus grand. Plus de locomotives. Et du bruit... Toujours du bruit.

Je posai une main tremblante sur mon pilulier quand on frappa à la porte.

Sur le palier, une fillette, frissonnante de larmes. La petite au livre de *Fantômette*, me semblait-il. Je m'accroupis.

— Que se passe-t-il ?

Du haut de ses neuf ou dix ans, avec sa tête inclinée et son visage rond d'enfant, elle brûlait d'une timidité touchante. Ses doigts minuscules se tortillaient dans les plis de sa chemise de nuit bleue.

— Je... suis enfermée... dehors... Maman est partie... travailler. J'ai voulu... rattraper le chat, sorti en... même temps que... maman. Et la porte... la porte s'est refermée !

Une tendresse s'égara sur mes lèvres.

— Quand rentre ta maman ?

— Demain matin, elle est infirmière.

— Et ton papa ?

— Il est parti... Il y a longtemps...

Je l'invitai à entrer d'un geste généreux.

— Vous venez d'emménager, ta maman et toi ?

— La semaine der...

La fillette resta figée, en extase devant mon réseau ferroviaire, ses tunnels, ses petites machines à vapeur qui roulaient des mécaniques et crachotaient du plaisir. Elle chassa ses larmes d'un large mouvement de bras.

— C'est joli, n'est-ce pas ? murmurai-je en m'agenouillant près de figurines en plâtre.

Je la contemplai, suspendu aux minutes, avec ce regard simple que ne perdent jamais les pères aimants.

— Sais-tu dans quel hôpital ta maman travaille ?

La fillette secoua la tête, sans répondre, ses yeux de jais flambant de trésors secrets. Pourquoi venir me voir, moi ? Un flic perdu dans ses souvenirs, que personne ne croisait et qui ne souhaitait croiser personne ? J'ai vu un jour dans un reportage un lion s'attendrir sur une antilope blessée. Cette petite me déstabilisait tellement ! Je réfléchis une seconde et proposai :

— On va glisser un mot sous la porte de ton appartement, signalant que tu es ici, au trente-deux. Comme ça, quand ta maman rentrera, elle viendra te chercher, OK ? Je vais m'installer dans le canapé, tu pourras dormir dans mon lit.

Elle regroupa ses mains sur sa poitrine et clama un « *Ouiiiiii* » victorieux.

La soirée se consuma à la lueur de nos mimiques complices. Je lui parlai de trains, lui expliquai les règles à respecter, la manière d'animer les personnages, comment, aussi, utiliser des matériaux de tous les jours pour constituer le décor. Du papier, des bouchons de liège, des allumettes, qui, au monde des jouets et surtout aux mirettes des enfants, grandissaient en jardinets, parterres de fleurs, champs de luzerne... La paternité ne s'oublie pas, elle croît surtout de l'absence.

— Tu veux poser la main sur mon cœur ? murmura-t-elle, alors que je la bordais de ce geste simple et si douloureux.

Un peu surpris par la requête, je posai doucement ma paluche sur la poitrine, à gauche, et ne sentis aucune pulsation. Mon estomac se nouait autant que le sourire de la petite s'étirait.

— C'est à droite que se cache mon cœur, confia-t-elle dans un souffle.

Je voulus déplacer ma main mais elle l'écarta d'un mouvement un peu sec.

— Il s'agit d'une anomalie génétique, mais, pour moi, d'une chance énorme. Tu devines pourquoi ?

Je secouai lentement la tête.

— Avant, quand papa me serrait dans ses bras, nos cœurs se trouvaient face à face, chacun d'entre nous percevait les battements de l'autre. Et tu sais quoi ? Il arrivait un temps où les battements se produisaient exactement au même moment, au même rythme. C'est comme ça que je savais que mon papa m'aimait...

Je l'écoutais avec tendresse, bercé par le miel de ses phrases. Elle me dit encore, en tendant un doigt :

— Ton écran d'ordinateur. Pourquoi il se met à clignoter ?

— Un e-mail !

Je volai jusqu'à mon clavier, déployai la fenêtre correspondant au dernier courriel. Paul Legendre, mon docteur en théologie... J'avalai les lignes qu'il m'écrivait, en apnée. Des poussées de sang battaient dans mes tempes.

— Je dois sortir ! Une urgence ! Je... mon voisin va te garder. Tu connais Willy ? Un garçon avec des spaghetti sur la tête ! Il est très gentil, tu verras !

Elle se redressa avec cette posture agressive des cobras.

— Non ! Je veux rester ici, avec toi ! T'en va pas !

— Je reviens !

Ses yeux virèrent au gris orage.

— T'en va pas, Franck ! Reste avec moi ! Si tu la mets en colère, elle va partir !

— De qui tu parles ?

Mais elle se glissa sous les draps, sans plus ouvrir la bouche...

Willy fumait à l'autre bout du palier, devant sa porte

fermée, sa figure molle écrasée contre son épaule. Je lui expliquai, pour la gamine. Il bâilla, tira sur sa roulée et envoya :

— Vas-y, Man. Amène-la. Mais je te préviens, je fais pas de baby-sitting. Je vais me pieuter...

Je fonçai dans ma chambre. Draps défaits, oreiller ramolli, mais pas d'enfant. Cuisine, salle de bains, salon. Rien. Je voulus la héler, sans prénom à appeler. Couloir vide. Elle avait dû se faufiler dans la cage d'escaliers, fine souris.

Je dévalai quatre à quatre, fouillai les recoins discrets et les cachettes improvisées. En vain. Je songeai alors au mot, déposé sous la porte numéro sept. *Votre fille a été enfermée dehors. Elle se trouve chez moi, au troisième, en sécurité. Numéro trente-deux. Je suis policier.*

— Et merde !

Je jetai vingt euros dans la main de Willy et l'exhortai à veiller dans le couloir du troisième. La cigarette entre les dents, il bougonna avant de s'avachir contre le chambranle, jambes écartées. Splendide Noir dans son pyjama.

Quant à moi, après avoir enfilé une chemise propre et un pantalon en toile fine, je fonçai vers Meudon-la-Forêt, mon Glock pressé contre mon flanc gauche.

À deux heures du matin, Paul Legendre voulait m'expliciter de vive voix ce qu'il avait décrypté dans le message.

# Chapitre six

Le docteur en théologie habitait en lisière de forêt, au creux de reliefs tissés de sentiers sauvages et de friches bruissantes. Sa bâtisse néo-gothique respira lentement sous l'éclairage de mes phares.

Assis sur les marches de l'entrée, Paul profitait du grand poumon forestier, la pipe aux lèvres, son lourd faciès nuancé par la palpitation d'une lampe-tempête.

— Tu ne dors donc jamais ? plaisantai-je en lui tendant la main.

Il me répondit par un sourire accompagné d'une tape sur l'épaule, puis m'invita à le suivre.

Nous nous installâmes sur une terrasse cernée de troncs tendus et d'herbes serrées. On se serait cru sous une nuit tropicale, au cœur d'une étuve malsaine, tant la moiteur souillait les chemises et tartinait les fronts.

Paul me versa un brandy coupé de glace, que j'accueillis comme une délivrance.

Une fois sa bouffarde ravivée d'aspirations minutieuses, il plongea dans le vif du sujet.

— Je n'ai pu saisir ton texte dans sa globalité, mais j'y ai découvert certaines clés qui vont t'intéresser. Parlons d'abord de cette *Courtisane* et de son *tympan*. As-tu noté la majuscule à *Courtisane* ?

— En effet.

— Quand il parle de la *Courtisane*, notre homme parle de l'Eglise. Depuis des années, des groupes d'experts de diverses nationalités ont analysé en profondeur les trente-neuf livres de la Bible hébraïque. Ils y ont décrypté les emblèmes, les images, les codes cachés. Symboliquement parlant, le Christ est représenté comme l'époux de l'Eglise. Dans le recueil final, l'Apocalypse, saint Jean décortique le thème de l'adultère. Pour lui, une Eglise corrompue est considérée comme une Courtisane, puisqu'elle trompe son mari, le Christ.

Ma langue claqua sous l'ambre délicat du breuvage, tandis que mes muscles se détendaient un peu.

— Curieux, constatai-je. L'un de mes collègues a interrogé un curé, qui a prétendu ne rien comprendre à ces phrases. Je ne vois pas bien comment un homme de foi pouvait ignorer cela.

Paul décrivit une large arabesque de sa main droite.

— Tout dépend de l'angle de vision, du point de vue. Ton curé prêche et transmet la parole sainte, il utilise la Bible comme vecteur à sa vocation... Nous, les spécialistes, passons notre vie sur des sites archéologiques, dans les bibliothèques des instituts catholiques, des centres d'études sémitiques. Nous cherchons à déchiffrer la symbolique des écrits bibliques, sans pour autant aller au culte tous les dimanches. Donc oui, ton prêtre pouvait parfaitement ignorer cela...

Il descendit son alcool d'une gorgée et me proposa un nouveau verre que je refusai.

— Pardonne mon manque de culture, mais pourquoi *le tympan de la Courtisane* ?

Legendre épongea son front de falaise avec un mouchoir blanc. La chaleur nocturne roulait sous ses chairs humides, incendiant son visage d'un rouge de braise.

— Regarde dans le dictionnaire ! Un tympan est une sculpture, une fresque que l'on trouve à l'entrée de nombreuses églises romanes, au-dessus de la porte. Il matérialise un message d'accueil, le passage du monde terrestre à un lieu divin.

— *Le tympan de la Courtisane* ! L'entrée de l'église d'Issy ! Elle dissimule quelque chose ! Un autre message !

On y était ! Je songeai aux inscriptions incompréhensibles, dégotées par le légiste dans le petit tube, caché dans *le tympan* de la victime. Incomplètes parce que l'autre morceau se nichait derrière un autre *tympan*, celui de l'église d'Issy. *Tympan* d'oreille, *tympan* d'église. La chair, l'esprit. Je lançai, sur le ton d'un enfant impatient :

— Explique-moi le reste ! *L'abîme et ses eaux noires, le fléau, le mauvais air* !

Paul sourit, déclinant les vieilles dents jaunes des fumeurs de pipe.

— Doucement, Franck, doucement. Crois-tu que je vais t'amener ton type sur un plateau ? Ces phrases demeurent, dans leur signification générale, un mystère, un ramassis de non-sens, mais je ne pense pas me tromper en affirmant que ton... client se prend pour un messie ou une quelconque figure religieuse aux pouvoirs... divins.

Avec un calme de pierre tombale, le théologien ballottait son verre devant lui.

— Eclaire-moi encore, Paul. Qu'as-tu décrypté d'autre ?

— Je n'ai pas décrypté, j'ai juste constaté. Il semblerait donc que ton comique se soit inspiré du dernier livre de la Bible, l'Apocalypse selon saint Jean. Connais-tu ce recueil ?

— Juste de nom... 666, le chiffre de la Bête. La fin des temps.

Paul sollicitait largement le langage des mains. Roulements, balayages, brassées d'air.

— Il évoque la *Courtisane*, ensuite une *trompette... Alors, au son de la trompette, le fléau se répandra*. Il m'est impossible de résumer ce scénario profus et chaotique que constitue l'Apocalypse, mais, en gros, sept trompettes préviennent les sept Eglises d'Asie Mineure que des fléaux vont se répandre sur la terre. À chaque coup de trompette, un fléau... Quant à *l'onde deviendra rouge*, on pourrait, à l'extrême, faire une analogie avec le châtiment réservé à Satan, jeté par ses propres disciples, après mille ans de règne, dans un puits qui se remplit de lave. Une onde qui devient rouge...

Les bizarreries que Paul dévoilait me procuraient un plaisir dangereux, le froid curieux ressenti par l'avaleur de sabres.

— Sept fléaux, sept Eglises... Toujours ce chiffre, constatai-je en fronçant les sourcils. Nous avons découvert sept papillons, auprès de la victime. Des sphinx têtes de mort. Que symbolise ce chiffre ?

— La perfection, l'excellence, le renouveau. C'est le chiffre attribué aux qualités de Dieu, supérieur au six, chiffre de la Bête. Il est cité à maintes et maintes reprises dans l'Apocalypse.

— Tout ceci semble assez décousu.

— Je t'avais prévenu ! C'est un texte de codes secrets, de messages cachés. Tout est en profondeur, derrière les mots. Cet autre message, entre tes mains, possède cette force. Cette *prophétie* contient la juste dose d'indices pour te faire avancer, mais pas trop vite. Et notre *prophète* veut que tu progresses à l'allure qu'il te donne.

Je roulai des trapèzes, assouplis ma nuque fatiguée et priai mon ami de me resservir un fond de brandy. Il en profita pour remplir son verre.

— Parle-moi de ces sept fléaux.

— Le déluge de grêle et de feu, qui détruit un tiers de la terre... Le tiers des animaux marins qui meurt... Le tiers de la lune, du soleil et des étoiles pulvérisé... Un astre qui tombe du ciel, éliminant un tiers des eaux de source... Des nuées de sauterelles qui s'abattent sur les hommes et les torturent... Un autre tiers d'hommes réduit en poussière... Et, finalement, les éléments qui se déchaînent...

— Saint Jean ne manquait pas d'imagination.

— Imagination à demi. La peur du ciel qui tombe sur la tête a balayé toutes les pensées, des Celtes à nos plus éminents astrophysiciens. Note aussi que ton homme parle de déluge. *Sous le déluge, tu reviendras ici*. Fait-il référence au Déluge du livre de la Genèse ? À la destruction de toute vie sur terre, hormis les espèces de l'Arche ? Tout est si flou...

Paul enfourna du tabac dans sa pipe, dévala la terrasse et s'enfonça dans la forêt. Sa voix se perdait loin dans les noirceurs.

— Suis-moi, Franck. Discutons un peu de ton affaire. Raconte-m'en davantage. Les papillons, cette morte... Ton monde de sang me fascine...

Nous empruntâmes une allée de cailloux qui s'enfouissait au cœur des géants de bois, où l'obscurité grossissait sous chacun de nos pas.

Dans un échange de bons procédés, je lui expliquai la découverte dans le confessionnal, la position du cadavre, les premiers résultats de l'autopsie, les symboles sur le calque déniché dans le tympan...

Paul restait silencieux, je ne distinguais plus que l'ombre de son ombre, l'écho de sa présence.

Alors, au rythme de notre progression ralentie, je continuai à raconter... L'affaire... Ma vie, ma solitude, mes peurs... Paul avait connu ma femme, bien avant son enlèvement. Il ne l'avait pas reconnue après. On ne peut cacher ce que révèle le regard. À l'époque, j'avais discerné dans le sien l'absence d'un éclat, de cette petite étincelle qui ne s'allumait plus quand il venait nous rendre visite. De la pitié... Il avait éprouvé de la pitié...

Il m'encouragea à parler encore, à me confier à cette nature ouverte et compatissante qui savait me comprendre...

Et je parlai, parlai, parlai...

Une fois de retour à la lumière, je séchai une larme, gêné, amoindri, affaibli. Paul me versa un verre de jus de fruits frais.

— Voilà une dimension des arbres que je voulais te faire découvrir. Ils fournissent de l'oxygène, ce qui exacerbe ton cerveau. Rapproche-toi d'eux, chaque fois que tu en ressentiras le besoin... ils t'écouteront...

J'engloutis mon verre, respirai à poumons déployés le souffle des bois avant de solliciter un dernier service. Paul me prêta donc une échelle que j'amarrai à ma galerie. Direction *le tympan de la Courtisane*.

Lorsque je saluai Legendre, il posa le bras sur mon épaule et m'avisa :

— Prends garde, Franck. Si je ne me suis pas trompé et que tu trouves effectivement la deuxième moitié de code derrière le tympan, alors tu es le *Méritant. Ensuite, des deux moitiés, le Méritant tuera l'autre Moitié de ses mains sans foi...* Ton tueur s'y croit vraiment. Il ira jusqu'au bout de sa mission.

D'un bras ferme, il me força à le regarder en face.

— Tu n'es pas croyant, Franck, n'est-ce pas ?

— Je l'ai été, mais désormais *mes mains sont sans foi...*

En claquant la portière, j'ajoutai :

— Les personnes que j'aimais le plus au monde sont parties sous mes yeux. En quoi pourrais-je encore croire, aujourd'hui ?

# Chapitre sept

Je traçai au travers des quartiers somnolents de la banlieue, dans cette brume chaude d'asphalte, les yeux piquant de fatigue et d'appréhension. Vers quel sombre dénouement allait m'entraîner ce jeu de pistes ? Une autre victime ? Cette fameuse *Moitié* ? Mon esprit bouillonnait de mille interrogations, tant perdu dans les versets bibliques que dans les méandres du rapport d'autopsie. Le visage de l'assassin restait muet. Que cherchait à prouver cette volonté meurtrière qui, de par ses agissements réfléchis, ses folies dissimulées, faisait preuve d'un tout relatif raffinement ?

Au volant de ma voiture, à arpenter la nuit, je me sentais léger, soulagé. Cette affaire arrivait au bon moment. Patrick Chartreux, dents cassées sous nez broyé, ne représentait que la partie visible de mon iceberg intérieur. Pour être franc, cette femme, rasée des pieds à la tête, mutilée sous ses chairs, avait sauvé un flic en dérive. Au plus profond de moi-même, dans la maison de Dieu et sous le regard du Christ, je l'en avais remerciée...

Sur les hauteurs, le clocher de l'église se décrocha de cette traînée blanche d'étoiles. Mon cœur battit plus vite lorsque je calai mon échelle sur la façade, puis grimpai jusqu'à atteindre le tympan de la Courtisane. Trois zonards imbibés me demandèrent si j'allais bien avant de m'expliquer, dans leur langage, qu'il y avait plus simple pour s'approcher du paradis. Ils disparurent derrière un angle de rue, à généreuses gorgées d'insultes. Jeunesse décadente...

Face à moi, ébloui par le faisceau de ma torche, Jésus, assisté de sept anges, encore sept, implorait le ciel. Après avoir enfilé un gant en latex, je glissai mes doigts dans les interstices de la sculpture, fouillai avec minutie dans les fissures. Rien, hormis de la pierre fracturée. Je palpai encore, les lèvres pincées, perché sur la pointe des pieds. En plus de me trouver ridicule, je commençais à me décourager. À l'évidence, je m'étais lourdement trompé. Sauf que... mes phalanges croisèrent soudain une forme cylindrique, longue de quelques centimètres. Le tube en étain ! Paul avait su, encore une fois, déverser de l'adrénaline dans mon corps.

Je rembarquai mon matériel, me ruai dans l'habitacle et, sous la veilleuse timide, débouchai ma trouvaille. Le calque m'y attendait... L'autre moitié... Les signes apparurent, mélasse de barres horizontales et verticales. Mes chairs tremblaient, tant j'étais excité. Je m'empressai de superposer mon butin à celui que j'avais reconstitué.

D'une magique combinaison jaillit la lumière.

— Nom de Dieu, c'est pas vrai !

Trop absorbé par ma découverte, je ne vis rien venir. Mes deux portières s'ouvrirent simultanément, une bouteille vide suivie d'un poing bien serré me percutèrent l'arcade, tandis qu'une paire de mains me dérobait les messages, l'étui en étain et des CD. Du fin fond de ma douleur, je perçus :

— J't'avais dit que c'était pas du fric qu'il planquait là-haut, ce crétin !

— Ta gueule ! On s'arrache !

Je m'extirpai de ma voiture un peu chancelant et dégainai mon Glock, le braquant dans l'obscurité. Les trois zonards réapparurent sous un lampadaire lointain avant de se fondre dans une rue annexe. Le filet de sang qui coulait sur mes lèvres et les lancinements de mon crâne m'interdirent toute poursuite. J'enrageai de mes mille et une dents.

Dans le jargon, on appelait ça une bavure. Un indice important dans une affaire criminelle venait de s'évaporer. Au revoir, les relevés d'empreintes, les prélèvements ADN, les analyses graphologiques ! Bonjour les emmerdes !

Emporté par ma colère, j'abattis mes deux poings sur le volant. L'airbag m'explosa à la figure. Sans commentaires...

Remis de cette fâcheuse péripétie, je tournai enfin le contact. Fort heureusement, j'avais en tête le texte, ce fragile fil d'Ariane que me tendait l'assassin.

*Chemin du Val. Chaume-en-Brie.*

Le jeu mortel se poursuivait, d'étape en étape le tueur me livrait des précisions supplémentaires. Il voulait que son adversaire mérite. *Le Méritant...*

Chaume-en-Brie. D'après l'atlas routier, il s'agissait d'un bled paumé, département soixante-dix-sept. Sur la carte, je repérai Meaux, puis Disneyland Paris. Trois quarts d'heure de route. Mes pneus flambèrent sur l'asphalte. Je faillis composer le numéro de permanence, à la Criminelle. Solliciter la cavalerie à trois heures du matin. Cerner les lieux, pénétrer en force, armer la lourde machine judiciaire.

Mais je me ravisai. Je devais d'abord débroussailler ce charabia, seul. Le sang attire les requins, ces grands requins nocturnes qui aiment à arpenter les veines du Mal.

Autoroute A4. Bandes blanches, cerclées de ténèbres. Malgré l'excitation, mes paupières s'alourdissaient. Quatre heures de sommeil en deux jours. Radio à fond. Céline Dion. Tant pis...

*Tu roules vite, Franck. Je déteste quand tu roules vite. Regarde où la vitesse nous a menées...*

L'affaire, penser à l'affaire. Le confessionnal. La femme, rasée. Les dégâts causés dans son corps... S'occuper l'esprit, toujours. Le message, l'adresse, l'Apocalypse, saint Jean, les sept papillons, la renaissance de l'être, la résurrection...

*Prends garde, Franck. Ton attention se relâche. Tu es fatigué. Surveille ta route...*

*Arrête, Suzanne ! Arrête de parler dans ma tête !*

Ma gorge en feu. J'étouffais. De l'air ! De l'air ! J'ouvris grand les deux vitres avant, des bouffées chaudes me firent émerger. Une pilule magique, pour calmer mon angoisse. Là, un panneau. La bonne sortie...

Pleine campagne. De rares maisons, assoupies. Des virages, des nids-de-poules, des lapins z'yeux rouges qui arpentent la route... La nuit, furieuse d'obscurité... L'impression écrasante de me précipiter dans un piège...

Enfin, le panneau Chaume-en-Brie. Je dégottai un plan du village, plaqué sur un arrêt de bus. *Chemin du Val*. Encore deux kilomètres.

Destination finale. Sous mes phares, des habitations en construction, déchirées d'ombres. Le chemin s'affina, les champs déversaient leurs tripes brunes sur le bitume, je crus à un moment devoir faire demi-tour lorsque se dressa, au-delà d'un fossé, une forteresse noire. De hauts sapins, rangés en carré et pressés autour d'une large demeure.

J'éteignis mes phares et, équipé de l'inséparable duo

Maglite-Glock, m'enfouis dans les profondeurs insondables.

Là où il avait décidé de me mener. Dans la gueule du loup.

Le silence des choses mortes m'assaillit. Pas de vent, aucun mouvement, encore moins de lumière. Je coupai par le mur de la sapinière, franchis un portail verrouillé pour atterrir sur une pelouse qui avait bien poussé. Sous la rumeur de mes pas, mon genou percuta un amoncellement de bois, d'où frisait une odeur que je connaissais trop bien...

Putréfaction. Il n'en fallut pas plus à ma cage thoracique pour se rétracter contre mes poumons. On ne s'habitue jamais à ces choses-là...

Une niche avait été ravagée, détruite. Des planches déclouées, partout dans le jardin. Arrachées par une force surhumaine. Sous la morsure de mon faisceau s'ouvrait la carcasse d'un doberman, hébergeant d'étranges hôtes. Larves gonflées, mouches repues. Un essaim de mort me frôla le visage. D'un mauvais réflexe, je faillis crier.

Vu l'accueil, je ne me trompais pas d'adresse... Que me réservait l'intérieur ?

Un vent léger monta dans les cimes. Les grandes mains d'écorce, partout autour, firent rouler leur noirceur sur le sol. L'impression que les branchages allaient se refermer sur moi...

Pénétrer par effraction, sans mandat, risquait de me causer de sérieux ennuis, sans oublier l'affaire Patrick Chartreux qui, déjà, avait aiguisé les dents du divisionnaire.

Je composai donc le numéro de la permanence, patientai deux sonneries et raccrochai quand la poignée d'entrée tourna, sous l'impulsion de mon poignet. Grincement de porte...

L'attaque fut fulgurante. Des pattes aveugles, sur mes tempes. Des raclements d'ailes sur mes joues... Partout, des vibrations.

Dans un premier temps, à observer les murs avec ma lampe-torche, je crus qu'il s'agissait de moisissures, tant ils étaient minuscules et innombrables.

Les moustiques.

Ils jaillissaient de partout, se précipitaient sur le rail de photons dans une cohue de foule paniquée. Des grappes noirâtres se décrochaient avant de se disperser en fresques ailées. Les plus affamés me pompaient déjà le sang des avant-bras. J'en éclatai un maximum en me dirigeant vers les autres pièces. Cuisine, salon, salle de bains... Personne. Pas de corps, pas d'odeur, pas de désordre.

J'allumai la lumière de la salle à manger. Les insectes s'agglutinaient sur le lustre, certains grillaient. Les plus hardis préféraient le contact de ma main à la famine. Stupides bestioles ! J'avançai en battant des bras. Sur un mur, une photo. Un couple, enlacé au bord d'une plage. Longue chevelure brune pour elle, ventre bedonnant pour lui. Je m'approchai du cliché. Pas de doute... Face à moi, la femme recroquevillée du confessionnal, en moins morte.

Deux questions : où se trouvait le mari ? Pourquoi l'assassin m'amenait-il ici ? Je déglutis lourdement, pressant mon Glock contre ma joue...

L'étage. Deux chambres. Celle des parents. Et une autre. Anéantie. Des posters d'hommes, partout, lacérés à coups de couteau. Brad Pitt, George Clooney, Matt Damon, les yeux en moins. Sur le sol, du verre. Des éclats d'ampoule. Une lampe brisée, les vestiges d'une lutte.

Trois... Ils étaient trois. L'homme, la femme, la fille. L'une reposait entre quatre planches. Et les deux autres ?

Je retournai au rez-de-chaussée fouiller encore, avec l'énergie du désespoir. Dans le salon, les dernières correspondances ouvertes remontaient à trois semaines... Viviane et Olivier Tisserand...

Van de Veld avait noté, sur la victime, des ongles longs, cassés. Avait-elle été séquestrée tout ce temps ? Dans quel endroit ? Et son mari, l'autre *Moitié* ? Quant à la fille, Maria... Pourquoi le tueur ne l'avait-il pas mentionnée dans son message ?

Autour de moi, la brique tremblait, tapissée d'un essaim de trompes morbides et d'ailes bruissantes. Jamais je n'avais vu autant de moustiques de ma vie !

Un tapis. Un tapis d'insectes. Certains gisaient sur le sol, épuisés par la pénurie de sang. D'autres volaient le ventre creux, ivres de fringale. Pourquoi étaient-ils tous là, regroupés dans cette pièce ? Qu'est-ce qui pouvait les attirer en si grand nombre ?

Je m'élançai à nouveau vers l'étage, à la recherche de *l'abîme et ses eaux noires*. S'agissait-il de la baignoire, des lavabos, des toilettes, d'une fosse quelconque ? D'un puits, dans le jardin ? Peut-être !

Je dévalai en quatrième vitesse, embrasai un halogène extérieur. Néant. Herbe, arbres, champs... À trop jouer, on se lasse.

Les simagrées de l'assassin me tournaient sur le ciboulot et m'avaient contraint à enfreindre bon nombre de règles. Au point où j'en étais, j'optai pour des recherches plus poussées à l'intérieur...

En ultime recours, j'avisai des albums photos que je feuilletai rapidement... Plage, montagne, mariage, conneries de couple... Gros plan sur la fille. Dix-huit ans, blonde incendiaire. Sculpturale... Sur d'autres clichés, l'homme, un poisson au bout d'un harpon. Encore lui avec un masque et un tuba... Toujours le même, palmes aux pieds, au bord d'une... Au bord d'une fosse de plongée !

Pris d'une suée, je revins sur le courrier. Quête visuelle... Là ! « Club de plongée de Meaux ».

*Surveille les maux !* Avec sa fosse de plongée, *l'abîme et ses eaux noires !* Le message crachait ses dernières cartouches. Nouveau crissement de pneus...

Trente minutes plus tard, à la limite de la panne d'essence, je rangeai mon véhicule sur un parking de terre rouge avant d'atteindre un petit local, perdu sur un sol crayeux où ne s'épandaient que des herbes rebelles et des silex érodés. Des panneaux de rouille indiquaient la direction de la fosse.

Je m'enfonçai dans les tranches d'obscurité, attentif aux pavés de craie et aux trous sévères qui, durant de longues minutes, crevaient l'œil de ma torche.

Devant, sous les violets de l'aube, le linceul blanc de la carrière touchait l'horizon. Un escalier taillé dans le vif me propulsa plus loin encore.

Là, au fond, perça le puits de ténèbres, pas plus large qu'une cuve, aux eaux d'un noir de cendre. En ses bords, une inscription, « Fosse de Meaux. Profondeur, 30 m ».

Autour, les tentures sombres de la nuit finissante, des platitudes calcaires. Qu'y avait-il à découvrir ici ? Un autre message ? Une piste ? Ou... un cadavre ?

Un bruit, proche, tout proche. J'éteignis et m'accroupis, Glock tendu sur pupille dilatée. Plus rien. Juste une brise rasante, riche en chaleur, enflée de l'absence d'obstacle. Avec prudence, je m'approchai du gouffre, puis rallumai ma lampe, traquant les abysses, mordant des diamants de poussière en lutte avec des particules silencieuses. N'importe quand, une main pouvait surgir et m'entraîner vers de sinistres infinis.

Alors elles éclatèrent à nouveau. Les bulles... Par trente mètres de fond, *la Moitié* ne soufflait son air que par alternance. Sous des montagnes d'eau, Olivier Tisserand, professeur de plongée au club de Meaux, économisait son air. Quelle force maléfique le retenait en bas ?

Cette fois, plus d'hésitation. Je contactai la brigade, leur demandant de joindre dans l'urgence le commissariat de Meaux, d'envoyer une ambulance et d'apprêter un caisson hyperbare.

Les bulles, encore, perles de vie. Que faire ? Attendre ?

Je m'élançai sur le plateau de roches, remontai pieds et ongles les pentes arides, m'écorchant les paumes, m'épuisant les poumons, coupant droit par la carrière vers le local de plongée.

Le cadenas avait été forcé. Je roulai sur le mur intérieur, éventrai la pièce de diagonales lumineuses, m'approchai de formes sombres, vibrantes, qui percutaient avec acharnement le verre poussiéreux d'une fenêtre.

Le visage de la mort m'apparut. Les sphinx. Sept gros sphinx noirs. Agglutinés sur une vitre.

Haletant, je m'emparai d'une bouteille de plongée et d'une torche étanche. Pas le temps d'enfiler une combinaison. Je cachai mon arme au-dessus d'une armoire, me déshabillai en un éclair, passai la bouteille dans mon dos à l'aide des lanières et, palmes à la main, couteau de plongée lié autour de la jambe, avalai le trajet inverse. En caleçon et mocassins.

La plongée... j'avais obtenu mon brevet de niveau deux à l'antigang, mais ça datait du siècle dernier.

Trente mètres ! Un immeuble de dix étages retourné. La profondeur de tous les pièges. Vertige, sensation de solitude, troubles de la vision. Les gaz intestinaux qui se compriment, l'air qui se glisse entre les plombages et explose les dents. Mon corps risquait de morfler.

Mon regard embrassa l'alentour. Rien dans le lointain des roches. Pas de gyrophare, aucune sirène. Sous mes pieds, les bulles d'air se raréfiaient. Dix secondes entre les expirations. Fin de bouteille.

Bien plaquer le masque. Régler le détendeur. Inspirer par la bouche, souffler par le nez... Inspire, souffle, inspire, souffle...

Encore des secondes qui s'égrènent... L'espoir d'entendre des voix, de ne pas avoir à m'enfoncer seul dans le colosse d'eau...

Plus le choix. Bientôt, les bulles s'éteindraient. Allez !

Lorsque mon visage frappa l'onde, que l'oxygène de la bouteille m'assécha la gorge, l'angoisse me retourna, cette angoisse des claustrophobes qui prive d'air et ébranle les sens. Une plongée de nuit est une descente à l'intérieur de soi-même, dans un univers dangereux peuplé de monstres démoniaques.

J'étais complètement cinglé. Pas d'arme, hormis le couteau. Je risquais de le payer de ma vie.

Dix mètres. Noir dessus, noir dessous. Le tympan qui s'enfonce vers l'oreille moyenne. Douleur... Manœuvre de Valsalva : bouche fermée, nez pincé, souffler.

Le silence... Casse le silence. Souffle... Focalise-toi sur la danse des bulles, le ronflement du sang qui enfle tes artères... Le fond... Objectif le fond... Vaincre cette faille mortelle. Trouver la source de vie.

Piège. As-tu pensé au piège ? Devant, derrière. On pouvait m'atteindre de n'importe où. N'importe quand. Coup de lame. Détendeur tranché. Mort.

Vingt mètres. Une luciole. Une luciole dans un grand ciel hostile. Des blocs d'eau cherchaient à m'écraser, me broyer, me pulvériser. Le masque me pressait le visage, m'aspirait les yeux. Tout mon organisme se rétractait. Poumons, tube digestif, estomac.

Envie de gerber. Je descendais trop vite. Quinze

mètres par minute, disent les tables. Pas plus. Pas plus ou tu vas crever, implosé... Le silence... Brise le silence... Roulis des bulles. Coulée du sang. Tam-tam du cœur.

Combien encore à descendre ? Combien ? J'étais perdu. Mes notions de haut et de bas s'inversaient... Les bulles, fixe les bulles. Elles montent, donc tu descends. Claustrophobie. Le froid des abysses qui tétanise les muscles, rigidifie la chair en pierre. Les oreilles qui bourdonnent, du sang dans les sinus... Souffler. Souffler. Cinq fois huit, quarante. Six fois huit, quarante-huit. Neuf fois huit... Quatre... Non... Soixante... soixante-douze... Peur, mort, douleur. Rires. Métal... Eloïse. Je t'aime, je t'aime... Franck... Franck Sharko, commissaire à la brigade criminelle. Shark, le requin. Le requin vit dans l'eau... Inspire... Je vis dans l'eau... Expire... Moustique, trompe, piqûre... Inspire. Noir dedans, noir dehors. Expire...

La blancheur d'un pied m'apparut. Une rumeur, un flash de cauchemar. Puis une jambe complète. Triplement instantané du rythme cardiaque. Soixante, cent vingt, cent quatre-vingts... Panique. J'étouffe. De l'air, de l'air ! Comment on respire ? De l'air !... La bouche ! Inspire par la bouche, souffle par le nez... Encore. Recommence... Ecoute ton cœur... boum boum... boum boum... boum boum... Inspire expire, inspire, expire... inspire... expire... Voilà... Respire profondément... Tu vis encore.

L'homme gisait sous moi, en combinaison, les membres entravés par une épaisse corde reliée à des mousquetons soudés aux parois. Je ne l'apercevais que par saccades, au gré de ma torche. Il respirait à présent sans discontinuer, lâchant des traîneaux argentés de bulles.

À ses côtés, deux bouteilles d'oxygène, deux étincelles de vie d'où serpentait un détendeur.

Ma torche éclaira des yeux hors de leurs orbites. Nervurés de sang. Une terreur de bête agonisante y brillait. Pris d'une panique fulgurante, il agita la tête, se tortilla pour se défaire de sa prison de cordes. Son détendeur ripa, des sortes de grognements écrasés jaillirent. L'eau s'engouffra dans sa bouche à la vitesse d'un barrage qui se rompt.

Je lui coinçai le menton, retins ma respiration et le forçai à ingurgiter mon air. Il mordit mon détendeur, essaya de l'arracher. Respire, putain, tu vas crever ! Pas le choix. Coup de poing dans la tempe. Sonné, il absorba une grande goulée d'air. Voilà. Calme-toi...

À mon tour... Je respirai. Son tour... Mon tour... Son tour...

Coups de lame, amarres qui sautent... Je ne lui détachai ni les mains, ni les pieds. Parce que, libre, il chercherait à me noyer.

Son tour... Mon tour... Inspire, expire. Tu dois vivre, tu m'entends ? Vis ! Son tour... Bois l'air ! Bois-le ! Gorge-toi de cette putain de vie ! Je le saisis par les aisselles et donnai de vigoureuses palmées. Je perçus une forte résistance, quelque chose bloquait. Anormal. Qu'est-ce qui le retenait encore ? Un ultime coup de palmes nous éloigna du fond.

Alors l'homme disparut derrière un écran de bulles. Des centaines de bulles. Il hurlait, si fort qu'il semblait briser les murs du silence. Il refusait l'oxygène, ses yeux roulaient sous son masque. Le bas. Il fixait le bas.

Je dirigeai ma torche au fond. Ma lumière vira à l'orange. Mélange de jaune et de rouge. Le jaune de ma lampe, le rouge de son sang. Sa jambe gauche pissait. À grands flots.

Plus le temps de réfléchir ! Foncer ! Foncer vers le haut ! Vite ! Le plus vite possible ! Ignorer les paliers de décompression ! Trente mètres... L'azote accumulé dans son corps allait se précipiter dans ses artères. Des bulles enfleraient dans son cœur. Ses poumons pouvaient exploser. Mais c'était ça ou la caresse chaude d'une hémorragie... Quant à moi, je risquais de morfler aussi. L'azote n'épargnait personne...

Je battis des jambes à me rompre les tendons. Tous mes organes appelaient au secours, mes poumons brûlaient, mon cerveau se dilatait sous mon crâne. Mon diaphragme se contracta. Impossible de respirer... De l'oxygène ! Inspire ! Inspire ! Impossible !... L'apnée. Reste dix mètres... L'homme s'était évanoui, saturé d'eau.

Une douleur incroyable dans mes oreilles. Tympans prêts à craquer...

Des lueurs, au-dessus. Faisceaux croisés, vifs, palpitants... Des pétales de voix... Des cris maintenant... La surface de l'eau qui se crève... Ma tête qui tourne... Une impression d'éloignement.

Puis... plus rien...

Yeux ouverts. Là, dans le flou, des mines transies, des regards affolés. Un masque à oxygène sur mon nez. Combien de temps dans les vapes ? Autour, la craie. La carrière...

Je me relevai, un peu étourdi. À mes côtés, Tisserand, immobile. Des électrodes, ventousées sur son torse. Sa combinaison de plongée découpée. Un choc électrique, son corps qui s'arc-boute... C'était fini.

Le jour flamba sur un bain de sang.

Sous les rayons de l'astre, la roche poreuse but lentement le serpent rouge, alangui autour de l'homme inerte...

## Chapitre huit

Il aurait dû s'abattre des trombes d'eau, venter à arracher les arbres et décrocher les toitures. Il aurait dû tourbillonner dans l'air un monstre furieux, une tornade, un cyclone. Alors, peut-être me serais-je senti en accord avec cette forme de révolte, peut-être ma colère aurait-elle pu se libérer, au lieu de se recroqueviller sous mes chairs au point de les faire trembler.

Dans un mirage de craie, les ambulanciers engloutissaient dans la funeste enveloppe son cadavre, dont la main gauche aux doigts crispés dépassait encore. La terreur l'accompagnait jusque dans la mort, cette mort abominable surgie comme une grande mâchoire blanche sous des immeubles liquides.

Un fil à beurre enroulé autour de sa cuisse, à l'intérieur de la combinaison, avait déclenché l'hémorragie. De petits trous percés dans le Néoprène avaient permis d'y glisser l'invisible filin et de le relier à la grille du fond, sous l'eau. Redoutable stratagème qui avait sectionné net l'artère fémorale, une fois notre remontée entamée.

Sans doute le martyr, dans ses cris d'agonie, avait-il cherché à m'avertir...

Au loin, deux visages d'un noir colère, soutenus par

des corps fermes, tendus, que même le soleil levant ne savait éclairer. Leclerc et Del Piero débarquaient, salis par un réveil des plus brutaux. Le divisionnaire n'attendit même pas d'être à ma hauteur pour me balancer :

— Tu m'as éjecté de mon pieu en me fichant un cadavre sur les bras, alors maintenant, il va falloir que tu m'expliques sérieusement ce qu'il s'est passé !

En un sens, la situation pouvait déstabiliser. Je quittais Leclerc la veille, dans un état pas loin d'un pneu crevé, et il me récupérait à soixante kilomètres de là, dans un chaos de pierres, remonté des abysses pour en extraire un type dont, clairement, j'avais abrégé l'existence.

À sa gauche, Del Piero réajustait son impeccable tailleur. Même tirée de son sommeil dans l'urgence, elle s'était donné le temps de souligner ses yeux noirs d'eye-liner et de torsader sa chevelure rousse dans un chignon épais. L'ordre et la beauté.

Je repris l'histoire depuis le début... Le message, gravé sur une colonne de l'église... Ma visite chez Paul Legendre... *Le tympan de la Courtisane...* La superposition des codes, qui m'avait mené à Chaume-en-Brie... Puis ici, devant l'abîme et ses eaux noires.

— Et vous dites qu'on vous a volé ce deuxième morceau de code, ce qui implique que nous n'en avons aucune trace ?

Avec la classe d'une garce, la commissaire frappait là où ça faisait mal.

— La faute à pas de chance... répliquai-je sans dissimuler une grande fatigue. Au mauvais endroit... au mauvais moment...

— D'où l'utilité d'intervenir en équipe. Pourquoi croyez-vous que les procédures existent ?

— Vous...

— Vous permettez ? lui dit Leclerc tout en m'entraînant à l'écart.

D'un mouvement sec, Del Piero se retourna et appela la flamme d'un briquet.

— Ecoute, Shark, fit le divisionnaire. On va faire ce qu'on fait habituellement dans ce genre de situation. Tu vas nous accompagner au 36, pour qu'on enregistre ta déposition et qu'on essaie d'éclaircir ce merdier.

— Un interrogatoire en bonne et due forme, n'est-ce pas ?

— Mais qu'est-ce que tu crois ? Que tu es au-dessus de la loi ? Tu paumes des indices, pénètres en pleine nuit chez les gens sans mandat, retournes la baraque et on vient de te retrouver, couvert de sang, un moribond dans les bras ! N'importe qui serait déjà en garde à vue ! Estime-toi heureux qu'on le prenne avec calme ! Merde ! À quoi tu joues ?

À quelques mètres, au bord de la fosse ensanglantée, Del Piero piétinait, bras croisés et clope au bec. Evidemment, elle jouissait de toute la conversation.

Elle ne m'aimait pas, je ne l'aimais pas. Lorsque nos regards s'étaient croisés, la première fois, j'y avais perçu la violence d'un coup de foudre... au sens électrique du terme.

— Je n'avais pas d'autre choix que de plonger ! Ce type, il économisait son souffle, il pouvait manquer d'air à tout moment ! J'ai juste voulu lui éviter la noyade !

Leclerc brassa l'air d'un geste vague.

— Vachement bien évitée, la noyade ! Mais là n'est pas la question ! Del Piero a raison, tu aurais dû prévenir les équipes. Qui respectera les bases, si nous-mêmes ne nous plions pas aux règles ?

— Tout s'est enchaîné trop vite... Ce message était un véritable piège, j'avançais à l'aveugle, sans certitude... Je n'ai pas voulu ça. Jamais... Leur fille... On doit chercher leur fille... Il la tient... Et Dieu seul sait ce que...

Mais Leclerc s'éloignait déjà, provoquant sous ses pas de petits nuages blanchâtres.

Midi approchait et je n'avais qu'une envie, m'évader, fuir loin de ces lugubres tourments. Au 36, les assauts de questions des inspecteurs m'avaient vidé de toute forme d'énergie. On croit faire le bien mais, en définitive, on prolonge ce bras assassin qui, par tous les biais, cherche à répandre sa foudre.

Aujourd'hui, je venais de tuer un innocent dont les yeux exorbités contre la vitre de leur masque s'ajouteraient au catalogue de mes plus sombres souvenirs.

Des morts... Encore et toujours des morts...

Leclerc m'avait congédié jusqu'à nouvel ordre, dans l'attente de preuves formelles sur la véracité de mes dires. Fini, donc, l'accès au dossier de ce qu'on appelait déjà l'affaire Tisserand. Une enquête qui, de par son caractère particulièrement élaboré, avait embrasé les parquets du 36, me reléguant au rôle de piètre spectateur. Un spectateur déçu, qui rentrait dans son appartement pour y broyer du noir.

Arrivé à mon étage, je songeai brusquement à la petite fille, enfermée dehors depuis la veille.

Je dévalai le tourbillon d'escaliers. Pas de réponse ni au numéro sept, ni chez Willy. Décidément, tout m'échappait.

Des grésillements moussaient de ma télévision. Je posai mon doigt sur l'interrupteur quand :

— Non ! Laisse ouvert !

Je sursautai. Assise à l'indienne, cernée de trains haletants, la fillette ne levait pas les yeux de la neige grise du téléviseur.

À ses côtés, *Fantômette et la grosse bête* attendait une main curieuse. Les genoux m'en tombèrent sur le sol.

— Mais ! ?

Je désignai la porte.

— ... Comment es-tu entrée ? J'avais fermé à clé !

Elle me répondit sans quitter ses parasites du regard.

— Je ne suis jamais sortie. Quand tu as été voir ton voisin, je me suis cachée sous le lit. Hi ! hi !

— Mais que...

— Chut ! Tais-toi !

J'hallucinais ! Franck Sharko, la quarantaine ultra-mûre, écrasé par les réflexions d'une gamine de dix ans. J'éteignis le poste, chevauchai des rails pour m'agenouiller devant elle. Elle baissa la tête, les yeux humides.

— Qu'est-ce qui se passe ?

Un pleur roula sur sa joue.

— Tu es parti longtemps... Tu ne dois plus me laisser seule comme ça, j'ai eu si peur !

Comment réagir, dans des moments pareils ? Je voulus lui caresser les cheveux, la serrer dans mes bras, la rassurer de mots maladroits.

Mais... je ne pouvais pas... Trop de douleur, encore, à fleur de peau. Eloïse. Oh ! Eloïse... Mon enfant... Je faillis partir dans son jeu de larmes. Mon cœur se pressa de chagrin, je dus me ressaisir en inspirant un grand coup.

Faire le dur.

— Et ta maman ? Elle doit s'inquiéter !

— Ma maman ? Elle voit un monsieur, répondit-elle sur le ton du reproche. Un drôle de monsieur, pas gentil. C'est souvent, après le travail, qu'elle passe du temps chez lui !

— Mais ? Qui s'occupe de toi ? Ne me dis pas que...

— Je suis grande ! Je sais me débrouiller ! Maman me le dit toujours !

J'ai perdu ma famille dans des conditions abominables, je donnerais mille fois ma vie pour, ne serait-ce qu'un instant, savoir si elles sont heureuses là-haut. Et, à côté de cette souffrance muette, des mères abandonnaient leurs gosses et des pères les battaient.

— Tu as une sale tête, me révéla-t-elle encore. Tu devrais aller te coucher.

Un étrange fou rire m'emporta. Cette gamine ne manquait pas d'audace.

— Il faut que je déniche le moyen de joindre ta maman. Je ne sais pas, moi, lui dire que tu vas bien, que tu es enfermée dehors ! La prévenir, quoi ! Crois-moi, une mère paniquée, c'est pire qu'un raz-de-marée !

Elle enfonça un doigt dans son nez.

— Dis, tu peux rallumer la télé ?

Je m'exécutai, me pliant à ses volontés avec la mollesse d'un papa gâteau.

— Non, remets l'autre chaîne !

— Celle avec la neige sur l'écran ?

— Oui ! Tu nous as dérangées en pleine conversation tout à l'heure !

Vaste imagination qui plus est. Je craquai une allumette.

— On ne fume pas en présence des enfants ! sermonna-t-elle en agitant le doigt. J'ai les poumons fragiles. Tu sais, j'ai déjà calculé. Un paquet par jour, c'est comme si tu fumais une cigarette d'un kilomètre en un an !

Ses yeux brillaient de l'éclat rare des pierres brutes. Elle ressemblait à ces filles de misérables, magnifiques, élevées dans la précarité et jaillies du mélange des sangs.

Je m'accroupis jusqu'à percevoir sa tendre respiration, cette respiration commune à tous les bambins. Il me suffisait de fermer les yeux...

Eloïse...

Je me ressaisis soudain.

— Et avec qui tu discutais ?

Elle dévoila une partition d'émail aux notes manquantes.

— Tu es bête ! C'est elle qui m'a demandé de mettre en route les trains. Elle aurait préféré ceux à vapeur, surtout la Distler 1940 et la Buco magenta, mais on ne savait pas comment les démarrer. Alors, on s'est contentées des locomotives électriques. Pourquoi n'avait-elle jamais le droit de toucher ? Les jouets, c'est pour les petits, pas pour les grands nigauds comme toi !

Ma gorge se serrait à chaque mot que cette fillette prononçait. Mon sourire vira à l'inquiétude.

— Comment tu sais ça ?

— Quoi ?

— Les noms de trains ! Hier, tu en ignorais tout !

— Mais arrête de crier ! C'est Eloïse qui m'a raconté ! Elle aimait bien quand tu t'amusais avec elle, Eloïse...

Mes jambes ployèrent sous le poids de ma surprise. Certains noms apportent de rares joies, d'autres, comme Suzanne ou Eloïse, détruisent, ébranlent, font couler du sang dans le cœur.

Une explication... Trouver une explication. Malgré mon gros effort de mémoire, ce jeune visage resta muet.

— Comment tu connais ma fille ? Je... Je n'habitais plus ici ces dernières années !

Mon portable vibra. Leclerc... Chevalier de l'inopportun, comme toujours.

— Une seconde ! envoyai-je en la pointant du doigt. Ne bouge pas d'ici cette fois ! Toi et moi, on a certaines choses à mettre au clair !

Avant que je prenne l'appel, ses yeux appelèrent la foudre.

— Toi, tu vas encore nous laisser seules ! Tu vas la mettre en colère et elle va partir !

Sans plus l'écouter, je m'isolai dans la cuisine, loin de la respiration des locomotives et de l'haleine bruyante des mini-chutes d'eau. À l'autre bout de la ligne, le chien Leclerc aboyait.

— Tu dois rappliquer le plus rapidement possible ! Pour un examen médical ! C'est... Attends...

Derrière l'écouteur, querelles de voix, sonneries de téléphone, claquements de porte... Dans le brouhaha, il me donna une adresse, celle du laboratoire de Biologie parasitaire de Paris.

— C'est le gros bordel, ici ! cria-t-il. On s'est tous fait piéger comme des débutants. Merde ! Amène-toi ! Rendez-vous à quinze heures au labo ! Quoi ? Quoi !

Coupures plus franches. À combien de personnes parlait-il en même temps ?

— ... Possible que ce taré nous ait fichu une saloperie dans le sang ! Le *mauvais air*, putain ! C'était écrit noir sur blanc sur le message ! *Le mauv*...

Je n'y comprenais absolument rien. Un réacteur de Concorde vrombissait entre nos deux oreilles.

— Allô ! Allô !

Le boxon complet.

— Allô ! Allô !... Et puis merde !

Je raccrochai et recomposai son numéro. Boîte vocale. Mon portable manqua de voler par la fenêtre.

Je n'avais pas saisi grand-chose, mais j'avais perçu dans sa voix la terreur des condamnés à mort.

Un laboratoire parasitaire... Ma gorge se noua.

Direction le salon, l'esprit en feu. La gamine... Où se planquait-elle encore, celle-là ? Sur leurs rails, les trains électriques bourdonnaient à en perdre leurs bielles. Je coupai l'alimentation du réseau, fermai cette damnée télé et me baissai sous le lit. Personne.

— Bien joué, petite coquine. Allez, sors de ta cachette ! Je dois m'en aller !

Pris de colère, j'ébranlai mes armoires, retournai le débarras et les placards. Avec sa silhouette de souris, elle pouvait se faufiler n'importe où, même entre les murs !

Je ne la retrouvai pas. Au diable !

Je me rafraîchis le visage et, au moment où je changeais de vêtements, mon regard tomba sur un bouton de moustique, au beau milieu de mon avant-bras gauche. Sans crier gare, les paroles du légiste claquèrent dans ma tête : *le crime ne s'est pas passé à l'extérieur... mais à l'intérieur de son corps*.

Alors je me rappelai, chez les Tisserand. Le bruissement des ailes dans le silence glacial. Ces centaines d'insectes...

De tout mon cœur, j'espérais me tromper...

# Chapitre neuf

À quinze heures tapantes, Leclerc nous regroupa dans une salle de consultation du laboratoire parasitaire. Del Piero, Sibersky, trois techniciens de la scientifique, deux inspecteurs et moi-même.

Une brume d'inquiétude roulait dans les regards parce qu'à une épaisseur de mur, des types en blanc lorgnaient dans des microscopes électroniques ou injectaient de méchants baisers chimiques à des souris. Ici, en plein cœur de la capitale, on étudiait les cycles épidémiologiques des maladies parasitaires à transmission vectorielle. On cherchait à comprendre, par exemple, pourquoi certains animaux infectés, les vecteurs, échappaient aux maladies mortelles pour les humains.

En ces territoires de carrelages blancs, de portes blindées et de visages masqués, ça sentait l'aseptisé, le trop propre. Ça puait le danger invisible.

Le divisionnaire s'éclaircit la voix d'un roulement de gorge. Son front suait à grosses gouttes.

— Je vais reprendre les explications depuis le début, car vous ne possédez pas tous le même niveau d'information. Les analyses sanguines de Viviane Tisserand, la victime du confessionnal, ainsi que les dernières conclusions de l'autopsie, ont révélé qu'elle était décédée de l'une des formes les plus violentes de la malaria, ce qu'ils appellent le paludisme neurologique. Le parasite s'est niché dans son foie pendant dix jours, en phase d'incubation, avant de la liquider en moins d'une quinzaine. Comme Van de Veld disait, il s'agissait d'une véritable bombe à retardement.

Une vague d'effroi balaya la pièce. Chacun, inconsciemment, se gratta un bras, une jambe, la nuque. Je vis Sibersky se décomposer.

Leclerc poursuivit.

— La malaria, *le mauvais air*, se propage par l'intermédiaire de moustiques particuliers, des anophèles. C'est cette espèce que nos laborantins ont retrouvée à Chaume-en-Brie, dans la maison des Tisserand. Ces insectes inoculent la maladie en prenant leur repas de sang.

Le divisionnaire avait l'habitude des coups durs, mais, cette fois, ses lèvres trahissaient une méchante détresse. Del Piero se mordait les doigts, d'autres, et j'en faisais partie, le poing complet. Les moustiques n'avaient épargné aucun d'entre nous.

Des questions, des idioties claquèrent.

— Qu'est-ce qui va nous arriver ?

— Il nous faut des médicaments, des antibiotiques !

— C'est pas possible ! On va devoir rester en quarantaine ?

Leclerc tempéra l'assemblée de la main.

— Un spécialiste va venir nous détailler précisément les moyens de contrer au mieux les risques que nous encourons.

— La malaria ! La malaria ! Mais comment est-ce possible ? paniqua Del Piero. Cela n'existe pas en France ! D'où sortent ces cochonneries ? Merde !

— Tout ceci reste à élucider. Les services de santé publique, l'OMS et des chercheurs en tout genre sont sur le coup. Ils nous tiendront au courant des aléas.

— Les aléas ? ! On en crève à ce que je sache ! Et si on n'en crève pas, on se tape des fièvres jusqu'à la fin de notre vie ! Je ne me trompe pas, hein, commissaire ?... Je ne me trompe pas ?

Le divisionnaire ne répondit pas, s'asseyant seul sur un banc, face à nous, les mains entre les genoux.

— On a peur d'une propagation ? m'enquis-je en me grattouillant l'oreille.

— D'après ce qu'on m'a dit, répliqua Leclerc, ces insectes sont endophages, ils restent à l'intérieur de la première maison qu'ils infestent, ce qui devrait limiter les risques d'infection du côté de Chaume-en-Brie... Dans tous les cas, secret absolu dans un premier temps ! Personne ne doit être au courant. Même pas votre famille. Ordre du ministère.

— C'est du délire ! s'écria Sibersky. Comment voulez-vous que je cache ça à ma femme ?

— Tu te débrouilleras. Une faille et, immédiatement, la panique s'installe. Engorgement des urgences suivi de la psychose, relayée par une médiatisation inévitable.

Un type à l'air grave fit son apparition. Blouse trop longue sur jambes trop courtes.

— Bonjour à tous, je suis le professeur Diamond, spécialiste en parasitologie.

De petites lunettes rondes, à la monture en écaille de serpent, s'accrochaient avec peine sur son nez en forme de bec d'aigle.

— Excusez-nous si on ne vous applaudit pas, cracha un inspecteur virulent, mais allez droit au fait, j'en peux plus d'attendre ! En un mot, est-ce qu'on va mourir ?

— Nous allons faire notre possible pour éviter cela. Soigné à temps, le paludisme n'est pas mortel.

— Précisez, docteur ! Que va-t-il se passer ? Vous allez nous donner des antibiotiques ?

— Les antibiotiques ne sont pas la réponse à tous types de maladies et certainement pas au paludisme !

Il s'assit sur une table, le dos bien droit.

— Sachez d'abord qu'un anophèle infecté ne transmet pas forcément le parasite. Tout ceci dépend d'un tas de facteurs complexes, parmi lesquels, principalement, l'âge des moustiques. Quarante pour cent des femelles que nous avons analysées portent le *Plasmodium falciparum*, le pire des quatre parasites qui inoculent le paludisme, le plus répandu aussi. Ironie du sort, *Plasmodium falciparum* a la forme d'une bague de fiançailles, ce qui lui permet, de par sa taille minuscule, de se glisser dans les vaisseaux sanguins les plus fins, donc d'atteindre les organes cérébraux. Vous connaissez l'issue.

Nous retenions tous notre souffle. Calvaire mental, l'impression de se retrouver dans une salle d'exécution, sans savoir qui va périr.

— Vos chances de contamination sont, je dirais, de vingt pour cent.

— Vingt pour cent ! Merde ! s'exclama Sibersky. Nous sommes neuf dans la salle ! Deux d'entre nous risquent d'être contaminés ! Une putain de roulette russe !

Del Piero s'écrasa sur un siège. Elle tournait de l'œil.

— Excusez-moi mais... cette... chaleur...

— Désolé, mais ces salles ne sont pas climatisées, annonça le scientifique. Veuillez me suivre dans le labo, où il fait plus frais. Je vais vous expliquer très rapidement le fonctionnement de la maladie. C'est essentiel que vous le compreniez bien avant de rencontrer un médecin qui établira avec vous un traitement approprié.

Nous nous regroupâmes les uns derrière les autres,

genre animaux destinés à l'abattoir, puis évoluâmes dans des artères de technologie, sans un mot, les visages bas, graves. Dingue, comme les vies peuvent basculer. Au mauvais endroit, au mauvais moment. C'est dans ces cas-là qu'il nous prend l'envie de flinguer. Flinguer ce voleur d'existences. Sans pitié...

Devant nous, la cellule dédiée aux *Plasmodium falciparum, vivax, ovale* et *malariae*. Tout autour, murs blancs, sols blancs, néons crus et personnel masqué. Sur les parois, de larges planches déroulaient les périodes de développement du moustique. Œuf, lymphe, larve, adulte... La lente maturation d'un tueur d'hommes.

— L'anophèle est le seul vecteur pour le *Plasmodium falciparum*, l'humain son seul hôte, commença Diamond. Le parasite existe, parce que nous existons. Pas d'humains, pas de paludisme...

Il désigna la photo d'un insecte, agrandi à taille d'homme. Yeux globuleux, poils répugnants, trompe dévastatrice, semblable à un foret en titane.

— Voyez-vous, quand un spécimen infecté vous pique, il injecte de la salive qui se dilue dans votre sang. C'est à ce moment que le parasite entre en vous. Un minuscule organisme qui pourrait faire penser au cheval de Troie d'Ulysse. En moins d'une demi-heure, il se niche dans votre foie, bien au chaud et invisible, où il va commencer à se démultiplier en centaines de milliers de cellules parasitaires sur une durée d'incubation de six à vingt jours. Cliniquement parlant, les symptômes sont muets.

— Vous voulez dire que durant cette période il nous est impossible de savoir si nous sommes atteints, avec toute la technologie que vous possédez ? gloussa Sibersky. Mais... ces microscopes ? Ces tas d'engins électroniques ?

— Toute l'intelligence de la maladie ! Le paludisme est un assassin perfectionné, cher monsieur. Sinon, nous l'aurions vaincu.

Le lieutenant porta une main sur son ventre, les yeux humides. En nous, la multiplication du parasite avait peut-être démarré. Combien de milliers ? Diamond désigna les dessins représentant des cycles d'évolution.

— *Plasmodium* va se développer dans un volume hépatique pas plus grand qu'un millionième de cheveu. Toutes proportions conservées, ça reviendrait à chercher une pièce au fond de la Méditerranée. Vous comprenez pourquoi il est indétectable. Après ces jours d'incubation, l'invasion est lancée. Les cellules cibles partent dans le sang et font éclater les globules rouges. Là, la maladie devient décelable par prélèvement sanguin et se manifeste alors par de courtes fièvres et des maux de tête, un peu comme un coup de chaleur. Malheureusement, à ce moment, il est souvent trop tard. Voilà pourquoi chacun d'entre vous va rencontrer d'urgence un médecin, qui lui prescrira, selon une posologie adaptée, des comprimés censés tuer le parasite.

— Censés ? répétai-je non sans une pointe d'effroi.

— Les parasites mutent et s'adaptent. Dans certaines parties du globe, notamment les pays du Tiers-Monde, il existe des zones de chloroquino-résistance et de multirésistances.

— Des moustiques résistants ?

— C'est ce que nous sommes en train de déterminer. Si tel est le cas, vous prendrez alors de la méfloquine. Mais je me dois de vous dire qu'il n'existe aucun médicament qui garantisse une guérison à cent pour cent.

Une brève clameur se souleva de l'assemblée. Sibersky se retourna brusquement, se tirant les cheveux. Devant ses troupes, Leclerc tenta de garder son aplomb.

— Concernant... notre activité professionnelle, comment... Je veux dire...

— Vous pourrez continuer à travailler, malgré quelques effets secondaires désagréables dus au produit, comme la diarrhée ou des maux d'estomac. Je vous conseillerais d'ailleurs d'avoir un maximum d'activités, afin de ne pas... ruminer... Car, hormis les mesures prophylactiques, on ne peut rien faire, si ce n'est... attendre...

— C'est ignoble... vraiment ignoble... gémit une voix.

Diamond ignora la remarque.

— D'ici dix jours, vous devrez impérativement subir des frottis quotidiens, sur une période d'un mois, ceci dans le but de nous assurer que le parasite ne s'est pas propagé dans votre sang. Avec le traitement, vous ne saurez probablement jamais si vous avez été contaminés. Mais, au moins, vous aurez survécu à ce piège des plus... diaboliques...

Il nous aiguilla vers des cabines individuelles.

— Entrez là, des médecins vont établir avec vous les soins appropriés.

Tous disparurent, presque au pas de course. Leclerc me posa une main sur l'épaule.

— Deux secondes ! Tu réintègres, ton témoignage se tient. Avec le taux d'azote présent dans le sang du mari Tisserand, on a la preuve qu'il a été immergé exactement deux heures avant que tu le remontes. Or, à cette heure, une personne habitant près de l'église d'Issy a été réveillée par des bris de verre et des cris. Elle a relevé le numéro de plaque d'un mec qui braquait un flingue... Toi, en l'occurrence.

— Mes agresseurs ont été interpellés ?

— Pas encore...

Je réfléchis un instant.

— Etrange... Je découvre le message, me fais attaquer et, dans la foulée, Tisserand est immergé...

— Tu voudrais dire que...

— Tisserand n'avait presque plus d'oxygène dans ses bouteilles. Tout a été synchronisé pour qu'il me claque dans les pattes. Le tueur a peut-être été informé de ma découverte, derrière le tympan. Alors il aurait immergé Tisserand en conséquence. Ces trois gars... peut-être un coup monté...

— Mais... Pourquoi ?

— Pour que sa prophétie se réalise... On a affaire à un type qui ira au bout de ses idées... Nous en sommes la preuve la plus flagrante.

De part et d'autre, au-dessus des box, des lumières rouges indiquant « occupé » s'allumaient. Leclerc m'ouvrit la porte et ajouta :

— On a placé l'OCDIP [1] sur le coup. Tu avais raison. Il tient la fille du couple Tisserand, Maria, dix-neuf ans... Il s'en est pris à une famille complète... J'ai peur qu'on tombe bientôt sur un nouveau cadavre.

Entre deux phrases, Leclerc releva une manche de sa chemise et se gratta.

— Va falloir être pro et bosser, malgré ce... cette chose... En espérant que... Enfin, tu vois ce que je veux dire...

— Je vois, oui...

— J'ai obtenu l'autorisation qu'un haut gradé accède au cœur du laboratoire P3, ici, sous nos pieds. On y analyse tous types de parasites vivants. Je suis débordé et Del Piero coordonne les axes de recherches. Ramène-nous quelque chose. Observe, étudie ces sales bestioles. Essaie surtout de comprendre comment ce salaud a fait son compte pour se procurer une armée de moustiques tueurs... On doit le serrer avant qu'il n'aille plus loin.

1. OCDIP : Office central des disparitions inquiétantes de personnes.

Une fois seul dans ma cabine, je m'affaissai sur le petit banc de bois, les bras ballants. Les virus, les bactéries... Ennemis invisibles, invincibles, même poursuivis par toutes les polices du monde. Programmables. Capables d'occire sans même toucher. Une nouvelle génération d'assassins. Un homme la maîtrisait, quelque part, et nous avait choisis parmi ses victimes... Et si ces saloperies étaient résistantes ? S'il avait poussé le vice jusque-là ?

Je songeai à Viviane Tisserand, morte dans un confessionnal d'un ultime accès de fièvre. Peut-être l'avait-il infectée, puis lentement regardée mourir, sous les yeux du Christ. Je revoyais encore ses ongles cassés, j'imaginais la pièce noire qui l'avait retenue, des jours durant, tandis que ses globules rouges explosaient. Et son mari ? Ces deux heures horribles où, par trente mètres de fond, avait dû défiler le film de sa vie... Pourquoi un tel châtiment ?

La prophétie dont Paul avait parlé se réalisait. Mot après mot, le message révélait ses secrets, débouchant sur un bain de terreur.

Tout commençait. Vu le calvaire enduré par les parents, quel sort inhumain allait-il réserver à la fille ?

# Chapitre dix

Charles Diamond m'attendait sur ses jambes toujours aussi courtes, dans sa blouse toujours aussi longue. C'était un homme intéressant, fort instruit, qui parlait de ces minuscules entités avec une passion presque indécente. J'eus droit à un mini-exposé sur la glossine, la bébête responsable de la maladie du sommeil, avant qu'il m'amène aux portes d'un ascenseur, niché derrière deux sas protégés par identification rétinienne. Des caméras se braquèrent sur nous.

— Calypso Bras vous attend au sous-sol...

Il appuya sur ma poitrine :

— Gardez toujours ce badge sur vous, quoi qu'il arrive, et surtout suivez les instructions. Vous allez pénétrer en zone P3, où l'on manipule des micro-organismes pathogènes dangereux. Vous verrez, dans la partie la plus souterraine du laboratoire, des insectes infectés évoluer dans des conditions proches de leur milieu naturel. Paludisme, fièvre jaune, dengue, encéphalite japonaise, du beau monde ! Renseignez-vous, faites-vous une idée et remontez. Je vous attendrai. Vous avez une heure...

Descente de l'ascenseur... Embarquement pour une autre planète, un monde hostile où l'homme, le plus grand prédateur de l'histoire, se voyait relégué en la plus inoffensive des proies. Avec mon Glock et ma carte de police, j'avais l'impression de ressembler à une énorme farce.

Calypso Bras, ingénieur responsable du pôle informatique du P3, était une Sénégalaise aussi grande que Diamond était petit. Sous la lumière pâle des plafonds, son visage lisse jouait avec les reflets, rappelant, quelque part, les bois précieux d'Afrique. Au bout de ses longues jambes, elle naviguait entre deux mondes, celui de la femme autoritaire, forte derrière son calot, ses chaussons et son tablier, et celui de ces terres sauvages, tissées de reliefs imprévisibles.

Elle m'expliqua la procédure en me tendant une tenue de Martien.

— Vous allez subir une gêne auditive assez importante, car nous allons traverser deux sas dépressurisés. En cas de communication accidentelle avec l'extérieur, ces dépressions provoquent des entrées d'air qui refoulent les agents infectants vers le fond du laboratoire. Je vous conseille de vous boucher le nez et de...

— Souffler par les narines. Je sais. J'ai fait pas mal de plongée sous-marine...

Elle acquiesça. Alors que je me déguisais, elle composa un code et tourna deux poignées simultanément. Un chuintement d'air...

Et, malgré le nez bouché, une belle douleur dans mes oreilles.

— C'est bon, fit-elle après quelques instants, vous pouvez respirer normalement. Pas trop douloureux ?

— J'ai vu pire.

— Veuillez me suivre, nous allons nous diriger vers l'insectarium. Ne touchez qu'avec les yeux. Si des questions vous taraudent, n'hésitez pas à me les poser. Maintenant, levez les bras et baissez les paupières. Ces douchettes vont vous asperger de divers répulsifs. C'est inodore...

Je me pliai aux ordres, écrasé par la peur doucette de l'enfant qui s'aventure dans son premier train fantôme.

Sous des écoulements d'air, nous remontâmes de longs couloirs de vitres incassables, tronçonnés de lourdes portes métalliques.

De l'autre côté, des hommes en scaphandre orange évoluaient dans des pièces scellées du sol au plafond. Derrière des écrans de contrôle, d'autres types les observaient, eux-mêmes suivis par des caméras murales. Le surveillant qui surveille le surveillant qui surveille le surveillant, le tout surveillé par un surveillant.

— Moins visibles que vos balles de revolver et bien plus meurtriers, sourit Bras en désignant des tubes à essai remplis de cultures.

Je plissai les yeux.

— Nous menons le même genre de combat, mais nos tueurs à nous sont plus... expressifs... Savoir de tels organismes entre les mains de détraqués a de quoi effrayer.

Elle avançait d'une démarche assurée, contrairement à moi.

— Ce n'est pas réellement le bio-terrorisme qui nous alarme le plus. Des plans sérieux ont été mis en place par le gouvernement Jospin, comme *Biotox* pour la variole, ou des simulations, genre *Piratox* dans le métro parisien. Nos eaux sont protégées par le chlore, qui anéantit les toxines botuliques, des stocks de vaccins contre les grandes maladies contagieuses, la fièvre typhoïde par exemple, sont prêts à être distribués à tous les hôpitaux à la moindre alerte. Non, notre réelle crainte vient du *psycho-terrorisme*. Envoyez à quelques personnes bien choisies des enveloppes contenant de l'anthrax, et le tour est joué. Pourtant, la maladie du charbon n'est pas contagieuse, se guérit avec des antibiotiques et ses vecteurs sont très difficiles à cultiver. Mais la psychose, elle, demeure.

— Comme celle que pourraient causer nos chers anophèles. L'angoisse non justifiée d'un paludisme français. Voilà pourquoi il est si important de garder le secret.

Bras en vint à chuchoter.

— Si vous saviez tout ce qui se passe, sans que vous en soyez informés... Rappelez-vous, Menad, un des fils de l'imam Chellali Benchellali, qui avait fabriqué de la ricine. La partie visible d'un gigantesque iceberg terroriste, la filière tchétchène. On médiatise quand on aboutit, c'est-à-dire dans moins de cinq pour cent des cas. Sinon, on passe sous silence...

J'acquiesçai, convaincu.

— Parlez-moi de cette variété de moustiques. S'ils n'existent pas dans notre pays, comment se fait-il que nous en ayons retrouvé plusieurs centaines chez les Tisserand ?

— À vrai dire, il arrive qu'une poignée d'anophèles s'introduisent sur notre territoire, par manque de contrôles sanitaires. Ils voyagent dans les soutes des avions avant de se disperser dans les alentours des aéroports. On recense une quinzaine de *paludismes des aéroports* chaque année. En mai dernier, une femme habitant à quinze kilomètres de Roissy a contracté le *Plasmodium malariae*, sans jamais avoir quitté le sol français. D'autres cas apparaissent, inexpliqués mais très rares. Il y a deux ans, un homme est mort de paludisme, à six cents mètres d'altitude, il n'avait jamais bougé de sa prairie... On émet l'hypothèse de souches multirésistantes, véhiculées par les vents ou les moyens de transports. Mais les services de santé s'accordent à penser que tout ceci reste très flou.

Au bout de l'interminable couloir, elle tapa un autre code.

— Quant à la quantité relevée chez ce couple... Ces moustiques ne peuvent avoir été importés dans des bagages. Mais, aussi insensé que cela puisse paraître, je suis persuadée qu'ils proviennent... d'un élevage.

— Un élevage... Comme pour ces sphinx têtes de mort...

Bras arrondit ses grands yeux noirs.

— Vous avez aussi découvert des papillons ?

— Sept papillons chaque fois, à proximité des victimes... Des vols d'agents infectants sont-ils possibles dans vos locaux ?

Elle leva les bras.

— Regardez autour de vous ! Toutes ces caméras ! Sans oublier les douches de décontamination, obligatoires, la dépressurisation et les différents contrôles avant de remonter à la surface. C'est impossible !

— Rien n'est impossible... Combien existe-t-il de laboratoires de ce genre en France ?

— Un unique P4, à Lyon, surprotégé et inaccessible, et une petite centaine de P3. Quand on ne considère que ceux dédiés à la parasitologie, on descend à une dizaine, dont un seul sur Paris, le nôtre.

Je notai un maximum de renseignements. Nous débouchâmes dans l'insectarium, une jungle tropicale sous le bitume parisien.

Derrière des murs de Plexiglas s'ébattaient des tissages de chlorophylle, des entrelacs de lianes bruissantes. Des nuées noirâtres d'insectes butinaient sur des mares d'eau verte à trop croupir, alors qu'au creux de branches, des capucins déroulaient de larges mimiques curieuses.

— Pourquoi ces singes ?

— C'est compliqué. Disons, pour simplifier, que nous cherchons à comprendre comment ils interviennent dans le mode de propagation. Voyez-vous, ces primates sont tous porteurs du plasmodium et pourtant, ils demeurent en parfaite santé. Un humain serait mort depuis longtemps.

Elle posa sa main sur une vitre. Un mâle se précipita pour plaquer en miroir ses cinq doigts minuscules. Un échange inexplicable s'opéra entre l'être de poils et l'être d'ébène.

— De plus, ajouta-t-elle, ils fournissent le sang à nos insectes.

Effectivement, certains moustiques bringuebalaient, leurs abdomens gorgés d'hémoglobine. Je désignai une flaque grouillante de larves et demandai, tout en me grattant les cheveux :

— Si l'on exclut le vol en laboratoire, est-il possible d'élever ses propres colonies d'anophèles ?

Bras considéra un ordinateur sur lequel pétillaient des centaines de chiffres avant d'éteindre l'écran.

— Humidité, chaleur, sang, le trio diabolique. Les eaux stagnantes sont nécessaires pour la prolifération des larves qui vivent en milieu aquatique. Pour la chaleur, pas besoin de chercher bien loin. La canicule... Quant au sang... Souris, chat, chien, singe. Tout animal convient. Le reste se fait tout seul. Une femelle pondra systématiquement deux cents œufs tous les trois jours, sur la durée de sa vie, soit un mois.

Je faillis avaler ma langue.

— Vous... vous voulez dire que... En quelques semaines, à partir d'un mâle et d'une femelle, on peut se fabriquer une armée de milliers d'insectes tueurs ?

Elle dévoila un sourire mitigé.

— Oh là là ! Non, non ! La transmission du parasite n'est pas verticale, les larves naissent forcément saines ! Dieu merci ! Sinon, la race humaine aurait été anéantie depuis longtemps !

Je fronçai les sourcils.

— Le professeur Diamond parlait pourtant de quarante pour cent d'anophèles infectés...

— Troublant, en effet. La seule possibilité pour un spécimen de devenir porteur est de prélever du sang sur un humain lui-même porteur du paludisme.

J'eus du mal à déglutir. Je dis, d'une voix tremblante :

— Vous êtes au courant que nous avons découvert une femme morte de cette maladie ?

— Evidemment. Dans une église, c'est ça ?

D'horribles scénarii s'esquissaient dans ma tête. Mon corps répondit à ces pensées par une intense chair de poule.

— Ça ne va pas, monsieur Sharko ?

Je m'appuyai contre un mur.

— Excusez-moi... Je n'ai pas beaucoup dormi. Et... ce n'est pas tous les jours qu'on apprend qu'on va peut-être mourir du paludisme.

Elle ôta son calot, déroula son incroyable chevelure de jais avant de la cacher à nouveau sous la protection de coton.

— Pour le moment, vous ne risquez rien. Si vous êtes effectivement contaminé, le parasite est en phase d'incubation. Le traitement que vous suivez est très efficace, il devrait en venir à bout très rapidement.

— Il devrait, oui. À condition que les anophèles ne soient pas résistants et que je ne fasse pas partie du pourcentage des inguérissables. C'est bien ça ?

— C'est une manière de noircir le tableau, oui.

Avec difficulté, je parvins à me replonger dans l'affaire.

— D'après le légiste, la victime avait ingéré de grosses quantités de miel. Ça attire les sphinx, en est-il de même pour les moustiques ?

Elle acquiesça.

— Le miel de fleurs, à l'état naturel, contient de l'acide lactique, un composé organique qui excite les moustiques et les attire. Or, le miel absorbé est, de par sa teneur importante en sucres, très rapidement assimilé par votre organisme. L'acide lactique qu'il transporte traverse les pores de votre peau, comme les sels minéraux, la vitamine C ou l'ammoniaque, et se retrouve dans la sueur. C'est la piqûre assurée.

Malgré le teint de sa peau, je vis Bras pâlir.

— Je comprends où vous voulez en venir... Selon vous, cette femme aurait servi de... réservoir à *Plasmodium* ?

— Cultivez des anophèles sains, enlevez une personne dont vous savez qu'elle est atteinte de la malaria et lâchez une troupe d'insectes sur elle... Pour accroître les chances de piqûres, vous gavez la malheureuse de miel et... la rasez des pieds à la tête. Crâne, sourcils, poils pubiens. Puis, quatre ou cinq jours avant la mort pressentie de la proie, et parce que vous disposez d'une réserve innombrable de vecteurs, vous l'isolez. Les boutons de moustiques disparaissent, ne laissant aucune trace sur le corps mais un trouble des plus grands chez mes enquêteurs... Tout se tient parfaitement...

Je n'osais imaginer le calvaire de la morte. Des jours durant, des salves monstrueuses lui avaient torpillé le visage, la tête, le sexe, la pompant de toutes parts, escaladant les cordes de ses membres entravés. Combien de jours avait-elle souffert ? Combien ?

Bras ne souriait plus, ses lèvres serrées trahissaient un malaise palpable. Son regard se perdit sur deux capucins qui en épouillaient un troisième. Elle annonça finalement :

— Si le paludisme de votre victime a été déclaré, il

figure forcément dans son dossier médical ! Cherchez les personnes qui ont eu accès à ce dossier, médecins, épidémiologistes, personnel d'hôpital, informaticiens ! Vous trouverez votre homme ! Il faut à tout prix l'interpeller !

Je fis crisser mon bouc.

— Je ne crois pas que tout soit aussi simple...

— Et pourquoi donc ?

Je pensai au message, gravé voilà trois mois au sommet de sa colonne.

*Le tympan de la Courtisane*, en référence à l'assassinée... *L'abîme et ses eaux noires*, chemin littéraire vers son mari... Depuis un trimestre, *l'homme-moustiques* en avait après le couple Tisserand, il savait que l'épouse serait celle par qui *le fléau se répandrait*. Depuis un trimestre, alors que le paludisme non soigné pouvait tuer en dix jours...

— Lorsqu'il a enlevé Viviane Tisserand, elle était parfaitement saine...

— Mais...

— Il le lui a inoculé...

Je désignai l'insectarium des anophèles.

— ... Imaginez. Un ou deux spécimens infectés, intentionnellement ramenés de voyage, la piquent et la contaminent... Pendant que le parasite incube dans le foie de Viviane, notre homme cultive ses colonies. Les femelles pondent, les œufs éclosent, les larves grossissent et deviennent moustiques. Dix jours plus tard, Tisserand est *prête*, son sang est atteint. Il lui reste une quinzaine à vivre. Durant quelques jours, des milliers d'insectes vont se succéder sur son corps... Et donc devenir porteurs...

Je me pris le front dans les mains.

— C'est effroyable, fit Bras. Votre raisonnement, bien que simplifié, se tient parfaitement.

— Pourquoi simplifié ?

— Il y a des synchronismes parfaits à respecter pour qu'un anophèle s'infecte et devienne infectant. De nombreux paramètres interviennent. L'âge des femelles, les durées d'incubation, les cycles de reproduction à la fois chez l'insecte et l'humain, le tout régulé par des conditions extérieures. Avec quarante pour cent de contaminants, il a fait un très bon *score*, si je puis me permettre. Votre meurtrier n'est pas le premier venu...

— Il pourrait s'agir de quelqu'un du milieu ?

— N'importe qui en contact avec les insectes. Laborantin, chercheur ou alors passionné...

Elle jeta un coup d'œil inconscient à la caméra et déverrouilla la porte de sortie.

— Mais soyez sûr de ceci : on ne peut les côtoyer sans qu'ils prennent le pas sur votre vie. Ils sont mystère, bizarrerie, rêve, présentent des combinaisons de formes à l'infini, assortis des couleurs les plus extravagantes. Il n'en est pas un, parmi tous les scientifiques que vous trouverez ici, qui ne possède un insectarium chez lui ou des collections complètes d'ouvrages sur le sujet. Diamond, ce sont les phasmes. Drocourt, son assistant, possède un vivarium où il élève plus de trente espèces de coccinelles. Pour votre homme... Ce sont peut-être les papillons... Mais... Les sphinx sont ma foi assez rares, surtout dans la région.

— Comment s'est-il procuré les chenilles d'origine dans ce cas ?

— Avec du temps, de la patience. En arpentant les champs, les forêts, aux saisons adéquates... Il existe aussi des lieux où les amateurs se rencontrent, pour acheter ou vendre des spécimens. Une espèce de marché aux puces, dans le vrai sens du terme...

— Et les boutiques spécialisées, comme celles où l'on peut se procurer des araignées ?

— Ce ne sont pas des insectes, mais des arachnides,

avec huit pattes. Non, les commerces dont vous parlez sont consacrés à la terrariophilie. Reptiles, amphibiens, sauriens, invertébrés... Rien qui se rapporte aux insectes qui, eux, n'intéressent que les vrais férus, les entomologistes.

Nous arrivâmes devant l'ascenseur.

— Une dernière question. Vous parliez de miel non traité, tout à l'heure. Vous vouliez dire... du miel d'apiculture ?

— Ah, je vois ! Une voie d'investigation sérieuse, j'aurais dû y penser et vous en parler avant ! Comme quoi, je n'aurais pas fait un flic terrible...

Elle enfonça le bouton d'appel, le regard trouble.

— Les transformations chimiques dues à l'action de l'air sur le miel sécrété font qu'il perd rapidement sa teneur en acide lactique, je dirais une douzaine d'heures. Passé ce délai, le miel, puisque sans acide, ne séduit pas plus les moustiques qu'une gousse d'ail. Donc, si votre type s'est effectivement servi de miel pour attirer les anophèles, soyez sûr qu'il l'a directement prélevé sur la ruche, au jour le jour...

En effet, une piste s'ouvrait. Mais elle renforçait l'horreur de ce qu'était vraiment l'assassin. Un monstre. Car il ne se contentait pas de tuer. Il poussait la perfection de ses crimes au plus infime détail, il les travaillait, les peaufinait, comme de véritables œuvres d'art.

Et il composait, avec la mort... une toile de maître...

# Chapitre onze

Le soleil entamait sa paresseuse descente vers l'ouest, tremblant dans les transparences de pollution.

Je venais de croupir deux heures dans les bouchons, écrasé par la morsure des gaz, trempé au point de pouvoir tordre ma chemise. Mon estomac hurlait de faim, ma gorge flambait. Mon corps tout entier ressemblait à une torche furieuse.

Une terrasse, enfin. Je m'offris des tomates à la mozzarella rehaussées d'un verre de chianti, avec, pour unique vue, le cadre idyllique des trottoirs noirs de monde. Puis, d'un pas tranquille, je remontai la longue chevelure grise de la Seine, direction le Quai des Orfèvres.

Del Piero m'attendait au creux de sa tanière pour un topo. Vingt heures trente, la journée commençait.

La flic semblait, elle aussi, accablée par la brûlure des degrés. Malgré l'acharnement du ventilateur, son corsage n'avait su chasser les larges auréoles nichées sous ses aisselles. Son visage portait la fatigue des journées trop lourdes, ses ridules de jeune quadragénaire sans doute amplifiées par les tracas de ces longues heures blanches.

Elle m'adressa un sourire, mais ce sourire-là avait tout de la politesse forcée.

— Installez-vous, commissaire, je vous en prie...

Elle rabattit le capot de son ordinateur portable et débrancha la batterie d'un mouvement las.

— Sale, très sale journée...

Elle accorda un rapide coup d'œil à la serpillière qui me servait de chemise, un sourcil légèrement rehaussé.

— Tout d'abord, je tenais à vous féliciter pour le coup du miel de ruche. J'ai immédiatement branché Sibersky sur le sujet. Les apiculteurs ne doivent pas courir les rues dans la région.

— Je n'ai fait que mettre à profit les informations dont nous disposions. C'est cette... Calypso Bras qui m'a ouvert la voie.

Elle acquiesça et posa une main sur son ventre.

— Vous le prenez comment... cette chose, en nous ?

Je fermai légèrement les yeux, la peau caressée par l'air lourd du ventilo.

— Pas terrible... Le tueur nous a touchés en profondeur. Un véritable coup de poignard, une hémorragie interne. Un coup... autant habile que subtil...

Del Piero palpait ses flancs à divers endroits, les pupilles portées vers nulle part. Des lanières de lumière chahutaient le cuivre de sa chevelure. Dans les tons orangés du couchant, avec ses mèches d'une humidité raffinée, les hommes devaient la trouver belle.

— Vous ne pouvez imaginer à quel point ça me répugne, confia-t-elle entre deux grimaces. Je pense que c'est une sensation pire pour nous, les femmes. Je me sens... souillée... presque violée...

Violée... Le mot explosa dans ma tête. Violée de l'intérieur...

Elle porta une cigarette tremblante à sa bouche et m'en proposa une, que j'acceptai. Puis elle resta sans réaction, un peu ailleurs.

— Ça va aller ? fis-je en lui allumant sa clope.

Elle se raidit soudain.
— Oui, oui ! Il n'y a aucun problème.
Elle désigna le téléphone.
— Le labo a promis d'appeler dans la soirée. Nous saurons bientôt si ces anophèles sont résistants ou pas. Une méchante torture mentale. Je ne sais pas comment je réagirais si... je veux dire...
— Faites comme moi, évitez d'y penser...
Elle opina, entassant des dossiers déjà entassés.
— Bon ! L'autopsie d'Olivier Tisserand à présent... J'y ai assisté, en partie...
Son nez se plissa.
— ... J'en ai vu, des autopsies, mais de ce style ! On atteint le summum de l'horreur.
Sa voix avait perdu son grain agressif de la matinée. Nous étions là, comme deux galets sur une plage, indifférents l'un à l'autre et pourtant rapprochés par les circonstances. Cette journée trop chaude nous avait vidés de toute envie d'entrer en conflit.
— Paludisme ? me hasardai-je.
Elle secoua la tête, avec cette belle moue des nouveau-nés.
— Si ce ne pouvait être que ça...
— C'est-à-dire ?
— Le mari Tisserand présentait une longue plaie en forme de faux, sur le pectoral gauche. Provoquée par un instrument tranchant, genre scalpel, puis recousue de façon artisanale, au fil à soie. Van de Veld a estimé la cicatrisation à une dizaine de jours.
Des rubans de fumée serpentèrent entre nos deux visages, grisant nos mines blêmes.
— Torture ? soufflai-je dans un nuage flou.
— C'est un mot encore trop doux. Il n'y a rien pour définir ça. Voyez par vous-même...
Elle me tendit des clichés. Le chianti remonta jusque dans ma gorge.

— Ça ressemble à...

— Quand Van de Veld a incisé... ça grouillait, des milliers de larves pas plus grosses que des puces, enfoncées dans la peau comme autant de forets... Elles se dirigeaient vers une destination commune...

Je fronçai les sourcils, les yeux rivés sur les gros plans de ces asticots répugnants.

— Le cœur ?

— Exactement. D'après l'entomologiste du labo, il s'agit de larves de *Lucilies bouchères*. Des mouches d'Amérique centrale, qui pondent dans les plaies ou les oreilles. Leurs larves se nourrissent de chair, creusant des sillons internes dans les corps de leurs hôtes. Après une dizaine de jours, elles atteignent un organe vital. Cœur, cerveau, foie. Une seule issue...

— La mort...

— Oui, précédée de souffrances abominables. Je vous laisse imaginer ce que Tisserand a dû endurer. En définitive, vous avez abrégé son calvaire...

Mon diaphragme priva mes poumons d'air. Je toussotai et finis par écraser ma cigarette violemment.

— Ce n'est pas tout, ajouta-t-elle encore. Ce pauvre type a été roué de coups. De l'extérieur, les ecchymoses ne sont plus visibles, parce que supérieures à dix jours, mais les structures tissulaires de nombreux muscles étaient sérieusement abîmées. Jambes, bras, dos, poitrine... La forme très localisée des lésions laisse présager qu'il a été battu avec un objet contondant, genre bâton ou matraque.

Je fis crisser les poils de mon bouc. Del Piero rejeta sa longue chevelure vers l'arrière, dévoilant le doux vallon de ses épaules, et demanda :

— Pourquoi s'est-il acharné sur l'homme sans toucher à la femme ? Il l'avait nettoyée, parfumée, rasée au sexe sans même la violer. L'absence de piqûres, quand nous l'avons découverte, prouve qu'il ne s'en servait plus pour infecter ses moustiques... Alors, pourquoi l'avoir gardée en vie jusqu'au bout ? Eclairez-moi, commissaire. Il paraît que vous excellez dans ce domaine-là...

Mon interlocutrice me dévisageait.

— Il voulait accompagner cette femme jusqu'à sa fin, la remettre entre les mains du Seigneur pour qu'Il décide. Il l'a emmenée au purgatoire...

— Le purgatoire ?

— Le lieu du jugement. Le choix du Paradis ou de l'Enfer. D'après l'une de mes connaissances, Paul Legendre, le tueur aurait tiré son inspiration de l'Apocalypse selon saint Jean pour rédiger son message. Une *Courtisane* représente une Eglise corrompue, qui s'éloigne de la voie droite des Ecritures. Mais ce mot, *Courtisane*, désigne aussi Viviane Tisserand. L'amalgame est peut-être osé, mais je crois qu'aux yeux de notre assassin, cette femme était corrompue ou fautive. Voilà pourquoi il l'a lavée avant sa mort. Il l'a préparée à cette rencontre avec le Seigneur, sans pour autant la punir de ses propres mains. Et elle est morte... d'elle-même...

Del Piero semblait happée par mes conclusions. Derrière le grain sombre de ses pupilles, elle me fixait avec une intensité presque féline.

— Mais... comment aurait-il pu savoir qu'il ne restait à Tisserand que quelques heures à vivre ?

— Il ne savait pas ou pas précisément. Le fait qu'elle ait succombé à ce moment-là a dû renforcer ses croyances, en coïncidant à la perfection avec ses convictions. À ses yeux, c'est Dieu qui a jugé et rappelé cette femme, pas lui.

Del Piero pressait ses paumes de mains sous son menton.

— Et pour le mari ?

— Selon Legendre, quand notre meurtrier parle d'*abîme* et d'*onde qui devient rouge*, il fait référence à Satan, jeté dans un puits de lave par ses propres disciples. Pour la Bête, il n'y a pas de pardon possible, pas de confessionnal. La mort brutale est la seule issue... Le parallèle avec Olivier Tisserand, mort dans une fosse, est ici évident.

J'écrasai mon index sur le bureau.

— Ce salaud n'a pas frappé au hasard. Un lien suffisamment fort l'unissait aux Tisserand pour qu'il en arrive à de tels extrêmes. Il leur a consacré du temps, de la patience, il s'est creusé la tête pour élaborer un scénario diabolique. Pensez au message, inaccessible, au mal qu'il s'est donné pour descendre Tisserand par trente mètres de fond. Il les a tous deux souillés de l'intérieur, avec les insectes. Vous parliez d'un viol, vous aviez tout à fait raison. Il les a violés, avec la froide maîtrise du bourreau, de l'exécuteur. Un viol organique, spirituel. La chair, l'esprit. Pensez aussi à Viviane, ligotée, rasée, forcée d'ingurgiter du miel et assaillie de piqûres. Imaginez un seul instant le supplice de son mari. L'incision à vif, la ponte des mouches, ces larves qui lui rongent les entrailles. Torture physique, torture morale. Quant à Maria...

La commissaire eut une expression de dégoût.

— Vous... la croyez toujours en vie ?

— Il n'a pas épargné les parents, il n'épargnera pas la fille. Tout est une question de temps. Dans sa prose, il ne parle que des deux *Moitiés*, Maria n'est pas concernée et pourtant, il la retient. Elle tient un rôle précis dans son parcours. Un rôle personnel, qu'il ne veut pas partager...

Les idées affluaient, des images m'aveuglaient. Del Piero ne décrochait plus ses yeux de mes lèvres.

— Notre pisteur suit un but et veut que nous l'accompagnions. Pour ça, il a utilisé deux moyens. Le message, avec ses énigmes, et les moustiques. En nous contaminant, il nous mêle à son histoire, nous implique. Nous faisons partie de son plan. Il cherche à nous montrer quelque chose. Peut-être par l'intermédiaire de ces sept papillons, à chaque fois proches du lieu du crime. Nous devons en saisir le sens, si nous voulons avancer.

Del Piero chiffonna une boule de papier, de rage.

— Le sens de quoi ? On se retrouve avec deux cadavres et une personne disparue, qu'y a-t-il à comprendre ?

— Le sept est un chiffre très puissant, un symbole du renouveau. Les papillons font penser à la résurrection. Viviane a été tuée dans une église. Tout nous porte à... une espèce de renaissance. Quel en est le sens ? Je l'ignore. Mais ayez toujours ceci en tête : aux yeux de notre tueur, Viviane Tisserand est corrompue et son mari représente le diable. Il considère leur mort non pas comme un acte criminel, mais comme... une forme de justice. Par cette action, il nous signale qu'il... renaît...

Je me levai.

— La personne que nous traquons est en grande forme physique et mûre spirituellement. Ce qui nous conduit à un âge compris entre vingt et quarante-cinq ans. Nous recherchons un homme costaud, capable de dominer une personne de la corpulence d'Olivier Tisserand, d'escalader des échafaudages ou de descendre par trente mètres de fond, maîtrisant les techniques de plongée. Célibataire, sans doute, habitant un endroit isolé pour y retenir trois adultes. Il a lardé de coups de couteau les figures des posters de vedettes américaines, il avait bandé les yeux de Viviane. Le regard que posent les autres sur lui le dérange. Peut-être présente-t-il un défaut physique, un problème au visage. Ou alors il a honte de ses agissements. Il est organisé, minutieux, doit fréquenter les bibliothèques et se passionne pour les insectes. Il élève des papillons, parmi lesquels des sphinx têtes de mort. Est-il abonné à des revues ? Calypso Bras m'a aussi parlé de bourses aux insectes, ça doit valoir le coup d'investiguer.

Les lèvres de la commissaire, légèrement écartées, soufflaient une forme de sollicitude.

— Notons, finalement, l'aspect religieux. La complexité de son texte, cette connaissance approfondie des finesses catholiques, le choix du lieu pour nous *présenter* sa victime. Aussi incroyable que cela puisse paraître, cet homme croit en Dieu. Ses actes, soyez-en persuadée, lui paraissent... justes, ce qui complexifie largement notre travail. Pourquoi ? Parce qu'il se comporte tout simplement comme vous et moi. Il est le banquier, le facteur, le manutentionnaire... Veillez aussi à recenser les clubs de plongée. Il y est sans doute inscrit...

Des rideaux d'obscurité éteignaient lentement nos faces. La nuit dévalait avec ses grandes ombres mouvantes. Je conclus :

— Vous vouliez mon sentiment... Vous l'avez eu... Désolé si j'ai été un peu long...

Del Piero brancha une lampe de bureau.

— Ce que vous racontez cadre parfaitement avec l'environnement social des Tisserand. Je dois l'avouer, je suis... impressionnée.

— Rien de bien extraordinaire. À mon tour de vous écouter...

Cette fois, son sourire fleurait l'authenticité.

— Echange de bons procédés, n'est-ce pas ?

— Collaboration intelligente, dirons-nous...

Elle rassembla un tas de feuilles.

— Les Tisserand se sont mariés en 1970. Ont passé une bonne partie de leur vie à Grenoble. À l'époque, ils sont psychothérapeutes dans un hôpital psychiatrique. Ils quittent leur région en 82 pour Paris, où, après la naissance de Maria, ils fondent une clinique d'évaluation de la dangerosité, à Ivry. Une structure spécialisée dans le traitement des patients violents, ramenés par les services sociaux ou les établissements de santé ne possédant pas les installations adéquates. Les stagiaires, âgés de dix-huit à une quarantaine d'années, y séjournent quatre-vingt-dix jours, encadrés de psychologues, infirmiers, personnel compétent. Une dernière chance avant l'aller simple pour un hôpital psychiatrique ou la pri...

Subitement, elle se plia en deux et disparut en quatrième vitesse, avant de réapparaître avec un visage plus léger.

— Effets secondaires sans conséquences, prétendait Diamond, mon cul ! Mon estomac n'arrête pas de gargouiller. Je ne tiendrai jamais comme ça un mois.

Mes lèvres formèrent un ersatz de risette. Derrière ses airs de totem inébranlable, cette femme me plaisait de plus en plus. La chaleur suffocante lissait son corsage d'une transparence discrète, un voile de sueur éclairait ses formes cachées.

— Il faudra bien, pourtant. Revenons-en aux Tisserand, s'il vous plaît...

— Euh... Oui. Ils ont dû déménager à plusieurs reprises. Vitres cassées, voiture taguée, agressions verbales et écrites. Dernièrement, le mari s'était fait attaquer par un type de vingt-six ans. Le frère d'un des *stagiaires*... Bref, ce vaste merdier cadre avec vos propos. À l'évidence, il se cache là-derrière une sombre histoire de vengeance.

— C'est aussi mon avis, mais une vengeance très élaborée, qui implique aussi leur fille... Plus concrètement... J'avais demandé à Sibersky d'interroger les ouvriers qui ont rénové l'église...

— Sans résultat. Aucun d'eux ne se souvient avoir remarqué le message de la colonne. D'après le chef de chantier, vu la dureté du béton et la profondeur des lettres, il a fallu au moins trois ou quatre heures pour inscrire l'avertissement. On a affaire à un acharné de la belle ouvrage, mais ça, vous l'aviez deviné...

— Et l'enquête de proximité ? On a pu interroger des témoins ? Qui s'occupe d'établir la liste des adeptes de la messe ? Il faudrait...

Del Piero claqua des mains.

— Stop, commissaire ! Je connais le métier un minimum, quand même ! À Lyon aussi, les criminels existent. Ces points sont en cours, les informations remontent. Nous ne négligerons aucune piste.

Je m'appuyai sur le bureau, mains bien à plat.

— Quels axes de recherches privilégiez-vous ?

— La clinique et la filière *insectes*. On va se procurer les dossiers médicaux des patients, procéder à des recoupements géographiques, notamment avec Issy-les-Moulineaux. Nous disposons aussi d'empreintes digitales et génétiques, relevées dans le confessionnal.

Je nous allumai une dernière cigarette.

— Vous me placez sur quoi ?

Elle agita la bouche de droite à gauche, soufflant la fumée par le nez.

— Bureau ou terrain ?

— À votre avis ?

— Vous avez visité le P3. Les insectes, ça vous botte ?

— J'ai le choix ?

Elle haussa les épaules, fixant une énième fois le téléphone muet.

— Contactez l'entomologiste pour les *Lucilies bouchères*. Rapprochez-vous des douanes, des aéroports, voyez comment sont introduites de telles bestioles sur notre territoire. Fourrez le nez dans ces marchés, ces boutiques spécialisées. Et, aussi, trouvez la source du miel... Où se le procure-t-il ? Bougez, commissaire, je sais que vous adorez ça ! La rue et les monstres qui la peuplent sont à vous... Mais, cette fois, rendez-moi des topos réguliers et respectez les procédures ! Je n'admettrai aucun écart des gars de mon équipe, aussi bons soient-ils... Et...

Elle dévia son regard vers ses feuilles.

— ... Vous êtes très bon, commissaire... Nos bases sont solides, j'ai confiance...

— Pas moi. Une fille de dix-neuf ans croupit quelque part. Des anophèles infectés traînent par milliers, prêts à frapper si ce n'est déjà en cours. Le message parle de fléau, de déluge. J'ai le sentiment que ce merdier ne fait que commencer.

Et, alors que je me levais, que les spectres de la nuit dévoraient les rouges du crépuscule, retentirent de longues sonneries lancinantes, que la commissaire se décida à interrompre après une ample expiration.

— Le laboratoire...

Il m'arrivait d'avoir des mauvais pressentiments. Mais jamais d'une telle intensité...

# Chapitre douze

*Eloïse t'appelle encore, Franck. C'est de plus en plus difficile de supporter ses pleurs. Sans cesse, elle me répète que c'est de ma faute.*

*Non, c'est de la mienne, ma chérie. J'aurais dû veiller sur vous. Tout est si... douloureux pour moi... J'aimerais tant être près de vous. Rien n'a plus de sens ici...*

*Il fait noir et froid autour de nous. Pourquoi c'est comme ça ? Qu'est-ce qui se passe, Franck ? Avons-nous fait le mal ? J'ai froid... J'ai froid... Il... Il y a comme des présences, autour de nous. Des... Seigneur !*

*Suzanne ! Qu'est-ce qui vous arrive ? Suzanne !*

Un hurlement. Noir. De l'eau, partout. Ma sueur. Des halètements. Les trains. Bolides en fusion qui s'arrachaient les entrailles. Au creux de l'obscurité, tous mes membres tremblaient, endeuillés de froid. Un cauchemar...

La voix jaillit.

— Mon Franck ! Qu'est-ce que tu as ?

Une balle dans ma poitrine. Cette voix... Non ! Pas possible ! Je palpai l'interrupteur. Elle se dressait devant mon lit, en robe de chambre, les mains le long du corps. La petite au livre de *Fantômette*. Ses yeux brillaient d'une lueur argentée, ses cheveux, impeccablement coiffés, ruisselaient sur ses épaules. Elle s'approcha encore.

— Tu vas mourir ?

Je protégeai mes pupilles de la lumière aveuglante. Ma montre. Trois heures du matin... Ce terrible rêve, à la saveur du réel. Suzanne en danger. Des présences, autour d'elle et Eloïse... Je secouai la tête.

— Qu... Quoi ?

— La maladie, dans ton ventre. Elle va te tuer ?

La morsure du sel, sur les rétines. Les perles qui gouttent du front.

— Comment es-tu...

... Entrée... J'avais laissé la porte déverrouillée, avec la volonté secrète de la voir apparaître, pour que, chose impossible, elle m'accompagne jusqu'à ce que je m'endorme. Et là, elle surgissait des ténèbres, au cœur des rails, aussi raide qu'un santon de crèche. Je coupai l'alimentation de mon réseau et m'assis sur le lit, sonné par un réveil trop brutal. Ma poitrine vibrait sous la cavalcade de mon cœur.

— Tu... tu ne peux pas venir la nuit chez moi, comme ça !

— Maman est au boulot. J'aime pas rester toute seule.

— Je... Ta mère... Demain, il faut que j'attrape ta mère. Ça doit cesser... Que... Que vont penser les gens ? Imagine ! Imagine un peu si quelqu'un te voit venir ici ! Je pourrais avoir de gros ennuis !

Elle pointa un doigt accusateur.

— C'est toi ! C'est toi qui as laissé ouvert ! Tu m'invites et maintenant, tu me demandes de partir ?

Je regroupai mes mains le long de mon caleçon, la tête baissée.

— Ce n'est pas ça mais... Tu as une maman. C'est

à elle de s'occuper de toi... Et les enfants ne doivent pas se promener la nuit ! C'est dangereux !

Elle se musela, fixe, face à moi. Elle portait de jolies bottines cirées. Des bottines rouges avec une robe de chambre, drôle d'idée.

Je voulus poser une main sur son épaule, mais elle s'écarta, le visage fermé.

— Ecoute, murmurai-je. Je vais te raccompagner jusqu'à ton appartement, d'accord ?

Pas de réponse. Mais que cherchait cette fichue gamine ? Sa mère m'entendrait, ça oui ! Après un bâillement diabolique, je me dirigeai vers la cuisine les pieds traînards. Je percevais ses pas de souris, derrière moi. Alors que je nous servais du lait, une parole me revint brusquement à l'esprit.

Je m'accroupis, lui tendant un verre :

— Tu as dis que j'étais malade, tout à l'heure. Pourquoi ?

Elle tourna la tête, refusant le lait.

— Tu n'as pas arrêté de faire des cauchemars, confia-t-elle. Tu as beaucoup raconté... C'est quoi, cette histoire de chêne et de frêne ?

— Tu m'as... regardé dormir ? J'ai parlé du chêne et du frêne ?

— Oui ! C'est quoi ?

— Un secret, entre ma femme et moi, que je ne veux pas partager...

— J'en sais plus que tu ne le crois.

L'enfant qui veille sur l'adulte, le monde à l'envers. Que devais-je y voir ? Tout le symbolisme sur le désordre de ma vie ? Ou, en définitive, se reflétait-il, dans ces yeux humides, les faiblesses d'un père déchu ?

— Personne ne doit savoir que je suis malade, d'accord ? Tu pourras garder le silence ? J'ai juste été piqué par un méchant moustique et je vais guérir, parce que je prends un traitement.

Elle cracha dans ses mains.

— Juré !

— Très bien. Maintenant... Descendons chez toi...

Elle secoua vivement la tête.

— Non, non ! Pas maintenant ! Je...

Elle observait partout autour d'elle.

— ... je dois te guérir ! Sinon, tu vas mourir ! Je le sais !

Je haussai les épaules, bien que lisant sur son visage une panique incroyable.

— Mais non, je ne vais pas mourir. Je te l'ai dit. J'ai des médicaments, tout va bien se passer.

Elle tournait avec cette impatience rude des félins en cage.

— Je sais ! Je sais comment te guérir ! Le sang... Ton sang qui est malade. Tout va partir de là. Il faut tout arrêter ! Vite, très vite ! Si on ne fait rien, il se propagera partout en toi. Il te tuera, il te tuera et tu me laisseras seule !

Elle soliloquait, allait, venait, allait encore, dans le mouvement perpétuel de ces savants fous qui cherchent sans trouver.

— Cesse de bouger comme ça, tu vas me rendre dingue !

— Tu vas mourir... C'est Eloïse qui l'a dit ! Elle t'appelle, Franck, elle t'appelle à elle mais je refuse que tu m'abandonnes ! Tu ne dois pas partir, tu comprends ? Une solution... Une solution... Vite ! Vite ! Le sang... Tout va venir du sang...

La tornade brune se mit à ouvrir les armoires, la porte du réfrigérateur, les tiroirs.

— Mais arrête donc ! Et arrête de prononcer le nom de ma fille ! Arrête, je t'en prie !

— Le sang ! Le sang malade !

Elle se jeta sur la lumière, éteignit. Noir complet.

Bruits de ferraille. Un chuintement. Un souffle. La morsure de l'acier sur mon bras. La douleur qui me plie en deux.

Du bruit, sur le sol. Flop, flop. Du liquide poisseux qui roulait sur mon coude. Je me relevai, lançai mes doigts vers le mur. L'interrupteur.

Rouge. Rouge partout. Une fente, sur le poignet. Verticale, entre deux veines. L'œil du flic conclut à une blessure superficielle. Pas de suture nécessaire. Coup de chance.

La gamine avait disparu, le couteau à large lame traînait sur le sol, sanglant de vie. J'enroulai un mouchoir autour de mon poignet, appuyai de toutes mes forces de l'autre main.

Et je pleurai, pleurai sans retenue, abattu par ces questions sans réponse.

Elle m'avait saigné. Pourquoi ? Violence instantanée. Comportement imprévisible. Peur de la solitude. Livrée à elle-même, la nuit, le jour. Sans père, mère absente. Comment ne pas déraper ? Après m'être pansé, je dévalai au rez-de-chaussée, en furie contre cette génitrice irresponsable. Porte sept. Fermée.

— Ouvre, petite ! Ouvre cette porte !

Mais on ne m'ouvrit pas. Je remontai en grommelant, les poings serrés. La fillette était malade et personne ne s'occupait d'elle. Demain, la mère affronterait ma colère.

## Chapitre treize

La lente respiration des loupiotes, au 36, flashs de vivants perchés sur des dossiers criminels. Dans les couloirs, des mines ravagées, des yeux bouffis, des forêts de bâillements.

Cinq heures du matin. Après l'épisode du couteau, je n'avais su rappeler le sommeil. Les voix avaient ressurgi du plus profond de mon être, se voulant apaisantes, réconfortantes. Suzanne me parlait de plus en plus souvent, mais dès que je dessinais son visage, dans ma tête, il n'en jaillissait que cette expression de terreur, imprimée dans leurs traits à toutes les deux avant que la voiture ne les fauche... La présence de ces voix tournait au harcèlement.

Face à moi, des rapports d'autopsie, d'entomologie, de toxicologie ; horribles dissections d'existences. Sur le côté, un pavé sur la malaria, un autre sur les vecteurs de transmission. Moins de feuillets sur la vie des Tisserand que sur leur mort, un petit monticule de photos. Clichés de l'église, du message, gros plan sur des plaies tiraillées, des larves affairées. Le petit déjeuner d'un flic, quoi...

Et des heures qui filent...

— Vous parlez tout seul maintenant ?

Je sursautai, les pupilles explosées, puis lançai des regards perdus autour de moi. Sibersky. Ma montre. Huit heures trente. Le lieutenant débarquait, rasé de près, avec, cependant, de profonds cernes qui traînaient une petite nuit.

— Je... réfléchissais à voix haute.

Il désigna mon avant-bras gauche.

— Si j'avais su le métier aussi dangereux, j'aurais hésité avant de signer.

— Boîte de conserve, répliquai-je en caressant la croûte.

— Del Piero m'a appelé, hier soir... Elle...

— Je sais, j'étais à ses côtés. Nos anophèles ne sont pas résistants, et c'est tant mieux. Mais rien n'est gagné. Rappelle-toi ce que disait Diamond... Alors, les ruches ?

Il perdit sa bonne humeur.

— Une vingtaine d'apiculteurs dans les environs. J'ai passé mes coups de fil hier soir. Rien de bien concret. Le gros problème, c'est que bon nombre de personnes achètent du miel de ruche, impur et non décanté. Il conserve toute sa teneur en vitamines et sels minéraux, ainsi que ses vertus d'antiseptique. D'après les professionnels, il n'y a rien de tel qu'un verre d'urine et trois cuillères de miel brut chaque matin. Je me contenterai de les croire.

Il déplia une carte de la région parisienne, persillée de points rouges.

— Malheureusement, c'est la semaine des grandes miellées, ajouta-t-il. La plupart des apiculteurs ont des journées surchargées et je n'ai pas pu les contacter. Je réessaierai dans la matinée.

Je localisai Issy-les-Moulineaux et constatai deux points dans un rayon de quinze kilomètres.

— Verrières-le-Buisson... Sceaux... Tu as pu joindre ceux-là ?

— Non, je tombe sur un répondeur.

Je me décollai de mon siège.

— Laisse tomber, je vais m'en occuper moi-même et aller sur place. Toi, jette un œil sur Internet, trouve-moi si on peut se procurer des bestioles un peu spéciales, genre araignées dangereuses, mantes religieuses, insectes venimeux, enquête sur les bourses d'échanges et fouille-moi tout Paris pour savoir où et comment les passionnés de ces horreurs à pattes se rencontrent. Prends Sánchez et Madison pour t'aider.

— On peut aussi se charger des ruches si vous voulez. Vous avez sûrement d'autres chats à fouetter.

Je pointai mon index sur la carte.

— Des églises, il en existe une par ville. Notre assassin a choisi celle d'Issy parce qu'il la savait en rénovation et qu'il pouvait passer par une porte annexe pour élaborer sa mise en scène. Issy fait partie de sa proximité. Comme par hasard, nous trouvons deux mielleries à... moins de vingt bornes du lieu du crime.

J'empilai les différents rapports.

— La dernière fois que je me suis rendu à Verrières, c'était avec Suzanne, bien avant la naissance d'Eloïse... J'adore ce village et j'ai grand besoin de prendre l'air...

Je fermai ma messagerie électronique, éteignis l'écran de mon ordinateur et pris mes clés de voiture, tout en ajoutant :

— Tu as déjà lu des rapports ou des études de cas de criminologie. Tu sais que les tueurs organisés, et plus particulièrement ceux à caractère pervers, évitent les virées inutiles. Très, très longtemps avant d'agir, ils accumulent la nourriture, ajoutent des verrous à leurs portes, isolent les pièces. Une sortie représente un danger, une mise à nu. Un voisin qui vient frapper, les victimes qui soupçonnent l'absence et se mettent à hurler ou cogner contre les murs, la peur, aussi, d'avoir négligé quelque chose. Je me trompe ?

— Non. C'est exact.

— D'accord... Calypso Bras, l'un des ingénieurs responsables du P3, m'a signalé que le miel perdait très rapidement ses propriétés d'attire-moustiques, qu'il fallait le prélever quotidiennement. Ce qui implique que notre homme-insectes a été forcé de quitter sa tanière au moins une fois par jour. Et donc ?

— Il est allé au plus proche... Et s'il habite près d'Issy, il se sera forcément rendu dans l'une de ces deux mielleries...

Blottie au pied des coteaux, emmitouflée dans les bras d'une vallée, Verrières-le-Buisson déroulait ses vieux remparts et ses allées verdoyantes jusqu'aux eaux limpides de la Bièvre. C'était la petite Provence parisienne, aux allures de village moyenâgeux où, sous l'ombrelle d'une matinée, l'on pouvait oublier le noir de la gomme et le fracas des klaxons. Après plus de vingt ans, les rues brassaient toujours les mêmes parfums.

Et là ? Oh... Suzanne... La petite boutique de poterie où tu avais acheté ce vase, avec une bosse juste sous l'anse. Sa marque d'originalité, disais-tu, son défaut charmant. Ce vase... Qu'est-il devenu ? Des éclats anodins de vie qui, brusquement, grandissent en feux d'artifice déchirants. Plus le temps nous éloigne, plus votre manque me brûle, mes amours...

La miellerie Roy Von Bart dominait le clocher à renfort de collines et de plateaux. Un joli havre de paix, où les abeilles n'avaient pour limites que le bleu sombre du ciel couché sur le bleu-vert des cimes forestières.

Une clochette éveilla deux grands yeux à mon entrée dans l'antre de miel.

Une femme mince à la longue chevelure grise leva la tête de ses cartons, où elle entassait des pots de verre vides.

— Madame Von Bart ?

Elle puisa une fraîcheur transparente dans un seau, aspergea son visage lissé de fines rides avant de s'éponger.

— Oui. Excusez-moi. Je peux vous aider ?

Je lui exposai la situation. Je recherchais un homme ayant acheté du miel de ruche, au jour le jour et non traité. Elle rejeta ses cheveux légèrement humides vers l'arrière, stimulant des senteurs de fleurs coupées.

— Nous avons énormément de clients qui...

— ... vous commandent du miel naturel, je sais. Mais vous allez essayer de faire un effort pour vous souvenir, parce que cet individu est très certainement impliqué dans une affaire d'homicide.

Elle porta ses mains squelettiques sur ses lèvres.

— C'est pas vrai !

— Celui dont je vous parle doit avoir entre vingt-cinq et quarante ans, il est venu régulièrement pendant deux semaines mais depuis hier ou avant-hier, vous ne le voyez plus. Il doit être costaud, présente peut-être une particularité physique, un défaut sur la figure... Ça ne vous évoque rien ?

Par la baie vitrée, elle scruta l'étendue du domaine, les yeux plongés dans le lointain.

— Une particularité physique, vous dites ? Hum... Quelqu'un me revient en mémoire, un type très original... Enfin, original n'est pas le terme exact, disons plutôt... à part. Avec mon mari, on l'appelait *l'homme-soleil*.

Je la considérai d'un regard qui en redemandait.

— *L'homme-soleil ?*

Elle poussa un emballage bien plein dans un angle avant de revenir à moi.

— Excusez-moi... Oui, *l'homme-soleil*. Voilà à peu près trois semaines, un bonhomme a débarqué en tenue d'apiculteur. Gants, vareuse, pantalons, bottes et même la coiffe. Il a déclaré vouloir du miel non décanté et de la propolis, qu'il paierait un bon prix s'il les prélevait lui-même.

— Quoi ? En tenue d'apiculteur ? Mais ? ! Ça ne vous a pas surprise ?

— Bien sûr que si ! Vous imaginez bien ! Mais il a expliqué être allergique au soleil, qu'il ne pouvait pas sortir de jour sans être couvert des pieds à la tête. Une maladie orpheline, dont il m'a donné le nom, le... *xeroderma pigment* quelque chose. Avais-je des raisons de ne pas le croire ?

Je ressentis l'impuissance d'une plante verte au fond d'une cave. Il était venu ici, exposé au grand jour et pourtant incognito.

— Vous n'avez donc jamais vu ses traits ?

— Non, pas le moindre centimètre carré de chair. Je ne pourrais même pas vous dire s'il était blanc ou noir.

Sous son large front arrondi, elle me jaugea d'un œil vif.

— Physiquement, il avait exactement votre corpulence. Environ un mètre quatre-vingt-cinq chaussé, belle largeur d'épaules. Un gars solide avec une voix grave, très grave, à la Ray Charles.

Sur mon carnet, je notai l'essentiel. Ma pointe de stylo perçait presque le papier. En tenue d'apiculteur ! Le fumier...

— Donnez-moi la date exacte de son premier passage.

— Euh... Je dois posséder les encaissements... Une minute...

Elle effectua quelques opérations informatiques derrière son comptoir.

— Voilà les tickets. Environ cinq cents grammes de miel et trois cents grammes de propolis, tous les jours vers onze heures depuis le... deux juillet.

J'entourai la date de rouge sur mon calepin.

— Il vous a payée en liquide je suppose ?

— Oui.

— Pas d'adresse, de nom, de traces de son écriture ?

— Absolument pas.

— La propolis... Qu'est-ce que c'est ?

Elle désigna des crèmes, des gélules, alignées sur des étagères.

— Un composé résineux que les abeilles récoltent sur les bourgeons et écorces de certains arbres, auquel elles apportent leurs propres sécrétions. Elles l'utilisent pour fortifier la ruche, réparer les fissures, stériliser les alvéoles avant la ponte de la reine. Chez l'humain, son absorption sert à renforcer le système immunitaire. Mélangée avec une préparation à base de plantes, on s'en sert aussi pour apaiser les rhumatismes. Pure, en pommade sur la peau, elle aide à une cicatrisation plus rapide des petits bobos.

— Comme les boutons de moustiques par exemple ?

— En effet. Là où une piqûre mettrait cinq jours à disparaître, il n'en faut plus que deux avec la propolis.

Je m'approchai des étals, relevant les divers pourcentages et les préconisations pharmaceutiques.

— Trois cents grammes par jour, même en application sur tout le corps, c'est tout de même beaucoup, non ?

— Enorme ! Car, de manière générale, quelques grammes suffisent. Mais la propolis se conserve. Peut-être se constitue-t-il des stocks pour l'hiver ? Ou alors il tient une boutique ? Qu'est-ce que j'en sais, moi ?

— Et dans le cas contraire ? S'il la consommait au jour le jour ? S'il avait à *dépenser* ces trois cents grammes ?

Elle retourna à ses occupations, toujours en me faisant face. Bocaux dans des cartons.

— Je ne vois pas. Dans les temps anciens, on en usait à d'autres desseins, mais c'est d'une époque révolue. Ça ne vaut pas la peine que...

— Ça m'intéresse...

Elle se releva et mit ses mains sur ses hanches, comme si elle avait un point de côté. Une grimace stressa ses hautes pommettes.

— Excusez-moi... Une sale douleur lombaire...

— Je vous en prie... Prenez votre temps.

Elle s'écrasa sur une chaise en rotin.

— La... la propolis est connue pour ses propriétés antiseptiques et anesthésiques très puissantes, supérieures encore à la novocaïne. Au temps des pharaons, on l'employait pour éviter la putréfaction et embaumer les momies. Plus tard, notamment pendant les guerres hivernales, on la chauffait pour la couler à l'intérieur des plaies. En refroidissant, elle agissait comme un écran aseptique qui, en plus d'éviter l'infection, stoppait l'hémorragie. Solution difficilement applicable l'été, car au moindre rayon de soleil la propolis fond et le sang s'échappe du corps...

Mon cœur tambourinait dans ma poitrine. La propolis... *L'homme-soleil, l'homme-insectes*, le tueur quoi, ne s'en était certainement pas procuré pour protéger son organisme des bactéries, ni celui de ses victimes d'ailleurs. Dans quel but, alors ? Accélérer le processus de disparition des piqûres de moustiques ? Certainement, mais seulement en partie. Trois cents grammes quotidiens, c'était trop énorme.

*Embaumer... Stopper les hémorragies...* Viviane Tisserand ne présentait aucune blessure, son mari une seule sur le pectoral, propre et suturée au fil à soie.

Toute la propolis ne leur était pas destinée. Leur fille... Dans quel but ?

Tout en inscrivant un tas de notes, je poursuivis mon questionnement :

— Décrivez-moi sa voiture, le plus précisément possible. Couleur, type, caractéristiques. Et je vous paie un caisson de champagne si vous me donnez sa plaque d'immatriculation.

Elle désigna des frondaisons imposantes, par-delà les baies vitrées.

— Vous en ferez l'économie, du champagne. Pas de véhicule. Il venait à pied, en passant par le petit sentier qui attaque le bois et donne sur une départementale. Il y a un parking, à environ cinq cents mètres de l'autre côté. Il se garait certainement là-bas.

Mes dents grincèrent. Ce fumier avait su prendre ses précautions. S'attendait-il à notre visite, tôt ou tard ? L'apicultrice mesura soudain la portée de ses propos : un criminel, peut-être, au creux de ses ruches. Son visage blanchit, elle resta un moment sans réaction, les doigts tremblotants. Je me raclai la voix et ses yeux revinrent à moi.

— Racontez tout ce qui vous passe par la tête, ce dont vous vous rappelez. Son comportement, sa façon de parler, de se déplacer. Etait-il bavard, plutôt discret ? Semblait-il calme, nerveux ?

Elle agita la tête, confuse.

— Je... je suis désolée, mais nous sommes en pleine période touristique. J'ai eu énormément de travail avec la boutique, les grandes miellées. Vous devriez demander tout ça à mon mari. Le temps de la récolte, ils ont bien dû discuter de sujets et d'autres...

J'abandonnai une carte de visite sur le comptoir.

— Très bien, mais dans tous les cas comprenez bien que la police va vous solliciter très prochainement.

Elle se gorgea d'air.

— Manquait plus que ça...

Elle me fit traverser l'arrière-boutique, déverrouilla une porte qui donnait sur un arc-en-ciel de fleurs, plusieurs hectares cloisonnés par des murs de grillage.

— Vous allez enfiler cette tenue et une coiffe tressée, dit-elle en désignant un ensemble blanc crème plié sur une table. Suivez ce sentier, vous trouverez les ruchers à deux cents mètres et probablement mon époux. Les butineuses sont en plein travail, ne les perturbez pas avec de grands gestes ou elles deviendront agressives.

Elle remplit une jarre en terre d'eau du robinet.

— Buvez un bon coup avant de partir. Une fois comprimé dans vos protections, vous allez mourir de chaud. Et, une fois sur place, je vous déconseille vivement de les enlever...

Après que j'eus enfilé ma combinaison d'homme de l'espace, elle me lança, un poing sur les lèvres :

— Votre carrure... Il avait exactement votre carrure ! Ainsi habillé, rien ne vous différencie de celui que vous recherchez...

Je m'enfonçai dans des tourelles de buissons, des entrelacs de fougères et de fleurs à hautes tiges. Sur tous les fronts les abeilles s'affairaient, leurs thorax crevant de pollen.

Au bout de ces verdures exacerbées, l'espace se craqua, dévoilant un alignement de ruches noires de vie. Une ville volante palpitait sous le soleil, peuplée de mini-torpilles brun et jaune qui fusaient de buildings aux fenêtres en alvéoles. Un cosmonaute, penché sur l'une d'elles, propulsait une épaisse fumée au cœur de la cité paniquée. Il se figea en m'apercevant, regarda sa montre avant de me faire des signes de la main.

— Vous êtes en avance ! Je vous ai attendu, hier ! J'ai une belle ruche pour vous. Du miel tout neuf !

Des gouttes salées enflaient mes sourcils, ma bouche s'asséchait déjà. Je m'approchai légèrement, sans décrocher un mot. La face de grillage me serra la main et désigna un cabanon.

— Ecoutez, murmura-t-il, je vais vous rendre vos petites choses. C'est très gentil de votre part mais... je n'en n'ai pas besoin, c'est trop risqué et... malhonnête.

Bal masqué. Il me prenait pour l'autre. Entrant dans le jeu, je haussai les épaules et écartai mes mains gantées, d'un air de dire : pourquoi ? Des insectes au dard puissant s'agglutinaient sur la grille, à quelques centimètres de mon nez. Je dus me mordre la langue pour ne pas hurler.

— Si je fais ça, ils... ils finiront par se douter et comprendre que ça vient de moi, confia l'homme sur le ton du secret. Non, non, je ne peux pas... Désolé, je ne veux pas de ces horreurs ici, alors rembarquez-les ou je m'en débarrasse...

Le type était aussi nerveux que ses abeilles. Il racla avec une bande de caoutchouc les aiguillons enfoncés dans sa main et m'invita à le suivre dans la cabane, où grognait une chaleur de fournaise. Des chardons ardents brûlaient dans ma gorge.

L'homme ôta sa coiffe et dévoila une figure de cratères. Le feu l'avait rongé dans le cou et jusqu'à la pointe du menton, y imprimant un sillon cruel.

Il plongea ses mains dans un seau d'eau, les porta sur son visage tourmenté et indiqua une bâche de plastique opaque.

— Ils sont là-dessous. Reprenez-les, répéta-t-il.

Il se tenait à l'écart, avec cet air anéanti des bêtes acculées. De quoi avait-il peur ? Je me soutins à une poutre de bois, à hauteur d'homme. Ma vision se troublait, mon corps tout entier se déchirait en lambeaux d'eau. Après deux ou trois inspirations, je m'avançai prudemment et, du bout, mais vraiment du bout des doigts, levai la toile plastifiée.

Je m'attendais à Goliath, je dévoilai David. Deux scarabées pitoyables tentaient d'escalader les parois de verre d'un bocal fermé. Impossible de simuler plus longtemps, j'allais crever, étouffé, décomposé. J'ôtai mes protections, repris une seconde mes esprits et brandis ma carte de police.

— Main... maintenant, vous allez me raconter... à quoi... rime tout ce bordel !

Von Bart en lâcha sa coiffe sur le sol. Sa bouche s'ouvrit, immense puits d'incompréhension.

— Vous... Vous étiez flic ? Depuis le début ? Mais... Qu'est-ce que ça veut dire ? J'ai rien fait !

Il était perdu, en miettes. Ses joues vibraient. Je montrai les coléoptères.

— Qui vous a donné ça ?

Lorsqu'il comprit qu'il n'avait pas affaire à la même personne, sa poitrine se relâcha. Il me resservit le même discours que sa femme. Le type en tenue d'apiculteur, atteint d'une allergie au soleil, n'ayant jamais ôté sa tenue. La collecte journalière du miel et de la propolis.

— J'ai l'impression de détenir une bombe, fit Von Bart. Incroyable que ces cochonneries existent.

Il parlait avec dégoût.

— Expliquez !

— Ce sont des *petits scarabées de la ruche*, de redoutables parasites dont moi-même j'ignorais l'existence. Ils se reproduisent à une vitesse folle, leurs larves tuent le couvain d'abeilles, se nourrissent de pollen, de miel et des œufs de la reine. Les adultes sont capables de traquer les essaims sur plusieurs kilomètres, ils colonisent les ruches et les détruisent en moins d'un mois. Un véritable carnage.

Je me penchai vers le pot et me redressai aussitôt lorsque ma tête partit une première fois à la renverse.

— Dans... dans quelle région... vivent-ils ? bégayai-je, une main sur mon front brûlant.

— Quel pays, vous voulez dire ! On ne les trouve qu'au fin fond de l'Afrique et en Australie ! Je ne sais pas comment ce gus se les est procurés, mais la réalité est bien là.

Je nageais dans ma sueur. Des mouches bourdonnaient dans mes oreilles, noircissaient mes rétines. La chaleur m'écrasait si fort que je dus ôter ma vareuse précipitamment et m'asseoir sur un coin de table.

— Excu... sez-moi un... instant...

Je m'appuyai sur mes cuisses, inspirai, expirai. Inspire, expire. Une claque liquide me percuta le visage.

— Vous n'avez pas l'air bien, fit Von Bart après m'avoir versé un torrent d'eau sur la tête.

— Ça... ça... va aller...

Je me relevai, chancelant. Les scarabées... Les parasites... L'Afrique...

— Qu'auriez-vous pu faire de ces... bestioles ?

L'apiculteur s'approcha d'une fenêtre et décrivit une arabesque avec son bras.

— Tuer la concurrence, commissaire. La miellerie de Sceaux possède deux fois plus de ruchers que nous, ce qui lui permet de proposer des tarifs plus attractifs sur tous ses produits. Cire, miel, propolis, gelée royale. Une exploitation apicole est une entreprise très fragile. Les conditions météo, les parasites comme le varroa ne nous facilitent pas la tâche. La survie est difficile.

— Que... savez-vous de cet individu ?

— J'ai... sympathisé avec lui. Il s'y connaissait comme personne, m'a sorti des trucs que je n'avais jamais entendus de ma vie. Il m'a longuement causé des abeilles tueuses d'Afrique, leur capacité à décimer n'importe quel troupeau en moins d'une heure. C'était... effrayant et passionnant, cette manière de tout tourner vers la mort, la destruction. Il avait l'intime conviction qu'un jour ou l'autre, les insectes balaieraient l'humanité. Ils sont un milliard de fois plus nombreux que la totalité des êtres humains, qu'il disait, rien que la masse des fourmis est supérieure à celle de tous les hommes réunis, vous imaginez ? Il me parlait de la multiplication des araignées, de la violence des poisons, de ces fléaux qui causaient des pertes immenses.

— Quels fléaux ?

— Le paludisme, les invasions de criquets, les pucerons.

— Les... pucerons ?

— Toutes ces espèces disposent d'une arme difficile à vaincre : leur ahurissante fécondité. Les pucerons, en plus d'être les plus gros pondeurs, sont parthénogénétiques, leurs femelles n'ont pas besoin de fécondation. Alors elles pondent, sans cesse. Leurs jeunes, après quelques jours seulement, pondent à leur tour et ainsi de suite. Nous entrons dans le monde terrifiant des progressions géométriques ; seuls leurs prédateurs naturels, les fourmis, réussissent à les vaincre. Sans elles, l'humanité aurait été anéantie depuis longtemps... Or les hommes cherchent à éradiquer les fourmis, et les pucerons résistent de plus en plus aux insecticides. L'équilibre est en train de se rompre, ce gars en était parfaitement conscient.

Il me proposa une bouteille d'eau. Je le remerciai d'un hochement de menton avant d'engloutir plusieurs gorgées.

— Continuez, s'il vous plaît...

— De là, il en est venu à me parler de ces scarabées, de leur incroyable pouvoir destructeur. Il m'a confié pouvoir se les procurer quand il voulait, il suffisait que je les lui commande. Pourquoi m'a-t-il branché sur ce sujet ? Mystère... Toujours est-il que le dernier jour où je l'ai vu, il me les a ramenés en m'annonçant, de cette même voix grave, étouffée : *Cadeau. Posez-les à proximité d'une ruche. Ils feront le reste...*

Ses dents grincèrent, cercle blanc au cœur d'un visage de flammes. Il s'empara du bocal, l'ouvrit, le bourra d'un chiffon, s'apprêtant à en écraser les locataires.

— Non... Ne... touchez plus à rien ici ! ordonnai-je en tendant la paume. Des... policiers vont venir... pour... des relevés... Vous... allez répéter tout ça devant... un officier...

Je me pris la tête dans les mains, tandis qu'il ajoutait :

— Je n'en reviens toujours pas... Deux petites bêtes, capables de décimer des milliers d'abeilles et le travail de toute une vie... Votre mec... à l'entendre parler, je peux vous garantir qu'il croyait réellement en sa théorie... un sacré fanatique...

## Chapitre quatorze

Après ma visite chez Von Bart, je rapportai l'histoire à Del Piero qui, immédiatement, dépêcha des équipes sur place. De son côté, elle exigea mon retour au 36, où m'attendaient deux types au sujet de l'affaire Patrick Chartreux. Le feu d'artifice commençait.

D'abord un gars de l'IGS. Pas la mine de l'emploi, le loustic. Fin comme une allumette. Mais un tueur de première. Questions fusantes, regard perçant. Un détecteur de mensonges sur pattes. Alors je me contentai de lui raconter la vérité, omettant mon petit détour par Saint-Malo. Après tout, je n'avais passé là-bas qu'une demi-journée, sur le chemin du retour... Rien de prémédité. J'étais tombé sur Chartreux par le plus grand hasard, je l'avais tabassé. Pas de quoi fouetter un chat...

Le pire, c'était l'autre. Le psy. Une belle vacherie de Leclerc, qui voulait s'assurer de l'équilibre de ma santé mentale. Ça n'avait pas duré plus d'un quart d'heure, me semblait-il. Un quart d'heure pendant lequel je n'avais pas ouvert la bouche. On répond aux cons par le silence...

Je sortis de là un poil énervé, pour ne pas dire carrément en rage.

Sibersky ne me laissa pas le temps de regagner mon

bureau, se faufilant devant moi pour me bloquer le passage.

— Vous m'aviez demandé des recherches sur les insectes. Il n'existe pas de boutiques qui en vendent à proprement parler. Les seuls établissements dans ce domaine sont les magasins de terrariophilie. Reptiles, amphibiens, sauriens, invertébrés, comme la mygale...

— Ça, je le savais déjà. Quoi d'autre ?

— À une cinquantaine de bornes d'ici, on trouve le CARAT, le Centre d'Acclimatation et de Reproduction d'Animaux Tropicaux. Une ferme d'élevage spécialisée dans la reproduction de reptiles, d'insectes et d'arachnides, vendus ensuite à des particuliers, laboratoires ou facultés de science. Suivi de près par les services de santé, avec des contrôles très stricts. Caméras, comptage quotidien des spécimens, fécondations limitées. D'après moi, la faille ne vient pas de là.

J'allumai une cigarette entre mes doigts tremblants. La première bouffée tapissa ma gorge d'un velours désiré. Saloperie de drogue.

— Et pour les bourses d'insectes ?

— Pas grand-chose. Organisées toutes les semaines, un peu partout dans Paris. Les marchandises vendues sont légales et inoffensives, des vérifications fréquentes ont lieu. Il existe aussi un gros volume d'échanges sur Internet. J'ai fourré le nez dans des forums publics traitant du sujet. A priori, rien d'irrégulier. Je te cède ma mante religieuse, tu me refiles ton papillon. Sanchez et Madison creusent plus en profondeur, on ne sait jamais.

Sibersky sortit d'une pochette une petite pile de procès-verbaux.

— J'ai gardé le meilleur pour la fin. La détention illégale d'animaux...

— Accouche !

— Boas, pythons, lézards, il y en a des mille et des cents, mais j'ai recensé les cas les plus intéressants dans la région, ceux les plus proches de... nos aspirations.

Il me tendit le feuillet du dessus.

— Celui-ci sort du lot...

— Là, tu commences à me plaire.

— J'ai joint l'officier de la police des animaux, chargé de l'affaire à l'époque. Ça remonte à l'année dernière. Une femme, hospitalisée suite à de violents accès de fièvre, des hallucinations, de graves nausées. Les médecins constatent, sur son mollet, deux trous minuscules...

Sibersky se pencha sur mon bureau, appuyant sur le papier.

— Les examens toxicologiques ont été formels, la vieille dame avait été piquée dans son appartement par une... malmignatte, l'une des araignées les plus dangereuses d'Europe, inexistante dans nos régions ! Immédiatement, la mamy pense à son voisin de palier. Elle l'a déjà vu entrer avec de petites boîtes bourrées de sauterelles. Lorsque les flics débarquent chez lui, ils ne trouvent que des vivariums peuplés en effet de sauterelles, des documents traitant des insectes, mais rien de plus. En fouillant les poubelles, au sous-sol, ils découvrent cependant deux souris mortes, frappées par des poisons très violents. Après analyses, on conclura à de l'atraxine et de la robustine, des protéines caractéristiques du venin de l'*Atrax robustus*, une aranéide australienne mortelle pour l'homme !

— Très très intéressant. Et ça s'est terminé...

— Sans suite. Le type, Amadore, a nié en bloc. Biologiste, il a prétendu avoir ramené le duo de cobayes de son labo. Expérience sur les neurotoxines, qu'il disait. L'enquête n'est pas allée plus loin, par manque de preuves. Ni la malmignatte, ni l'*Atrax robustus* n'ont été retrouvés et les lois sur le recel illicite d'animaux n'en sont qu'à leurs balbutiements... On ne voyait pas réellement de quoi l'incriminer.

Je m'enfonçai dans mon fauteuil, l'air satisfait.

— Bon boulot ! La filière des détentions illégales d'animaux... Je n'y avais pas pensé...

— Je n'ai fait que mon job.

— Tu en connais davantage sur ce... Vincent Amadore ?

— Un métier à rallonge, biologiste au laboratoire de zoologie des arthropodes du muséum d'Histoire naturelle de Paris. Vingt-huit ans, physique fluet. Il a déménagé depuis cette salade et vit maintenant au nord de Paris, un hameau du nom de... Rickebourg. Il habite dans un ancien... pigeonnier...

— Un pigeonnier ?

— Ouais, bizarre, mais je n'en sais pas plus... En tout cas, il est chez lui. J'ai appelé et simulé un faux numéro...

Je fermai un instant les yeux.

— D'après ton document, l'incident s'est déroulé en octobre 2003. Passe des coups de fil auprès du muséum, des collègues d'Amadore, ont-ils eu vent d'un voyage en Australie ? Mais je crois connaître la réponse. À mon avis, une personne ou un réseau organisé refile des bestioles dangereuses dans notre proximité...

Je claquai des doigts, alors qu'il disparaissait déjà dans le couloir.

— Attends ! Laisse-moi tous les autres P-V, je vais quand même y jeter un œil.

— Au fait, le zig de l'IGS... ça s'est déroulé comment ?

Je lui envoyai un sourire discret.

— Pas de soucis...

Une fois ma porte fermée, je tirai les persiennes, déclenchai le ventilateur et engloutis trois gobelets d'eau. Un psy... Oser me coller un psy aux fesses... Leclerc ne manquait pas d'audace...

J'eus à peine le temps de baisser les paupières que Del Piero débarqua sans frapper, le visage déformé par une détresse d'aliénée.

— Commissaire ! Venez, tout de suite !

— Quoi ! Quoi encore ? Un autre interrogatoire à la mords-moi le nœud ?

Elle plaqua le poing sur la table.

— Venez ! ! !

Elle pivota dans le couloir et me poussa devant elle. La porte de son bureau, qui jouxtait le mien, était fermée.

— Ils... ils sont entrés par la fenêtre, il y en a une dizaine derrière cette porte ! Allez-y et regardez à quoi joue cette espèce de fumier !

— De quoi vous parlez ?

— Poussez cette porte, nom de Dieu ! ! !

J'ouvris avec prudence et elles me sautèrent au visage, cinglantes dans leur blancheur de marbre.

Les têtes de mort. Elles me frôlèrent avant de fondre sur la chevelure de Del Piero, qui battait des mains dans tous les sens.

Les gros sphinx noirs se mirent alors à crier...

## Chapitre quinze

Leclerc grinçait des dents, ses pieds fustigeaient le plancher de colère. Il pressait entre ses doigts nerveux un message, fixé sur le thorax de l'un des lépidoptères.

— *Déluge de papillons, en attendant bientôt le pire...* Ce petit malin joue avec nos nerfs, il cherche à nous ridiculiser. Jette un œil par la fenêtre !

Dehors, un bel attroupement. Flashs en tout genre et badauds ahuris.

— Un journaliste de *Libé* a reçu un coup de fil anonyme, expliqua-t-il, lui demandant de se pointer devant nos locaux à seize heures précises, afin de voir *des papillons prendre d'assaut les bureaux de la Crim'* ! T'imagines le délire ! Ce téléphone n'arrête pas de sonner ! ! !

— Notre homme est un original. Mais s'il avait voulu parler des anophèles et du paludisme à la presse, il ne s'en serait pas privé. Il veut juste nous prouver qu'il a les cartes en mains. C'est un joueur.

— Un joueur, oui ! Un putain de joueur !

Del Piero réapparut brusquement. Son teint avait blêmi.

— Alors ? envoya Leclerc.

— L'entomologiste a passé une lampe à ultraviolets

sur la carrosserie de ma voiture. Elle a révélé de minuscules traces de phéromone. J'ai dû m'en imprégner au simple contact avec ma portière. Courbevoix m'a fait une démo. Ces saloperies volantes se précipitaient sur tout ce que je touchais, même après m'être lavé les mains !

Leclerc s'enfonça dans son fauteuil.

— D'accord, d'accord, d'accord... Bon... Vous êtes en train de m'expliquer que ce fumier a pu lâcher n'importe où ses papillons et qu'ils vous auraient retrouvée rien qu'avec... le flair ?

— Tout à fait exact. Cette même hormone qui les a attirés dans le confessionnal, ou dans le local de plongée.

Je levai les yeux vers Del Piero.

— Comment aurait-il pu approcher votre véhicule ?

— De n'importe quelle façon ! Dans les rues de Paris, à un feu rouge, devant chez moi ou même ici. La phéromone ne se récolte pas, à proprement parler. Mais laissez par exemple un morceau de carton plusieurs jours avec des femelles sphinx et il s'imprégnera de l'hormone. Il suffit ensuite de frotter ce carton contre un objet quelconque pour attirer les mâles. Vous voyez ce que je veux dire ? Ce n'est pas comme si l'assassin cassait une vitre. C'est un geste totalement anodin...

Le divisionnaire ne tenait plus en place.

Il se pencha à nouveau par la fenêtre puis, se retournant, envoya :

— L'église d'Issy, la carrière de craie, la maison des Tisserand, le laboratoire parasitaire... Des chemins bien balisés, où il savait que nous nous rendrions. Peut-être a-t-il agi dans ces moments-là. Un peu de cette cochonnerie sur l'une de nos voitures et hop ! Le tour est joué !

Del Piero haussa les sourcils en fixant le message, alors que Leclerc embrayait sur un autre sujet.

— Bon ! Et les dossiers médicaux des patients des Tisserand ? Cette clinique de la dangerosité où ils bossaient ? Ça donne quoi ?

— Trois gardes à vue pour le moment, trois alibis vérifiés. Aucune piste négligée. Plus d'une dizaine d'inspecteurs planchent là-dessus, jour et nuit. La description succincte fournie par le commissaire Sharko, dans les un mètre quatre-vingt-cinq, large corpulence, voix très grave, va franchement accélérer le processus. Si le meurtrier se cache dans ces parages, nous le coincerons.

Le divisionnaire acquiesça.

— Très bien. Vous veillerez à élargir au maximum les recherches. Personnel de l'hôpital, famille du personnel, cousins, cousines et même le labrador du voisin, bien compris ?

— Bien compris, opina-t-elle.

Le diable Leclerc s'enfila trois chewing-gums.

— Cette histoire de fléau est à prendre très au sérieux, rajouta-t-il. Les services de maladies tropicales de chaque CHU de la région ont pour directive de signaler aux autorités sanitaires le moindre cas suspect de fièvre ou de malaise. Une cellule spéciale a été mise en place.

Il nous adressa un regard tendu, d'abord à elle, puis à moi. Je lui répondis avec la même intensité.

— Il faut le choper vite, très vite. Je marche sur des charbons ardents, j'ai des comptes à rendre. Employez tous les moyens qu'il faudra... Au boulot ! Shark, reste un instant dans mon bureau...

Il attendit la fermeture de la porte. Des rides profondes lui barraient le front.

— Tu as joué à quoi avec le psy ?

— Et vous ?

— Ecoute ! Je suis sur la corde raide ! On me surveille, comme on te surveille. On se surveille tous les uns les autres, c'est comme ça. Ta famille, le palu, ce Tisserand qui t'a claqué dans les pattes, ça peut faire beaucoup. Je veux m'assurer que tu es encore apte à mener une enquête.

— C'est Del Piero qui dirige l'enquête, pas moi. Vous oubliez déjà ? Et pour ce qui est de ma santé mentale, ça va. Merci de vous en soucier.

— Ta santé mentale, parlons-en. L'inspecteur de l'IGS m'a fourni un premier bilan de ton entretien. Il n'a noté aucun signe de panique, ni de tromperie. Tu t'es bien débrouillé, mais... il a décelé quelque chose dans tes yeux. Certaines absences, de temps à autre, où, d'après lui, tu semblais... ailleurs, comme déconnecté. Tu t'en es rendu compte ?

Je haussai les épaules.

— Peut-être... Je suis... un peu fatigué.

Il pointa mon avant-bras gauche.

— Des soucis particuliers ?

— Aucun, répliquai-je en glissant mes doigts sur la blessure. Une simple boîte de conserve... Alors c'est pour ça que...

Leclerc fit craquer sa nuque.

— Tes doigts tremblent un peu, tu avais remarqué ?

— Je sais... La chloroquine...

— Moi, elles ne tremblent pas... Nous sommes tous éprouvés, nos vies ne sont pas simples, il fait chaud à crever et ce traitement antipaludique ne nous aide en rien. Mais... certains... remontants ne peuvent qu'aggraver les choses.

Je levai un sourcil.

— Qu'est-ce que vous insinuez ?

Ses pupilles virevoltèrent du sol avant de se river dans les miennes.

— Rien du tout. Mais pour continuer ce boulot,

nous devons être à cent dix pour cent. Si tu te sens... trop fatigué, rentre te reposer.

— Ça ira...

— Pour le psy, tu repasseras à la moulinette, un jour ou l'autre. Je ne lâche pas l'affaire et j'espère que la prochaine fois tu seras plus coopératif...

Je sortis en claquant la porte, les poings serrés. Des absences... Les crétins de l'IGS ne manquaient pas de ruse pour semer la confusion.

De retour dans mon bureau, je contactai Sibersky qui m'annonça, selon les dires du directeur du muséum, que Vincent Amadore n'avait jamais parlé d'un voyage en Australie.

Aujourd'hui samedi, il ne travaillait pas. Du fond de son... pigeonnier, il devait s'attendre à tout, sauf à la visite d'un flic furax...

## Chapitre seize

Le hurlement du gyrophare et son bleu cinglant m'avaient permis de survoler Paris et de quitter la ville par le nord en direction de Rickebourg. Aux premiers tressautements de la campagne, des battements aigus dans ma tête me forcèrent à stopper sur le bas-côté, où je m'aspergeai le crâne d'eau tiède. Je me promis d'arrêter coûte que coûte ces fichus cachets. Ils n'avaient pas sauvé ma femme. Ils ne me sauveraient pas...

Le bled vivait au rythme lent des moissonneuses, dans cet or glorieux des blés fraîchement coupés et de la germination de terres brunes. La capitale, au loin, prisonnière de ses tas écrasés d'habitations, s'asphyxiait sous les fluides gris de sa propre respiration.

Le pigeonnier d'Amadore bordait une communale à peine répertoriée. La bâtisse de pierres s'enroulait en une haute tour, chapeautée d'un toit à quatre pentes et percée d'innombrables fenêtres aux volets fermés. Le fantôme d'un moulin sans pales déroulait une langue de graviers sur laquelle j'engageai mon véhicule. À ma gauche agonisait une vieille voiture, resplendissante de poussière sous les rayons victorieux de l'astre.

Mes coups répétés sur la lourde porte d'entrée n'obtinrent aucune réponse. La bête terrée avait décidé de ne pas ouvrir. Je tournai la poignée, au cas où. On peut toujours rêver.

Hors de question de rebrousser chemin, Amadore aurait tout le temps de se débarrasser de ses charmantes bestioles. Je cognai sur les battants de devant, poussai à gorge déployée un : *Police ! Ouvrez s'il vous plaît !* avant de plaquer l'oreille contre le métal. Un lointain craquement de plancher trahit une présence...

Même la plus puissante des épaules n'aurait pu défoncer la porte. La grosse serrure devait résister à n'importe quel kit de manucure et les volets métalliques étaient, bien sûr, clos de l'intérieur. Amadore s'était enfermé.

Je contournai la forteresse d'un pas vif, constatai une large meurtrière sur l'un des flancs, à deux hauteurs d'homme. À vue de nez, en comprimant, mais en comprimant franchement la poitrine, ma carcasse passerait.

Je rebroussai chemin et mordis les gravillons d'un démarrage sévère. Protégé par un virage, plus loin sur la route, je pivotai dans un chemin de terre, coupai le contact, attendis une poignée de minutes avant de foncer à travers champs, front levé sur dos courbé. Je finis collé contre la tour, juste sous cette meurtrière qui m'ouvrait sa gueule.

Agrippé à un lierre, prenant appui sur des treillis en bois, je me hissai deux mètres plus haut avant de me suspendre au bord de l'ouverture. Après une douloureuse traction des biceps, je basculai sur le côté, me contorsionnai à me briser les reins, m'éraflai cuisses et avant-bras avant d'être avalé par la fente.

Ténèbres. Face à moi, un trou horizontal, un tunnel si étranglé que mon corps tassé n'avait pour respiration que l'infime mouvement des coudes et des pieds. Les coulées d'obscurité m'ensevelirent, toute lumière stoppée net par la masse de mes épaules.

Je progressai au rythme du soldat blessé, le nez dans la poussière, ma liquette s'effritant sur les parois latérales.

Soudain, mon cœur explosa. Mes doigts palpaient des restes emplumés, des os brisants, des becs effilés.

Roulement de pierre. Le génie lumineux jaillit du briquet. Je plissai les yeux, alors que la flamme s'éteignait déjà dans un courant d'air. Dans la demi-seconde de clarté, je les avais vus. Et tous mes organes s'étaient contractés.

Des pigeons, raides morts. Des tas de pigeons crevés... Un mot claqua dans ma tête. *Araignée.*

Des signaux d'alerte rougirent partout en moi. Fuir ! Immédiatement ! Ma cadence respiratoire tripla. *Malmignatte... Mygale... Atrax robustus...* Demi-tour impossible. Marche arrière. Rentrer la tête entre les épaules, pousser des coudes, racler des pieds. À la manière d'un vieux navire, l'inversion des vapeurs commença.

Mon corps reculait à peine quand ÇA chuta dans le bas de mon dos. Un murmure de chair, qui se mit à bouger en direction de ma nuque. Une lenteur de prédateur méticuleux. La gardienne du tombeau.

La décharge d'adrénaline dans mes fibres fut fulgurante, mes muscles refusèrent de se gorger de sang. Mon nez pointait à deux doigts d'un oiseau pourri, des cercles de saletés m'embrassaient les lèvres.

Ne plus bouger. La mort pendait au bout de son fil de soie. Elle remontait le long de ma colonne vertébrale. Les pattes crissaient prudemment sur ma chemise, dans ce parfait quatre temps des machines de guerre, hérissant des sillons de poils. La tueuse s'enivrait de ma sueur, se régalait de mon horreur. Elle pique, je crève. Et elle allait piquer... Et elle avançait, avançait, avançait...

D'un coup, je m'arquai dans un long hurlement rauque. Mon dos, ma tête percutèrent violemment la paroi.

La substance poisseuse qui traversa le tissu remonta sur mon échine dans un grand baiser glacial. Je m'y repris à une, deux, trois reprises.

Le coup de fouet de la frayeur me propulsa vers l'avant. Du bout des doigts, à la force des phalanges, je chassai les cadavres des piafs sur le côté, rampai au travers de toiles épaisses qui me collèrent au visage comme des masques de terreur. Mes ongles percutèrent enfin un loquet. Les dents serrées, je basculai la tige de fer sur le côté et, sous le défilement d'une trappe, un grand arc lumineux perfora les épaisseurs enténébrées. Je me glissai dans ce cœur de vie sans réfléchir, au bord de l'asphyxie, aveuglé par cette soie meurtrière. La chute m'aspira, un mètre de vide qui me jeta sur un plancher et me brisa les reins.

Pour l'entrée discrète, c'était raté.

Le confinement, sous le contrôle de néons scintillants, mesurait tout juste un mètre cinquante de haut. Pas de fenêtres. Ça puait. La crotte, la pisse, la pourriture.

Au ras du sol, des nuages de souris galopaient, leurs moustaches tendues en frontal de leurs petits corps en coton. Par groupes serrés, elles s'escarmouchaient sur des feuilles de salade encore fraîches. N'importe qui aurait cherché à s'en débarrasser. Amadore, au contraire, les entretenait.

Je dégainai mon flingue et ôtai ma liquette ainsi que mon holster. Ne restait de l'araignée qu'une rumeur blanchâtre, persillée de la finesse des pattes et de la poche crevée de l'abdomen. Je me redressai et, échine courbée, cassée plutôt, me dirigeai vers une porte en bois. Je saignais des coudes, des genoux, un filet pourpre roulait le long de mes lèvres et un hématome d'un bleu betterave marbrait mon flanc droit. Dire que je m'étais fait ça tout seul.

Derrière la porte, une solide torsade de marches en pierre, élancée vers les cieux ou s'abîmant vers les profondeurs. J'optai pour le bas.

Rez-de-chaussée. Trois pièces. Salon, cuisine, salle de bains. Vieux meubles, poêles usés, baignoire à l'ancienne, avec les quatre pieds en laiton. Le grand vide des choses mortes.

Une autre porte, dans le hall circulaire, protégeait l'entrée d'une gueule caverneuse. J'y plongeai un œil. Le long d'un escalier en colimaçon, les parois s'endeuillaient de pulsations violettes. Du fond de ce puits de ténèbres émanait la curieuse respiration de lampes à lumière noire. Elles devaient être là, sous la terre... Il allait falloir affronter la multitude des araignées et je n'avais, pour me rassurer, que cette moiteur infernale, qui coulait du creux de mes paumes jusqu'aux rigueurs froides de mon arme.

Au fil de ma descente, les briques crevaient sous le souffle tiède de la moisissure, qui perlait avec ce chuintement pâle des grisous menaçants.

À dix mètres sous la surface, mon Glock fouillait l'espace des voûtes muettes. Dans les souterrains plus sinistres encore, entre des forteresses de verre, une silhouette se figea.

— Ne bougez pas ! criai-je, le canon à bout de bras.

Le spectre s'enroula lentement jusqu'à se confondre avec l'obscurité.

— Je... Je n'ai rien fait ! fit une voix.

Les lumières noires agrippées au plafond allumaient mes mains comme les gants blancs d'un clown. J'avançai prudemment vers Amadore, recroquevillé dans un coin, tremblant comme un agneau naissant.

Autour, des alignements de vivariums géants, épris d'ombre et d'humidité, où frissonnaient, de temps à autre, les feuilles d'arbustes miniatures. Elles bourgeonnaient là, par dizaines, invisibles sous des murmures de végétaux ou des copeaux de bois. Les araignées.

Je brandis ma carte de police et enjoignis d'un signe à Amadore de se relever.

— Vous... vous n'avez pas le droit ! gloussa-t-il.

Il tendit un large cou de buffle sur un corps aux épaules tombantes, genre boxeur déchu, avec de tout petits yeux de fouine où dansait le louvoiement de la crainte.

— Que contiennent ces vivariums ? grinçai-je en claquant la crosse de mon arme sur le plexiglas.

— Des... des araignées. Il n'y a rien qui m'interdise d'en posséder !

— Ça dépend. Sont-elles dangereuses ?

— Absolument pas...

— Approchez, monsieur Amadore. Lentement...

Il s'exécuta. Une veine grossissait le long de son arcade droite. Pas un modèle de beauté, le type, une laideur de mauvais insecte. Je cerclai son poignet de ma main, ôtai le capot d'une cage et plongeai nos deux avant-bras à l'intérieur, le sien légèrement plus en avant, politesse oblige. Il se mit à hurler.

— Arrêtez ! Arrêtez ! D'a... d'accord !

Je relâchai la pression.

— Très bien, monsieur Amadore. Repartons sur de meilleures bases. Ces araignées sont-elles dangereuses ?

Il serra les dents.

— Oui ! Merde ! Vous avez failli...

Il tapota sur le carreau. Deux pattes exploratrices transpercèrent le tapis de feuilles.

— *Atrax robustus* ? me hasardai-je.

Ses yeux flambèrent.

— J'ai pris toutes les précautions, j'ai même des sérums antivenins ! J'habite au milieu des champs, elles sont enfermées et ne peuvent nuire à personne !

— Vous oubliez la copine de l'étage, dans l'espèce de tunnel qui donne sur l'extérieur...

— Ma *Steatoda nobilis* ! Me dites pas que vous l'avez écrasée ?

— Une belle purée blanche.

Je l'acculai contre l'habitacle de l'*Atrax*, la poitrine bien haute.

— Où vous les procurez-vous ?

Le visage du biologiste se décomposa.

— Je... je... Qu'est-ce que vous allez me faire ?

Sympathique, ce petit, et malléable. Le tutoiement s'imposait.

— Tu sais quoi ? répondis-je en posant une lourde main sur son épaule, je me fiche royalement de ces bestioles que tu caches ici. Si tu as envie de te foutre la frousse, c'est ton histoire. Ce qui m'intéresse, c'est la façon dont tu les obtiens.

Il me regarda par deux fois.

— Je... je ne peux pas parler... J'aurais de graves problèmes.

— Pour le moment, ton problème, c'est moi !

Amadore saisit toute la subtilité de ma remarque quand ma main encercla à nouveau son poignet.

— Non ! Ne recommencez pas ! C'est... c'est dans une bourse d'insectes que je l'ai rencontré la première fois... Ça doit remonter à un an...

— Qui ça ?

— Un mec que je n'avais jamais vu, mais qui, apparemment, me connaissait. Ce jour-là, il est venu vers moi et m'a dit qu'il pouvait dénicher n'importe quelle variété. Vous comprenez, monsieur...

— Sharko...

Il remua le bras et je finis par le lâcher.

— ... Monsieur Sharko, les passions entraînent parfois bien au-delà du raisonnable. Les gens ont plus peur des araignées que de la mort et pourtant, moi, je les admire. Ce sont des modèles... parfaits. Aucun acier, aucune fibre synthétique actuellement ne présente une stabilité comparable à celle de leur soie. On l'étudie même pour fabriquer des gilets pare-balles, vous imaginez ? J'avais l'occasion d'avoir sous la main les spécimens les plus extraordinaires de la planète, moyennant finances, bien entendu. Aucun arachnophile n'aurait refusé pareille proposition.

Les yeux d'Amadore s'illuminaient. Se déployait en face de moi un tout autre être, qui avait redressé ses épaules et ouvert grand ses yeux.

Passage au vouvoiement.

— Que savez-vous de ce fournisseur ?

— Rien du tout, répondit-il d'un geste résigné. C'est lui qui me contacte lors des marchés d'insectes, quand bon lui semble. Il me demande alors si je suis intéressé par telle ou telle espèce. Dans ce cas, il me donne rendez-vous dans un endroit chaque fois différent... Parfois j'attends une, deux, trois semaines. Ça... vous allez trouver ça bizarre, mais j'ai remarqué que ça dépendait du cycle de lune.

Je fronçai les sourcils.

— Comment ça, le cycle de lune ?

— J'ai dû voir ce type une dizaine de fois. Nous procédions toujours à l'échange une nuit de lune nouvelle. J'ai vérifié sur un calendrier. Pile poil à la nouvelle lune...

— Les cycles lunaires... Ça n'a aucun sens... Les araignées y sont sensibles ?

— Absolument pas. J'ai cherché aussi, mais je n'ai pas d'explication. Ça restera un mystère...

Une toile vibra, à ras de ma tête. Deux pattes sombres rayées de jaune s'éveillèrent au bord d'une fissure. Je reculai de trois pas.

— N'ayez crainte, fit le biologiste. Ce sont de petites épeires, que l'on trouve dans tous les jardins. Pas de quoi fouetter un chat.

Je me décalai légèrement, les mains sur le torse.

— Comment s'approvisionne-t-il ?

— Aucune idée. Il expose une liste d'arachnides, je choisis.

— Combien vous les vend-il ?

Amadore s'effaça dans les ténèbres, plongea lentement la main dans un tapis de sciure et collecta une mygale aux mandibules rosées, qu'il caressa.

— À votre gauche, la *Latrodectus mactans*, une veuve noire d'Amérique du Sud, m'a coûté plus de mille euros. L'*Atrax robustus*, le double.

Il m'entraîna sous une autre voûte, éclairée d'ampoules rouges, barrée d'une gigantesque vitre en plexiglas. De l'autre côté, l'enfer. Des pyramides de soies entrecroisées, des insectes encoconnés, des carcasses digérées.

— Ce superbe spécimen de néphile est le plus cher de ma collection, pas loin de quatre mille euros. C'est une variété tropicale qui possède le fil le plus résistant au monde. Sa toile est capable de stopper des humains au rythme de marche. Regardez-la travailler, dans le coin, en haut à droite. Il lui faut une heure et quart pour tisser cent quarante mètres de soie parfaite. Une pure merveille !

Mes poils se hérissèrent, pris dans ce froid intense qui me remontait l'échine.

— Des milliers d'euros qui croupissent au fond d'une cave, j'avoue que j'ai du mal à saisir, constatai-je d'un geste nerveux.

Amadore se braqua, appelant une colère brune dans ses yeux.

— Et une lithographie plus laide qu'une chiure de pigeon, vous croyez que ça a un sens ? Les araignées ont toujours imposé le respect ! Ce sont de nobles architectes, les Indiens Navajos s'en inspirent encore pour construire leurs hogans. Les biologistes utilisent le venin des *Atrax* pour créer des céréales qui empoisonnent les insectes. On a tellement à apprendre d'elles ! Elles sont partout. On en trouve deux millions dans un champ et plus d'une trentaine à l'intérieur des maisons les plus propres qui soient. Elles sont hors de vous et en vous. Sur une vie, ici en France, vous en avalez une dizaine durant votre sommeil. C'est véridique ! J'adore raconter ça aux femmes ! Vous verriez leurs têtes ! Dix araignées qu'on avale, en pleine nuit, sans s'en rendre compte !

Je déglutis bruyamment et me forçai à rester concentré.

— Physiquement, à quoi ressemble votre fournisseur ?

— Une quarantaine d'années, pas très grand, peut-être un mètre soixante-dix. Type mexicain, avec un accent hispanique et des bagues plein les doigts. Un gars nerveux, le genre qui fait peur, moustache noire et regard inquiétant.

Il ne s'agissait pas de l'assassin, beaucoup plus imposant d'après l'apicultrice.

Nous quittâmes les tunnels d'araignées, vers la surface, et j'accueillis les grandes bouffées brûlantes de l'astre comme une délivrance.

— Le coup de fil anonyme, c'était vous, tout à l'heure ? me demanda le biologiste en ouvrant les volets.

J'acquiesçai en plissant légèrement les paupières.

— Nous sommes samedi. Il y a bien une bourse aujourd'hui, non ?

Il secoua vivement la tête.

— Non, non, non. Je vous vois venir. Je n'irai pas !

— Vous n'allez pas me décevoir maintenant, monsieur Amadore ? Petite araignée deviendra grande...

— Vous êtes...

— Quoi ?

Il se musela. Je poursuivis.

— Où a-t-elle lieu ?

— Sur la place du Tertre, à Montmartre. C'est une nocturne, de vingt et une heures à minuit, mais...

Je sortis mon téléphone portable.

— Qu... qu'est-ce que vous faites ? gloussa Amadore.

— Des collègues vont venir, nous allons vous briefer et mettre un plan d'action en place. Ce soir, vous allez nous livrer ce Mexicain sur un plateau.

— Et... et s'il ne vient pas ?

— Nous verrons... En attendant, redescendons dans votre cave. Je viens d'avoir une idée... mortelle...

# Chapitre dix-sept

C'était un homme le torse à l'air, éreinté, accablé par les sécrétions de son corps, qui regagnait son appartement, bien seul au milieu de sa fatigue. Dans une poignée d'heures, cet homme-là arpenterait encore le pavé, sous la nuit lourde, avec cet espoir vain d'attraper, encore et encore, ces fantômes du crime qui empourpraient l'asphalte de leurs lames étincelantes.

Samedi, dix-neuf heures. Le moment du rituel, ma pulsation d'espoir.

Rafraîchi par la douche, habillé, rasé, j'activai le pied par les rues déjà tranquilles du quartier jusqu'aux murs hauts et droits du parc de la Roseraie. À cette heure, ses grilles étaient fermées au public mais Marc, le gardien, connaissait mon histoire et l'importance que revêtait à mes yeux ce territoire de promenades. J'appuyai sur l'interphone, Marc apparut à l'une des fenêtres de sa maison et déverrouilla en m'adressant, au loin, un ample signe de la main. Je lui répondis avec autant de générosité.

Mes chéries avaient été enterrées dans leur terre du Nord, dans le ventre malheureux du charbon usé et des chevalements abandonnés. Alors, trop loin d'elles, je venais me recueillir ici, chaque semaine, sur ces tapis tressaillant de la poussée des roses et de la gerçure de leurs bourgeons. Dans cet écrin de solitude, je sillonnais les sentiers amincis par l'abondance des pétales, mes doigts frôlaient les écorces franches des ormes, les bois peints des vieux bancs sur lesquels s'étaient abandonnés tant d'amoureux. Et, comme tous les samedis, à cette même heure, je pleurais. Je pleurais tout bas, de ces pleurs chauds d'enfant qui roulaient depuis si longtemps sur mon cœur. Sans haine, sans douleur, mais avec tant d'amour !

Marc, souvent, me voyait remonter, les joues maladroitement essuyées, les yeux brillants, et il me regardait m'éloigner sans mot dire, avec ce même signe chaleureux au bout des doigts. *Au revoir, commissaire, et à la semaine prochaine...*

Mon épopée se finissait toujours au fond du parc, au détour d'un parterre de fleurs où un superbe chêne ridiculisait un frêne peu vaillant. Avec Suzanne, nous avions choisi ce dernier, son tronc cabossé, pour y graver nos initiales, il symbolisait la fragilité intérieure des êtres et la pureté délicate des sentiments. J'aimais caresser ces lettres d'hier, rappeler, du fond de ma mémoire, les lèvres effacées de ma femme et la rosée de ses mots... Paul Legendre avait raison, les arbres dégageaient de l'énergie.

Mais, ce soir-là, mes doigts palpèrent autre chose que nos inscriptions. Des lacérations, des déchirements d'écorce, si profonds que le frêne saignait. Le *F* de Franck, le *S* de Suzanne n'existaient plus, torturés par la violence d'une lame. La sève coulait encore.

Je me retournai brusquement. Le soleil déclinant m'aveugla, éclaté par les feuillages. Les ombres s'étiraient. Des fûts, des rosiers, des étendues herbeuses. Personne. Qui avait pu faire une chose pareille ? Mon secret...

Alors, d'un coup, je sus. Une intime évidence. La fillette du numéro sept. Cette petite garce ! Celle qui m'avait entendu rêver du chêne et du frêne...

Je m'élançai au travers des allées, coupai par les pelouses soignées, chassant les larmes par la colère, puis frappai chez le gardien.

Un peu surpris, il me tendit sa main que j'enveloppai des deux miennes.

— Marc ! As-tu vu une petite fille venir ici, seule ? Elle doit avoir dix ans, cheveux bruns, assez longs !

Il me jaugea de bas en haut, d'un air curieux.

— Il s'est passé quelque chose ?

Je pressai plus fort ses phalanges. Il se concentra un instant.

— Il y a énormément de monde qui se promène ici la journée, y compris de nombreuses gamines. Comment veux-tu que je sache ?

— Tu n'as vu personne après la fermeture ?

Il agita la tête.

— Tu es le seul que je laisse pénétrer dans le parc en dehors des horaires... Tu veux entrer boire un thé ?

— Non, je n'ai pas le temps, désolé.

Marc ne cacha pas sa déception.

— Bon... Si je peux t'aider, si tu as besoin de... parler, n'hésite pas...

J'inclinai la tête, prêt à partir, quand il s'enquit :

— Tu viens deux fois par semaine maintenant ?

— Quoi ?

— Eh bien oui, hier, puis aujourd'hui.

— Hier ? Quand ?

Il me dévisagea bizarrement.

— Eh bien ! À vingt-deux heures trente, presque la nuit ! Tu as sonné à l'interphone, *C'est Franck Sharko. Laisse-moi entrer !* Tu ne te souviens plus ?

Je me frottai le front.

— Merde ! Qu'est-ce que c'est que cette histoire ? Hier soir, je n'ai pas bougé de chez moi !

Les yeux de Marc s'arrondirent.

— Mais...

— Qui as-tu vu hier soir ?

— Je... À vrai dire, je n'ai pas réellement prêté attention. Il faisait sombre, j'ai distingué une large carrure, une grande taille, comme la tienne. Tu... n'as pas levé la tête dans ma direction, ça m'a semblé bizarre parce que tu me salues toujours. J'ai pensé que tu devais être en rogne ou distrait...

Mes doigts tressautaient sur mes lèvres.

— Et la voix ? La voix ? Quel genre ?

— L'interphone fonctionne très mal, je leur ai déjà demandé des milliers de fois de le changer ! Les voix sont toutes les mêmes...

Je rapprochai mon visage du sien, à portée d'haleine. La ronde de mes sens bouillait.

— Tu n'as rien remarqué d'autre ?

— Non, rien. Tu... Enfin, il a sonné à nouveau un quart d'heure plus tard, sans même dire bonsoir, puis il est parti... Ce... cet individu, qu'est-ce qu'il est venu foutre dans mon parc ?

— J'en sais fichtre rien, Marc, j'en sais fichtre rien, répliquai-je en m'essuyant la figure d'un mouchoir.

Et je disparus sur l'asphalte tiède, le pas traînant...

Les trains... Démarrer les trains. Arabesques des bielles, figurines de vapeur. Réfléchir. Je m'installai au cœur du réseau, position de l'Indien, mes poings sous le menton.

D'abord Del Piero, avec les sphinx. Moi à présent, en s'attaquant à mes trésors enfouis. Il nous avait contaminés, atteints de l'intérieur et maintenant, il travaillait nos âmes. Comment avait-il réussi à toucher mon intimité à ce point ?

Un bilan... Qui aurait pu deviner, pour la Roseraie ? Ce coin... Notre coin. Personne ne savait. Les inscriptions, balafrées... Notre frêne... Tout devait venir de la petite, forcément. Elle avait raconté l'histoire à quelqu'un. Un type de ma carrure. Qui ?

*Ça ne va pas, Franck ? Explique-moi ! Je suis prête à t'écouter.*

*Fous-moi la paix ! C'est pas le moment, OK ?*

Je démarrai l'armada des locomotives électriques, poussai la puissance au rouge, éveillant la clameur brusque de l'acier.

Après le viol de mes organes, il brûlait les souvenirs de ma femme, déchirait mon passé. Pourquoi ? Pourquoi ? Pourquoi ?

Jamais mes mains n'avaient tremblé aussi fort. Je suais de partout, une sécheresse de four roulait dans ma gorge. Il m'en fallait une, encore. Une pilule magique. Une drogue dangereuse, mais nécessaire.

Un sifflement, derrière moi. Je tournai la tête. La gosse ! Elle allait et venait au fond du salon, son regard de félin braqué dans ma direction. D'où sortait-elle encore ?

— Merde ! ! ! Viens ici, toi ! J'ai deux mots à te dire !

— Ne répète à personne que tu me connais, Franck. Surtout ! C'est un secret entre toi et moi ! Tu ne dois pas trahir ce secret, jamais ! Jamais ! Ou...

Je me levai brusquement, fulminant de colère, les poings serrés. Je voulus m'élancer dans sa direction mais mon pied percuta un convoi en furie et je voltigeai vers l'avant, avec ce dernier réflexe d'éviter la catastrophe ferroviaire en atterrissant sur les paumes. Un tunnel explosa néanmoins, mon épaule gauche pulvérisa une gare et anéantit toute forme de vie fictive dans les alentours. Vaches, personnages, buissons... broyés.

Je me redressai, me propulsai dans le salon à ses trousses. Elle s'était déjà enfuie dans le couloir.

Je claquai la porte d'entrée violemment, verrouillai à double tour et criai :

— Je ne veux plus te voir ici, tu as bien compris ! ! !

Pourquoi avais-je, encore une fois, laissé cette porte ouverte ? Je m'écroulai sur le sol, le dos plaqué, me couvrant le visage de mes bras.

*Tu craques, Franck, tu craques. Il faut te ressaisir, mon homme. Ta vie sans nous est difficile à supporter, mais tu dois faire avec. Il le faut ! Il n'y a pas d'autre solution, mon amour. Crois-moi, il n'y a pas d'autre solution...*

Je me relevai, fouillai dans la poche de mon pantalon crotté de toiles d'araignées et de poussière. Mon pilulier... Disparu ! J'avais dû le perdre dans ce fichu tunnel, chez Amadore... Armoire à pharmacie, plus rien. Meuble de salle de bains, vide. Merde ! Merde ! Merde !

Il me fallait un comprimé, absolument. Du tout, du n'importe quoi. Un comprimé, peu importe la substance. Willy...

Mon portable sonna.

— Sh... Sharko !

C'était Sibersky.

— Commissaire ! Qu'est-ce que vous fichez ? Je suis déjà en place, aux côtés d'Amadore !

Je jetai un œil sur ma montre. Vingt heures quinze.

— Merde, j'ai pas... vu le temps passer !

— Mais... Vous êtes encore chez vous ? Avec la circulation, il va vous falloir des plombes pour...

— Ne... t'inquiète pas... pour ça et commence sans moi ! J'arrive !

Une dernière fois, avant de quitter cette tombe dévorée par la voracité des trains blessés, je m'attardai sur mes mains, leurs doigts hagards, agités de ce tremblement permanent et impulsif des drogués...

Je cognai à la porte voisine, mais Willy ne me répondit pas.

Pas de cachets... Comment mon organisme allait-il réagir ?

## Chapitre dix-huit

Les pas lents des noctambules grimpaient le pavé, entre la respiration calme des érables et celle ralentie des tilleuls. C'est sous la fresque rose du crépuscule que la Butte Montmartre brûlait de vie, par-delà les habitations grises et embrumées de l'étau parisien.

Piégé dans les artères bouchées de la capitale, je n'avais rejoint Sibersky qu'à vingt-deux heures, la nuque dure de tension. Au coup de frein près, j'avais manqué de percuter des véhicules, encore et toujours chahuté par ces voix d'outre-tombe. Là, quelque part dans ma tête, ma fille chantonnait, tandis que ma femme m'engageait à prolonger le combat de la vie. Ces paroles arrivaient, partaient, puis revenaient aussitôt, grandies de leurs glorieuses intentions. Elles voulaient le bien, ces voix, en définitive. Mais quand me ficheraient-elles la paix ?

Le lieutenant veillait à la terrasse de *La Crémaillère*, une fine oreillette soigneusement enfoncée dans le conduit auditif.

À deux reprises, je l'avais contacté sur son portable, à l'affût des nouvelles. Mais le loup mexicain se faisait toujours attendre.

Devant, sur la place éclairée, des rangées ordonnées

de vendeurs déroulaient leurs étals d'insectes. Des spirales de mouches, des fractales de fourmis, des tourbillons de coccinelles, bondissant contre des parois translucides. S'éveillait un monde de vibrations, de craquettements, un grouillement contrôlé exposé à l'œil curieux de badauds ou d'experts passionnés venus dénicher la perle rare. *Mantis religiosa*, *Morphos* bleus, scarabées pique-prunes... L'extrémité gauche du marché assombrissait le tableau avec ses alignements écœurants d'araignées. Pattes velues, abdomens tendus. Dans ce foisonnement de mandibules, les visages des touristes se tordaient, certaines femmes, attisées d'une curiosité dangereuse, frôlant même la crise de nerfs.

— Où est Amadore ? demandai-je à Sibersky en commandant une bière.

Il considéra ma tenue passe-partout, fin pantalon beige, chemise unie et chaussures bateau, et répliqua :

— Dernière allée. Sanchez le tient à l'œil. Madison se balade sur le marché, à la recherche de ce Mexicain.

Il désigna mon portable.

— Del Piero a essayé de vous joindre avant d'appeler ici, il y a dix minutes. Vous n'avez pas répondu ?

Ma Leffe arriva. J'en liquidai la moitié d'un trait, histoire de compenser le comprimé. Un besoin irrépressible de saloperie dans mes veines.

— J'ai pas entendu, ça klaxonnait sec. Elle voulait quoi ?

— Juste savoir où nous en étions. On doit la tenir au courant après l'opération.

J'essuyai ce front ivre de sueur, écoutant à peine le lieutenant. Une fois mon verre vidé, mes doigts tremblaient un peu moins.

— Ce n'est pas trop votre style d'être en retard, piqua Sibersky. Vous semblez... nerveux. Quelque chose ne va pas ?

Il cherchait à capturer mon regard. Je me levai.

— C'est cette saleté... de chloroquine... Je me tords toute la journée sur le trône... Si tu permets, je vais inaugurer celui de ce café...

Je filai dans les toilettes pour m'y frapper le visage d'eau glacée. Mes yeux se levèrent vers le miroir face à moi, ces yeux d'apparence, las d'en avoir trop vu. Je m'enfermai dans un cabinet, déroulai de longues respirations, tentai de calmer mes mains, l'une massant l'autre. *La fillette, les lacérations sur le frêne, l'assassin qui usurpe mon identité...* Mon estomac me torturait, un manque atroce grossissait dans ma gorge. Les pilules... Cognant des deux poings sur le mur, je me relevai violemment. Si je devais veiller sur quelqu'un aujourd'hui, il s'agissait bien de moi.

La place vide de Sibersky me donna une grande claque. Volatilisé ! Je me ruai en bordure de terrasse, fouillai les alentours. Les peintres, sur la gauche. La houle moite des promeneurs, à front de rue. Les allées animées, plus en arrière. Mais pas de policier.

Mon portable vibra, je décrochai aussitôt.

— Madison a aperçu un type qui pourrait coller ! expliqua Sibersky. Genre Mexicain, moustache, des bagues plein les doigts. Il fout le camp en direction de l'église, à l'opposé de la place ! Je l'ai en visuel !

— Merde ! Il nous a repérés ?

— Je ne crois pas, il marche. Je le serre ?

— Non ! J'arrive !

Je m'élançai sur le pavé, à vive allure, contournant la place par une voie latérale. Mon cœur grimpa rapidement dans le rouge, ma glotte flamba sous mes exhalaisons brûlantes. Ces foutus cachets me bousillaient la cervelle et tout l'intérieur.

Sibersky progressait, en amont, dans cette grande voie rectiligne. Je courais toujours, dans l'ombre des façades, jusqu'à rejoindre le lieutenant dans la douleur du halètement trop court.

— Là-bas ! fit Sibersky, indiquant une silhouette cent mètres plus loin.

— Madi... son Sanchez ? Où... sont-ils ?

— Sanchez veille sur Amadore, Madison poursuit ses rondes, au cas où...

La forme s'évapora brusquement.

— Merde !

Sibersky s'envola au quart de tour, je lui accrochai les baskets, la respiration sifflante. Il me distança rapidement, cinq, dix, vingt mètres, survolant l'asphalte de cette foulée jeune et entraînée. Il bifurqua dans l'angle invisible d'une minuscule ruelle. Au fond, le Mexicain encombrait le passage de poubelles qu'il renversait avant de fuir encore. Le lieutenant inspirait fort, l'arme au poing, les bras vifs, le corps tendu dans sa course. Je traînais la langue mais tenais bon. Le second souffle arrivait, par-delà la douleur et le goudron des cigarettes. Mon rythme s'accéléra enfin.

Dans le goulot, des enfants se plaquèrent au mur, une femme rentra illico chez elle. Derrière un virage, la venelle se rétrécit en un étranglement de bitume. L'obscurité dévalait sale, grise, à l'image des murs de crasse. Sibersky avait gagné du terrain, le fuyard était tout proche, en lutte contre un grillage branlant. Son râle s'entendait distinctement à présent ; il se hissa du bout des doigts, grogna, roula de l'autre côté. Le lieutenant se précipita dans un cri, avala l'obstacle, dopé par la rage. Moi, je fonçai tout droit, la clôture se froissa sous le poids de mes cent kilos. Hurlements anonymes, passants qui s'égaillent, crissements de pneus.

Devant, une artère d'enseignes clignotantes, de pubs, de restaurants. En mire, les dômes limpides du Sacré-Cœur. De l'autre côté de la rue, deux hommes en cavale, dans les ténèbres d'un autre fil étroit. Je coupai tout droit, sans fléchir ni réfléchir, les dents serrées. Mes pieds enflaient, mes talons brûlaient. Plus loin, un gouffre de marches m'aspira alors que se battaient, dans sa pente, les deux êtres en furie. J'en vis un agripper le second, le fracasser contre une rambarde, le violenter encore avant que la chute l'avale. Le type aux bagues dévala six marches en gémissant. Tout là-bas, dans des grognements de fauves, le flic dominait, les deux genoux sur une échine brisée.

Je terminai la descente au ralenti, une belle bile aux lèvres, le corps en ruine. Je m'écrasai sur le sol, l'haleine dans celle de ce corps menotté, tandis que Sibersky récupérait contre un piquet, écroulé, les jambes écartées. Nous restâmes tous trois sans un mot, terrassés par le feu de nos poumons, comme des bêtes agonisantes.

Après que j'eus recouvré un semblant de calme et deux ou trois neurones encore vaillants, j'empoignai l'homme par la peau du dos et le soulevai.

Dans ses yeux mauvais, il me fumait d'un air de défi, avec le sourire de ceux qui haïssent, puis me cracha à la figure, proférant un morveux *hijo de la perra !* Je lui envoyai mon poing dans la poitrine, le meilleur des coupe-sourire.

— C'est... certainement pas le moment de m'énerver ! rageai-je en le secouant avec générosité.

La fouille corporelle révéla un cran d'arrêt, une barrette de shit et trois mille euros en liquide...

— Bien, Umberto... Valdez ! J'ai quelques petites questions à te poser et je n'ai pas trop le temps. Alors j'espère que tu seras...

Un autre coup lui fit manger son rictus.

— ... coopératif.

— Va te... faire... foutre... s'étrangla-t-il dans une rafale de postillons.

Il parlait avec cet accent de général de guérilla, sa bouche se déformait sous les *r* roulant dans sa gorge.

Je lui saisis les cheveux et lui relevai la tête, sous le regard ahuri de Sibersky.

— Raconte-nous ce que tu fichais à cette bourse !

Il ricana encore, par-delà la douleur.

— Promenade... Qu'est-ce qui m'en empêche ?

Je me tournai vers le lieutenant.

— T'as pris ta caisse ?

— Je suis venu avec celle de Madison.

— Parfait ! Appelle Madison et Sanchez. Dis-leur que le mec s'est tiré et qu'ils peuvent rentrer chez eux !

Le lieutenant écarquilla les yeux.

— Mais...

— Fais ce que je te dis, putain ! Ce salopard, on va le saigner !

Je m'essuyai encore le front et ajoutai :

— Pendant ce temps-là, je vais chercher ma voiture. Attends-moi avec cet enfoiré en haut de l'escalier !

Sibersky entraîna Valdez dans un coin et m'agrippa la chemise.

— Vous êtes hors de vous ! Qu'est-ce qui vous prend ?

— Surveille-le et ferme ta gueule !

Je réapparus quinze minutes plus tard, derrière mon volant, tendu à me rompre les nerfs. Sibersky comprima Valdez à l'arrière et s'assit à ses côtés.

— Sanchez et Madison, c'est réglé ? envoyai-je en lorgnant dans mon rétroviseur.

— Oui. Ils ne sont au courant de rien, mais...

— À partir de maintenant, plus la moindre question. OK ?

— Je... vous fais confiance... répondit-il sans grande assurance.

Le Mexicain commençait à se trémousser.

— Qu'est-ce que c'est que cette histoire ? brailla-t-il. Eh, *hombre* ! Où que tu m'emmènes ? Et toi, tu dis rien ? Et mes droits ?

— Tes droits, on s'assoit dessus ! répliquai-je, la risette mauvaise.

Je démarrai en trombe, la main caressant un sac à dos plein de surprises.

Il me fallait un endroit isolé. Le panneau *déchetterie*, à proximité de la porte de la Chapelle, tombait idéalement. Je remontai donc l'avenue du même nom et obliquai dans une rue sans vie, surchargée de préfabriqués et de petites entreprises, qui nous amena aux frontières du monstre d'ordures. Derrière, Valdez avait étrangement cessé de s'agiter.

Phares coupés, Maglite, sac à dos. En route. Mais Sibersky, sorti du véhicule tout en matant le Mexicain, m'arrêta.

— Qu'est-ce que vous faites ?

— Cet enfoiré va parler et tout de suite ! Reste ici, prends soin que personne ne me dérange !

Il m'agrippa par l'épaule.

— On ne peut pas faire ça ! Commissaire !

Je le repoussai avec fermeté.

— On n'a pas le temps ! Il doit cracher le morceau ! Illico ! Et dégage de mon chemin !

J'éjectai Valdez de la voiture et le propulsai devant moi. Sibersky resta appuyé sur le capot, le mot coupé.

— À quoi tu joues, *hombre* ? Tu veux me faire peur ? T'es flic ! Tu ne me feras rien !

— Tu ne sais pas de quoi je suis capable... murmurai-je au creux de son oreille. J'ai plus rien à perdre, plus rien du tout... Par contre toi, tu vas perdre tes couilles.

Après que nous eûmes franchi la barrière de sécurité, je l'entraînai dans l'alignement des bennes, lui, ordure parmi les ordures. Je l'aplatis contre une tôle luisante d'huile, les watts de ma torche dans ses yeux.

— Tes insectes, tu te les procures comment ?

— Va te faire foutre ! Connard !

Mon poing percuta son flanc gauche, il se plia en deux avant de cracher un rire infâme.

— T'as l'air salement perturbé, *hombre* ! C'est quoi ton problème ? Tu te cames ? Les camés, je les sens à des kilomètres, tu sais ! Eh, lieutenant ! Ton collègue, il se came !

Il tendit encore son regard de raclure, embrasé d'une haine d'instinct envers les flics. Ses fossettes crevaient de cicatrices, tirant cette peau volcanique brûlée par le soufre des bagarres.

Je le forçai à s'asseoir et ôtai mon sac à dos. J'en sortis deux mouchoirs que je lui engouffrai dans la bouche. Il hurlait étouffé, crachant une fureur sourde, lorsqu'un triple tour de chatterton le musela pour de bon.

— Si tu te décides à jacter, tu feras oui de la tête...

Il soufflait par le nez, son front haut plissé de colère, tapant des talons avec la hargne des taureaux fous. Je m'assis sur ses cuisses, mon nez à deux centimètres du sien. Sous ces rectitudes de métal, ses genoux craquèrent.

— Tu vois, il a été démontré par des médecins spécialistes de la douleur que la pire des souffrances physiques est la suffocation sèche. Quand tout l'organisme réclame l'air, avec la langue qui enfle dans la bouche, le cœur qui bat de plus en plus fort, jusqu'à exploser dans la poitrine. Brrr ! J'aimerais pas être à ta place.

Ma main se glissa avec prudence dans ma musette. Lorsque j'en extirpai un petit cercueil de Plexiglas, les yeux du Mexicain se révulsèrent.

— Tu la reconnais ? *Latrodectus mactans*, la veuve

noire la plus dangereuse au monde. Un putain de concentré de venin. Je crois qu'elle n'a pas trop apprécié son enfermement. Elle semble... nerveuse. Bon... À moins que tu sois au courant, je vais t'expliquer ce que sa morsure va provoquer...

Je déboutonnai sa chemise, posai la boîte sur son torse et retirai un petit cadenas.

L'araignée se tassait sur elle-même, prête à bondir, les mandibules lourdes de poison.

— J'adore ! J'adore ces petites bestioles ! ! !

Mes mains volèrent au ciel, tandis que ses joues gonflaient de peur. Il me prenait pour un dingue. Tant mieux.

— Dix minutes après la morsure, tu vas ressentir une très grande douleur, d'abord dans la zone piquée, puis dans l'ensemble du corps. Contractions musculaires violentes, oppression thoracique, sympathique comme tout... Puis... Ils appellent ça des neurotoxines... Il paraît que ça paralyse un à un tes muscles respiratoires, lentement, très lentement. Tu sais à quoi ils comparent ça ? À un type essoufflé, qu'on mettrait sous l'eau et qui n'aurait pour respirer qu'une paille très fine ! Amusant, non ?

Je posai le bout des doigts sur la tirette. La tueuse aiguisa ses crochets.

— Dans moins d'une demi-heure, sans secours, t'es un homme mort. Ton cadavre croupira au fond de ces bennes. Je te laisse cinq secondes pour réfléchir. À cinq, j'ouvre.

L'orage craqua au fond de ses rétines, des veines saillaient sur son front et ses tempes. À l'ultimatum, il n'avait pas réagi.

— T'es plus coriace que je le pensais... Mais tu sais pas à qui tu te frottes, face de pet.

L'araignée vit la trappe disparaître, palpa, puis

s'aventura sur le territoire de poils, ses huit yeux décortiquant ces vibrations de poitrine. C'était un monstre de cauchemar, avec son thorax démesuré piqueté de taches rouges et ses pattes si crochues qu'elles donnaient l'impression d'aiguilles.

La panique retourna les tripes du Mexicain, une odeur de défécation flirta avec celle des ordures. Lorsqu'il secoua la tête pour indiquer qu'il abdiquait, le prédateur mordit au beau milieu du pectoral gauche. Le cri de Valdez transperça les épaisseurs de scotch.

J'écrasai l'horreur du pied, son corps se comprima tandis que ses pattes se rétractaient. Je m'accroupis, approchant mon visage de celui du Mexicain.

— Tu n'y croyais pas, fumier ? Petite frappe de mes deux !

Je le lâchai avec mépris, me rendant compte que je le serrais encore à la gorge.

— Maintenant, je vais enlever le scotch. Dis-moi ce que je veux entendre et j'appelle les secours. Tu gueules, je te bâillonne et te balance dans la benne, OK ?

Il acquiesça vivement. J'arrachai le chatterton ainsi qu'une bonne partie de sa moustache, puis retirai les mouchoirs de sa bouche.

Il cracha ses boyaux avant d'envoyer :

— Putain ! T'es un malade ! Me laisse pas crever ! Putain de merde !

— Je répète ma question. Tes araignées, tu te les procures comment ?

Il s'étouffa encore, les yeux fixés sur les deux minuscules points rouges de son torse.

— *Sanctus Toxici* ! Le sanctuaire des poisons ! Un endroit, sous terre !

— Où ça, sous terre ?

— Putain ! Ils vont me faire la peau si je parle ! ! !

— Ce devrait être le moindre de tes soucis...

Il évalua rapidement la remarque, puis répondit :

— On dirait... une station de métro fantôme... Un tunnel de rails, sans accès extérieur, muré. Inaccessible... Mais y a un moyen de descendre. Un passage secret...

— Où ? Tu perds de précieuses secondes !

Il agita la tête. De grosses gouttes perlaient sur ses tempes brunies.

— Je sais pas exactement ! Le rendez-vous... dans la cave d'un bar africain... l'Ubus... Dans le vingtième... Après, ils te bandent les yeux... Tu dois marcher pendant plusieurs minutes...

Je collai mon front contre le sien.

— Et que trouve-t-on là-dessous ?

— Merde, connard ! J'ai pas le temps !

— J'attends !

Les mots se chevauchèrent dans sa bouche.

— Toutes sortes de bizarreries ! Des animaux venimeux, cobras, scorpions noirs, insectes dangereux ! Des drogues aussi, mais pas du classique... des substances à base de venin... Dans des passages annexes, ils font d'autres choses... Sorcellerie, magie noire, vaudou. À éviter...

Il se claqua la tête contre la tôle.

— Les secours ! Je t'ai tout balancé !

— Pas tout à fait. Tu as déjà refilé des moustiques infectés ?

— Quoi ?

— Paludisme, fièvre jaune ! Qui vend ça ?

Je le pressai par le col. Il accoucha.

— J'en ai seulement... entendu parler... Je sais pas... si c'est vrai... Ahrrr ! Putain ça... Ahrrr ! Ça commence ! Merde ! Me laisse pas crever !

Un œil sur ma montre.

— Six minutes. Ça agit plus rapidement que prévu... Bonne bébête ! Comment on entre là-dedans ?

— Sans moi... t'entreras... pas...

Je patientai sans piper mot. Ses lèvres se tordaient en huit désastreux.

— Dans le... bar... Demande... Opium. Parle du... *baiser de l'araignée*. C'est... un code...

— Ça se déroule quand ?

— Une fois... par mois... pendant... la lune nouvelle... Faut que... tu te magnes... C'est la dernière... nuit... avant le cycle suivant... Le bar... ferme... dans quatre heures... *Hombre* ! Merde !

— Ils vont me fouiller ?

Son souffle prenait le vent. Symptômes de la paille dans la bouche.

— Oui. S'ils ont... un doute... ton... tu disparaîtras... là-dessous...

Il s'effondra sur le côté, les dents serrées.

Je sortis une seringue de mon sac, mélange de sel de calcium et d'un sérum antilatrodecte, et enfonçai l'aiguille dans son épaule.

— Tu ne sentiras plus rien dans quelques minutes. Merci de ton aide... *hombre*...

Je secouai la barrette de shit devant son nez.

— Je veux bien oublier ça, en guise de remerciement et... en échange d'un petit service...

Il se redressa lentement, à moitié sonné.

— Et... mon fric... Rends... mon fric...

Je souris.

— Je le garde au chaud... On va t'emmener au 36, pour un interrogatoire dans les règles, et tu répéteras ce que tu m'as dit, mais... oublie ce qui vient de se passer. Tu as été coopératif, j'appuierai ta défense. Si tu me trahis, je laisserai avec plaisir ton adresse à l'Ubus, leur signalant que tu jactes avec les flics... et...

J'écrasai mon index sur la photo d'une femme, dans son portefeuille.

— ... je saurai m'occuper d'elle aussi. Une petite araignée, et hop !

— Fils de... pute...

— Bien ! Je vois que tu retrouves tes capacités intellectuelles. Tu as bien compris ?

Il cracha sur le sol. Il avait compris...

Je reboutonnai sa chemise, récupérai dans un mouchoir l'araignée morte et me rapprochai de Sibersky, qui faisait les cent pas. Valdez tremblait sous ses chairs, le visage couleur paprika.

— Commissaire ! Qu'est-ce... commença le lieutenant.

— Dans la voiture ! On n'a plus beaucoup de temps ! Je vais tout t'expliquer en route mais... j'appelle Del Piero, qu'elle fasse des recherches sur Valdez. Contacte immédiatement Sanchez et demande-lui de rappliquer au bureau, d'urgence. On va avoir besoin de lui, et de personne d'autre...

# Chapitre dix-neuf

Les trois jours d'enquête écoulés avaient décimé une bonne partie de nos capacités de résistance. Sous la lumière tamisée de son bureau, Del Piero gazait à la nicotine et à la caféine. Les post-it s'accumulaient, sur les murs, le tableau, les contours de son ordinateur, les dossiers s'empilaient autant que les heures de sommeil à rattraper. Les pressions subies par la hiérarchie, le paludisme et nos petits soucis personnels n'arrangeaient rien.

L'inspecteur Sanchez se tenait à mes côtés, courbé, le visage tiré et les mains jointes sur les genoux. Je lui proposai une cigarette, qu'il refusa. Je voulus porter une clope aux lèvres mais me ravisai. Appeler la flamme d'un briquet serait la meilleure façon d'attirer l'attention sur mes doigts... et de faire remarquer qu'ils tremblaient encore.

— La station fantôme Haxo s'étend sur plusieurs kilomètres, expliqua Del Piero en stabilotant une ligne sur un plan d'archive de la RATP. La Compagnie du Métropolitain envisageait, au début des années 1900, d'exploiter à meilleur escient les lignes 3 et 7, notamment avec le prolongement des rames Pré-Saint-Gervais de la ligne 7 jusqu'à la porte des Lilas. Une station est alors bâtie, à voie et quai uniques. Haxo... Aucune bouche extérieure n'a jamais été construite, pas un seul voyageur n'a emprunté la ligne. On s'en servait, il y a quelques années encore, comme garage à rames, puis les accès ont été définitivement murés.

Elle désigna une croix rouge.

— La ligne oubliée passe à proximité d'Haxo et du cimetière de Belleville. D'après cette carte, la partie supérieure du tunnel se situe, en moyenne, à quatre mètres sous terre. Autrement dit, à partir d'un endroit déjà profond, comme une cave ou une tombe, en creusant un peu on doit atteindre la voûte facilement.

Il y eut un claquement sec qui me fit sursauter.

— Vous m'écoutez, Sharko ? demanda-t-elle en haussant le ton.

J'acquiesçai.

— Bon... Outre les caves, il semble possible de pénétrer par les voies d'aération, joignant Haxo aux lignes 3 et 7. Elles ont normalement été fermées, côté Haxo, mais ont très bien pu être démolies... Si ces passages existent, ils sont terriblement dangereux, car donnant sur des tunnels à voie unique où circulent des rames.

Je retournai le plan et considérai la zone surlignée.

— Valdez prétend ne pas connaître le point d'entrée, on lui bande chaque fois les yeux. Selon lui, il faut marcher trois ou quatre minutes, monter, descendre des escaliers, même sortir à l'extérieur, peut-être au travers du cimetière. Sans doute la raison de ces... marchés interdits pendant la nouvelle lune. Obscurité absolue, pas de risque d'être repéré...

La commissaire repoussa une mèche rousse sur le côté. Son chignon, parfait dans la journée, ressemblait à présent à une nébuleuse éclatée.

— Nous disposons de trop peu d'éléments et de ressources pour quadriller le périmètre, constata-t-elle sous les plis inquiets de son front. Ces boutiques, ces maisons attenantes à la ligne sont des sources potentielles d'abords illicites. Si vous descendez là-dessous, personne ne vous appuiera. C'est une opération extrêmement hasardeuse qui... m'embarrasse.

— J'en suis conscient, mais... mais nous avons un moyen inespéré d'approcher ces vendeurs d'insectes meurtriers. Il faut prendre le risque, c'est la nuit de nouvelle lune.

Polo Sanchez envoya, tout penaud :

— Excusez-moi... Mais qu'est-ce que je fiche ici ?

Je me tournai vers lui :

— Tu es ma clé du sanctuaire.

Le jeune inspecteur me regarda sans comprendre. Je lui tendis le téléphone portable de Valdez.

— D'après ce que la commissaire a comme infos sur Valdez, il a passé cinq ans à Fresnes pour trafic de stupéfiants, en 95. Je vais prétendre auprès d'Opium être l'un de ses compagnons de taule. Je me débrouillerai pour le baratiner, mais il se méfiera sûrement. À tous les coups, il appellera sur ce portable, pour que le Mexicain confir...

Une goutte de sueur me brûla soudain la rétine. Je m'arrachai de mon siège.

— Merde ! Merde ! Merde ! J'en ai plus qu'assez de cette putain de chaleur ! ! !

Del Piero me fixa, les lèvres serrées, sans décrocher une parole. Je restai debout et poursuivis mes explications.

— Ex... cusez-moi. Tu... tu es d'origine hispanique. À peu de chose près, tu as le même accent que ce pourri de Valdez. Tu te feras passer pour lui.

Je brandis une fausse carte d'identité, que je traînais depuis mes années à l'antigang.

— Je m'appelle Tony Shark. Retiens bien ce nom...

Sanchez écarta les bras.

— Mais je ne connais rien de ce putain de Mexicain !

— Débrouille-toi, bordel ! Il te reste une heure avant que je débarque là-bas ! Va dans la salle d'interrogatoires, discute avec lui, prends ses intonations de voix ! Agis ! C'est pourtant pas compliqué !

Le regard qu'il croisa avec Del Piero me déplut. Il dit, en sortant :

— Je vais faire mon possible...

Dès qu'il eut quitté la pièce, la flic se massa les tempes.

— Désolée de vous dire ça, mais vous êtes dans un sale état, Franck. Vos nerfs sont à fleur de peau, vos mains... tremblent. Je ne pense pas que vous soyez ce soir en état de...

J'inspirai un grand coup.

— Vous allez jouer la psy, vous aussi ? Au contraire, mon... état sera un avantage. Je serai plus crédible, plus loin de mon personnage de commissaire.

Elle pianotait avec un stylo.

— Vous avez toujours réponse à tout, hein ? Combien de temps tiendrez-vous ?

— Plus que vous.

Elle ignora la remarque.

— Cet Opium a sûrement été en contact avec notre assassin. On devrait peut-être l'interpeller directement, en force.

— Sans savoir de quoi il en retourne ? On risque de foutre un boxon pas possible. Laissez-moi d'abord fouiner.

Elle agita la bouche de droite à gauche.

— Que sait-on d'Opium ?

— Sénégalais, crâne rasé, balèze, avec un anneau dans le nez. Valdez n'a pas voulu en dire plus.

Elle affina ses yeux félins.

— Il en a déjà dit beaucoup, je trouve. Ce type a l'air de tout sauf tendre, et pourtant, j'ai vu la façon dont il vous dévisageait. Comme... s'il avait peur de vous.

Je claquai mes mâchoires, comme un requin.

— L'effet Sharko, sans doute...

Elle se força à sourire et déplia une carte de l'Est parisien.

— Bon ! Nous posterons deux hommes à l'angle de l'avenue Gambetta et deux autres rue Haxo. Je vais aussi mettre en place une brigade d'intervention, au cas où il y aurait un problème. Mais... surtout, pas de zèle ! Vous descendez, repérez les vendeurs louches, puis remontez. Nous les intercepterons à leur sortie, en douceur, en espérant qu'ils pourront nous mener au meurtrier. C'est... le scénario le plus optimiste...

J'opinai du chef. Elle me jaugea rapidement, le poing sous le menton, et ajouta :

— Et si le tueur se trouve là-dessous ? Si, d'une manière ou d'une autre, vous vous faites pincer ? Si les choses tournent mal ? Vous n'aurez même pas d'arme ! Franck, c'est extrêmement dangereux !

— C'est tout ce qui me plaît dans ce métier. Et puis, avons-nous une autre solution ?

Elle serra la mâchoire.

— Je vais contacter la BRB. En attendant, prenez vos hommes et allez-y. Mais... Soyez extrêmement prudent... Je resterai en liaison radio avec les équipes à l'extérieur.

Je décochai une risette nerveuse.

— Vous devriez aller vous coucher une heure ou deux. Demain risque d'être une très grosse journée.

— Et lâcher mon enquête ? Vous êtes taré ou quoi ?

Elle se plaqua au fond de son fauteuil, son visage englouti par l'ombre.

— Je ne sais pas si je devrais vous dire ça mais... J'ai une mauvaise intuition... Une très mauvaise intuition...

## Chapitre vingt

En frontière des dix-neuvième et vingtième arrondissements, à l'extrémité d'un maillage de magasins, l'Ubus se tassait entre la haute palissade ouest du cimetière de Belleville et la vitrine minuscule d'une boutique africaine.

Enseigne branlante, béton crade, tuiles explosées. Pour trouver l'endroit accueillant, il fallait beaucoup, mais vraiment beaucoup d'imagination.

Le videur, même pas Noir, me plaqua sa large paluche sur le torse.

— On n'entre pas. C'est plein.

— Il n'y a pas l'air d'avoir foule, pourtant.

— Qu'est-ce que t'en sais ? J'te dis que c'est plein.

Borné, qui plus est. Je fouillai dans ma poche, en sortis un mouchoir taché et jetai la *Latrodectus mactans* éclatée au beau milieu de son tee-shirt. Il bondit vers l'arrière, les yeux exorbités.

— Je suis venu voir Opium. Ma veuve noire a pris un coup de vieux et il lui faut une remplaçante.

Il fallait ouvrir la porte pour qu'enfin s'étirent les espaces et jaillissent les couleurs. Des ocres modérés, des rouges furtifs, des tons d'ébène, tourbillonnant sur les murs en figurines énigmatiques. Des profondeurs couraient les roulements de *jembé* et les élans des sons *Ragga*, tandis qu'au fond, entre des tentures sombres, un écran géant déroulait un concert de Mory Kanté. Une vaste illusion, tout ça, puisque dans le bar ne planaient que deux ou trois silhouettes, assommées à l'eau-de-vie agricole. Un samedi soir ambiance Toussaint...

Je me dirigeai vers le comptoir, derrière lequel s'endormait un métisse aux dreadlocks aussi impressionnantes que ses narines. Il portait des lentilles jaunes cerclées de marron, façon lézard.

— On s'est perdu ? fit-il dans un sourire de dents ternies.

— J'aime bien Mory Kanté, répliquai-je en désignant le film. C'est l'un des derniers d'une famille de trente-huit enfants, tous nés avec un destin d'artiste. Le sien était de voyager par la musique.

— Et le tien, c'est de venir m'emmerder ?

Après le borné, le type direct. Je hochai le menton en direction des étals colorés.

— Sers-moi le pire de tes poisons.

Le Lézard fit tourner une bouteille entre ses mains.

— Rhum blanc de Jamaïque, cinquante-cinq degrés. Ça te va ?

— Je voulais parler d'Opium.

— Je connais pas d'Opium, répliqua-t-il en me foudroyant de son haleine tue-mouches.

— Dans ce cas, comment tu sais que je parle d'une personne ?

Je m'approchai de ses cratères nasaux.

— Je ne suis pas ici pour perdre mon temps, z'yeux de lézard, mais pour le business. C'est Valdez qui m'envoie. Dis à Opium que j'aimerais goûter au *Baiser de l'araignée...* Et, si je peux te donner un petit conseil, évite de me casser les couilles. J'suis pas d'humeur ce soir.

Il me détailla de ses yeux d'écaille, agita ses tresses d'un bref mouvement de tête et lâcha :

— Plutôt effronté, pour un nouveau. Ça me plaît bien...

Il s'éloigna avec son portable et revint dans la même minute.

— Descends. En bas de l'escalier, tourne à gauche... Dis *Papayou* au mec devant la porte.

— Sponsorisés par Carlos ?

Il déroula sa belle langue bifide et retourna à ses occupations de barman miteux. Au fil des marches, les roulements de tam-tam enflaient, une moiteur de savane s'épanouissait sous les plafonds arqués.

En bas de l'escalier s'étirait une grande salle peu éclairée, habitée de figures soûles. C'était un lieu de danses lentes, de respirations creuses, de fronts luisants. La musique enivrait, entêtait, poussant ces corps d'ébène et d'ivoire à s'épuiser toujours plus. Je repérai la porte dans un renfoncement et annonçai à son Cerbère le mot magique. *Papayou*. Grincement de gonds...

Au cœur de l'ombre plongeait un goulot en vieilles pierres, flatté de néons malades. Plus loin, des voix, étrangères, piquées d'intonations brusques. Au fond d'une cavité minuscule, chaude de sueur et d'alcool, quatre Blacks jouaient au poker, à billets réels.

L'un d'eux me fuma du regard, tirant une belle grimace de vipère. Au bout du couloir, deux montagnes me fouillèrent dans les règles avant de m'escorter aux portes de la tanière d'Opium. Une niche de ténèbres, protégée par un habile jeu d'éclairages qui ne laissait paraître que les mains, deux mains de géant posées sur les accoudoirs d'un fauteuil en velours grenat.

Un cigare déroulait ses volutes en un long serpent de soie.

— Alors comme ça, c'est Valdez qui t'envoie...

Sa voix, d'un grave profond, était empreinte de cette même langueur qui habitait l'endroit. Je plissai légèrement les yeux, aveuglé par un projecteur en surplomb.

— Je lui ai rendu pas mal de services, à Fresnes, répliquai-je, une main en visière. Aujourd'hui, j'ai besoin de pognon. J'ai quelques amateurs, prêts à payer cher, pour des araignées un peu... spéciales...

Le barreau de chaise disparut soudain dans l'ombre puis flamba en un rouge de braise.

— Pourtant, Valdez n'a jamais parlé de toi.

— Pourquoi il l'aurait fait ?

— Tu t'appelles ?

— Tony Shark...

— Shark, Shark, Shark... Le requin... Alors tu l'as connu à Fresnes ? Qu'est-ce que tu fichais là-bas ?

— Transport d'héroïne, depuis l'Angleterre. On m'a pincé avec un kilo.

Un long silence. Des rivières me ruisselaient dans les yeux, la nuque, partout sur le corps.

— Tu travaillais pour qui ?

— J'en sais rien, j'étais juste chauffeur routier... On m'a proposé de la tune pour planquer la marchandise dans mon camion, à l'intérieur de carcasses de porcs. Alors, j'ai dit OK, banco...

La main gauche fit courir ses phalanges sur l'accoudoir.

— Tu sues beaucoup... Tu as quelque chose à cacher ?

J'ôtai ma chaussure et ma chaussette gauches, désignant d'un doigt tremblant les veines démolies de mon pied. Vestiges de rangers trop serrées.

— Thromboses veineuses... J'essaie de décrocher.

— Héroïnomane...

Il claqua des doigts. On lui apporta un plateau d'argent, barré de crêtes blanches. Cocaïne...

— Hum... Valdez a le sens du secret... Ça m'étonne qu'il t'ait parlé de notre business... Il me déçoit beaucoup.

Quand la mimine décrivit d'amples arcs de cercle, on m'empoigna fermement. Ça sentait le roussi.

— J'ai trois mille euros dans ma poche ! expliquai-je en jouant des coudes. Il y en a mille pour mon droit d'entrée !

— Je n'ai pas besoin de ton autorisation pour prendre ton fric, ni même ta vie...

Après le borné et le type direct, le modeste. Une longue aspiration nasale l'interrompit.

— Je vais passer un coup de fil à notre ami commun, fit-il de cette même voix de pierre froide. J'espère qu'il va répondre... Ce serait... préférable...

Ses mains s'effacèrent, entraînant une masse démesurée vers l'arrière de la niche.

Il y eut un bruit de porte malmenée.

— Je crois que maintenant vous pouvez me lâcher ! m'énervai-je en mouvements saccadés.

— Au contraire... répliqua judicieusement Sbire gauche. Ça renifle vraiment pas bon pour toi, mec...

À présent, mon sort tenait à un nom, Polo Sanchez. Un pas de travers, la moindre hésitation, une mauvaise intonation et le cimetière voisin s'encombrerait d'un occupant de plus. Mes deux gardiens m'immobilisaient puissamment, leurs pectoraux contre mes épaules. Je percevais, au travers de leurs vestes, le grand baiser glacé des revolvers.

Glissement de bois, au fond de la niche. Martèlements de pas. La lumière déclinait lentement, au fil de l'approche du monstre. Il m'apparut soudain.

Du haut de son immensité, il ressemblait à ces images de diables modernes, avec ses gros yeux noirs au fond laiteux, son crâne en pointe, son anneau de métal lui fouillant la cloison nasale. Des torsades d'encens fleurissaient de ses gestes, toutes sortes d'or cliquetèrent autour de son cou lorsqu'il se pencha à mon oreille et murmura :

— On va te montrer comment on traite les intrus. Bon voyage...

Dans la seconde, on me bâillonna d'une lanière de cuir, m'enfonça une cagoule sur le crâne, mes bras s'arquèrent vers l'arrière et des menottes me cisaillèrent les poignets. Je me débattis avec l'énergie du condamné, entre ces poitrines chaudes de fureur, pressantes au point de me couper le souffle.

On m'allégea de mes billets et, sous l'autorité d'un claquement sec, me propulsa violemment dans un angle. Un battant grinça.

— Avance !

Je mordis le bâillon avec rage, tirai sur mes entraves, frappai de la tête dans le vide. Un coup de crosse dans les reins me cassa en deux.

— Avance, on t'a dit !

La capuche m'asphyxiait, la sueur me rendait fou. Je ne contrôlais plus rien, mon destin m'échappait.

On grimpa un escalier. Droite, gauche. Une porte, encore. Odeurs de riz, de braises sauvages.

Des clameurs, dans le fouillis des dialectes chuintants, des rires bestiaux. Ricanements de gonds. Frémissements de grillage, raclements de graviers. Des ronflements lointains de voitures. Le cimetière, on devait progresser entre les morts, sous le couvert d'une nuit sans lune.

Et je marchais toujours, indéfiniment, violenté par les directions à suivre. Gauche, droite, pente... Terre, herbe, cailloux...

Porte à nouveau, virages... puis une nouvelle volée de marches dans des couloirs de chuchotements. Couinements d'objets qu'on déplace. Meubles ? Lit ? Réfrigérateur ? Un courant ascendant glissa sur ma peau. De l'air frais. Ma langue tournait sur mes lèvres, chassait ce sel des suées et ces minéraux de peur. La descente se prolongea. Vingt-quatre marches exactement, raides à se fendre le crâne. De l'arrière, des mains me forçaient à me courber au possible, tant le plafond écrasait.

— Stop !

On m'ôta cagoule, bâillon, menottes. J'étais plié en deux, mon accompagnateur, derrière moi, désigna une trappe avec le pinceau de sa lampe.

— Ouvre et attrape l'échelle... En bas, prends à droite...

— Vous avez une drôle de façon d'accueillir les nouveaux.

Autour, des couches de craie, d'argile, du béton creusé, des tiges de fer perçant les murs et un tablier d'acier déchiqueté. Un trou à rats, démoli à la masse, à la perforeuse, façon brutale. Je m'accroupis, tirai sur un anneau métallique. Un vent glacé, ce souffle froid qui parcourt les tunnels éteints m'ébouriffa les cheveux. La fraîcheur des abysses grondait sous mes pieds, si proches de l'enfer...

Haxo, la station de métro fantôme, ayant épuisé tant d'abatteurs, de boiseurs, d'ouvriers malheureux. Gueule gigantesque d'un serpent de roches... Vivante...

Une atmosphère de film de carnage s'enroulait, silencieuse, autour d'ampoules éveillées par des groupes électrogènes. Un endroit de fin du monde, cerclé de parois irrégulières, tendu de rails morts où traînaient encore les spectres des rames oubliées. Le plus effrayant était cette absence de vie, ce grand vide sombre à l'odeur de métal chaud, où l'on s'attendait à voir jaillir, dans la bouche lointaine, des êtres d'outre-tombe venus vous arracher les membres.

Au-dessus, creusée dans les hauteurs, la trappe s'était déjà refermée.

Je longeai le boyau par la droite, serré contre cette paroi de briques noires, évitant la voie, comme si une motrice allait surgir et me déchiqueter. Des lieux s'esquissèrent dans mon cerveau. Egouts, catacombes, stations fermées. Molitor, Invalides, Maillot. Ossuaires, messes noires, sectes. L'empire de la mort régnait ici, sous Paris, sur presque deux mille cinq cents kilomètres de souterrains infâmes. Loin, bien loin de la lumière éclatante des Champs-Elysées.

La courbe grandissait, mangeait de l'obscurité à n'en plus finir. Des kilomètres, avait dit Del Piero. Des kilomètres dans le ventre de la terre, coupé du monde, sans arme, sans téléphone, sans fuite possible. Avec, pour couronner le tout, les habitants du cimetière de Belleville à fleur de voûte...

Un autre virage. Deux formes surgirent, face à moi. Elles s'élancèrent sur le mur opposé, têtes baissées, avant d'accélérer dans le néant. Une question me traversa l'esprit. Comment sortait-on de ce trou ?

Devant, une lueur d'un vert bouteille vint mordre la nuit qui se dissipa, comme une main se retirant. Le virage se terminait, s'élargissait, se tendant brusquement en une longue ligne noire bordée d'un quai.

Sous le biais des pulsations verdâtres, sur des centaines de mètres, le peuple silencieux des ténèbres s'éveillait enfin. Ils étaient là...

Un foisonnement de silhouettes assises, repliées devant des étalages de mort. Les visages n'étaient que des suggestions, des jeux d'ombres, les ampoules glauques n'éclairaient pas, elles dévoilaient juste. Des masses brunes glissaient de place en place, se baissaient, observaient, palpaient. Ça chuchotait, concluait, des rendez-vous se fixaient, par papiers interposés...

Je grimpai sur le quai, évoluai lentement entre les premiers étals, curieux, dégoûté, halluciné. Devant moi, un type au visage de cratères proposait, dans des bocaux percés, des serpents, pas plus longs que des pailles. Mambas verts, trois semaines, disait une pancarte. Morsure dévastatrice. À ses côtés, un Noir aux cheveux jaune pisse, à l'œil gauche crevé, leva une couverture et dévoila toutes sortes de racines.

— Drug... Puissant... Visions... souffla-t-il. Broyer et respirer. Acheter. Toi acheter.

Je détournai la tête et continuai ma lugubre percée, me joignant à un groupe de trois personnes rassemblées autour d'une quatrième. Ce dernier pilait des carcasses séchées de *Bufo marinus*, un crapaud venimeux, expliquait-il, dont le résidu permettait de produire une substance capable d'atteindre le système nerveux par simple contact avec la peau. Dans les rites vaudous, on l'utilisait, en mélange avec la tétrodoxine, pour fabriquer la poudre à zombies. Mais le dealer en proposait un tout autre usage. Il suffisait de déposer de cette substance sur un objet que toucherait la victime – verre, cuvette de toilettes, poignée de porte – pour la paralyser dans les minutes qui suivent. Ensuite, elle délirait pendant plusieurs heures, sans se souvenir une fois les effets dissipés. Idéale pour le viol anonyme, GHB puissance dix... L'un des trois enfoirés sortit des billets de sa poche.

Mes poings se serrèrent, je dus déployer toute ma volonté pour ne pas défoncer le crâne à ce camelot de merde...

Le trouble m'envahissait, ma gorge s'asséchait... Cette ambiance... Ces caves morbides... Ces lieux d'horreur... Six ans en arrière. L'Ange rouge... L'icône du mal... Son spectre planait à nouveau en moi, toujours aussi net. Une terrible impression... Celle de le voir encore surgir, drapé dans sa cape de sang.

Tout était-il réellement fini ?

J'avançai encore, aux aguets, des battements intenses enflaient en moi. Où se cachait le vendeur d'anophèles ? Et l'assassin des Tisserand ? S'embusquait-il dans ce grand cercle de ténèbres ?

Dans une niche d'aération, un peu en hauteur, un très vieil homme enveloppé d'une pèlerine brûlait des encens, face à un être recroquevillé. Entre eux, une poupée, piquetée d'aiguilles.

En dessous, à même le sol, un individu orné d'un chapeau blanc, costume de lin impeccable, assis sur un banc en carrelage, posait à plat des cartes de tarot. Il leva un regard scintillant vers moi ; sous l'ombre de son couvre-chef, je ne distinguais que l'éclat étrange de son sourire. La carte qu'il retournait représentait le squelette de la mort.

Plus loin, on parlait venin. *Cenchris controtrix*, venin de serpent à tête cuivrée, venin de crotale des bois.

Puis drogues. Puis scorpions, noirs, jaunes, gris. À côté, une espèce de prophète, pas plus haut qu'un nain de jardin, clamant haut et fort que le règne des insectes renverserait l'évolution. Il parlait de catastrophes, d'invasion de cigales tueuses, du *Grand Festin* des criquets, propageant famine et destruction.

La puce avait amené la peste noire ; les moustiques et les tiques, les arbovirus. Selon lui, les insectes décimeraient l'humanité dans les années à venir... Pas de doute, le tueur était déjà venu ici. Et il pouvait être n'importe où, à m'épier. Devant, derrière, peut-être juste à quelques mètres. Pas loin, en tout cas. Vraiment pas loin.

Et, encore au-delà, devant l'œil aveugle d'un autre tunnel, se tenaient, sous la joute de plusieurs marchands, les spécimens les plus dangereux d'araignées ; *Loxosceles, Latrodectes, Atrax...* Abdomens rouges, poils urticants, poisons foudroyants. Autour, nombre d'amateurs. D'où germaient tous ces gens ? Combien de ces réunions secrètes dans les entrailles de la capitale ?

Au bas d'un escalier, dans un hall muré, se terrait un dernier camelot, entouré de bougies allumées. Maquillage noir, vêtements noirs, bottes noires. Une cicatrice crevait sa pommette gauche et se tendait vers son œil de verre. Il me fixa tout au long de ma descente et coassa :

— Dégage !

Mon cœur se leva, mes pas se ralentirent, tandis que je comprenais l'impossible. Taille, carrure, blessure à la face. Et si... Il me fallut un gros effort pour que je balance, d'une voix à peu près normale :

— Qu'est-ce que c'est ?

Je désignai un recueil épais intitulé *À propos de la pédiatrie*. Il n'avait que ça sur son stand, ce recueil, posé au beau milieu d'une couverture, noire elle aussi. Je croisai mon regard avec celui de l'homme. Il ne brillait dans sa pupille aucune chaleur, juste une flamme bleue de méchant diable.

Sa bouche tombait comme morte, peinte de cette noirceur des gothiques. La lame d'un cran d'arrêt jaillit.

— Je t'ai dit de te tirer ! Y a rien pour les connards comme toi !

Il avait tailladé mon frêne, peut-être avec ce même couteau. Il connaissait mon visage, savait que j'étais venu pour lui, impuissant sans mon arme, dans ce cimetière de déchéance.

Ses lèvres s'ourlèrent, dévoilant des canines taillées, alors que deux ombres grandissaient en haut des marches, les mains dans les poches.

Je l'avais face à moi, je sentais son haleine rauque. Un flic face au pire des meurtriers. *Impuissant*.

— Qu'est-ce que tu cherches ? lui demandai-je, les dents serrées.

— Toi, qu'est-ce que tu cherches ?

Il fit jouer le reflet des flammes sur son cran.

Opium ne m'avait prélevé *que* mille euros. J'en jetai deux cents sur le sol.

— Pour voir... dis-je comme dans un mauvais jeu.

Il reluqua l'argent, fit courir sa lame sur sa langue, y traçant un sillon de sang.

— Tu crois m'impressionner avec tes tours de passe-passe ? envoyai-je en récupérant mes billets.

Il me saisit le poignet et me les arracha des mains.

— Alors tu veux t'amuser un peu ? Tu peux mater...

Il me fumait, il me fumait vraiment avec ses yeux animés d'un rouge diabolique.

— ... Et pour aller au-delà, faudra allonger le pognon... Mais... Fais d'abord ton choix...

Je tirai l'album vers moi, accroupi.

Un rat de la taille d'une belle mangue grimpa sur l'épaule du vampire. En haut, le duo avait disparu. Seul avec un monstre, au fin fond de l'enfer. *À propos de la pédiatrie*. Quels horribles secrets cachaient ces épaisseurs de papier ?

Quand je tournai la première page, je ne pus repousser la vague de dégoût qui me froissa le visage.

Des photos. Des dizaines, des centaines de photos d'enfants nus, dans des positions humiliantes. Un mot claqua dans ma tête. Pédophilie.

Je jetai l'album sur le sol.

— Va te faire foutre ! Sale enfoiré !

Il replia son cran, un pli mauvais sur les lèvres.

— Pourquoi ? Tu t'attendais à quoi, hein ? Qu'est-ce que t'es venu foutre ici, dans ma place ?

*Une voix à la Ray Charles*, avait dit l'apicultrice. Cette voix-là était bien moins grave. Je gravis les marches en courant, alors que l'autre gueulait encore :

— Qu'est-ce que t'es venu foutre ici ? Fils de pute !

Sur le quai, des mines furieuses se braquèrent vers moi. Le fumier à la cicatrice profitait du système pour refiler ses visions de torture. Celui-là, je l'attendrais personnellement à la sortie. Si je sortais.

Concentration. Retrouver la concentration. Nettoyage mental. Chasser les images de ma tête. Ces peaux roses d'innocence, ces poitrines de lait. Eloïse... Son sourire m'apparut, sa fragilité. Mon enfant...

Chasse tout ça. L'enquête... Concentration... Gauche, droite, j'avais à présent parcouru l'ensemble des stands. Aucune piste de moustiques, de larves, de scarabées meurtriers. Echec sur toute la ligne.

Je fouillai une dernière fois parmi ces figurines démoniaques. Le nain prophète, les poisons, les drogues, le vieux sorcier...

Ma respiration s'accéléra lorsque je découvris les cartes de tarot, abandonnées sur le banc carrelé. Le squelette de la mort, retourné. Mais plus aucune trace de leur propriétaire.

Je sautai sur la voie, observant de part et d'autre. Dans un brouillard verdâtre, par-delà les stands d'araignées, la forme au chapeau blanc s'évanouissait dans le tunnel.

Mon corps se braqua dans sa direction, mes pas s'allongèrent, d'abord discrètement, tant on me reluquait, les yeux mauvais, les moues méfiantes.

Mais une fois hors de vue, dans la grande courbe souterraine, je déliai de larges foulées. L'air frais oxygéna correctement mes muscles, ma respiration gagna en fluidité, loin de la douleur endurée à Montmartre. Je trouvai rapidement le rythme d'un bon coureur de fond.

D'un coup, trois détonations roulèrent, à m'exploser les tympans. Une balle ricocha au-dessus de ma tête, une autre fusa par-derrière, au ras de mon épaule.

Je me plaquai contre le béton, haletant, ramassai des poignées de cailloux que je projetai contre les ampoules. L'obscurité. Grondements de foule, depuis le quai.

Je m'élançai plein rail, alors que là-bas, en bout de virage, le couvre-chef disparaissait dans un conduit latéral. Je tirai sur mes jambes, poussai des orteils, aussi vite que possible. À mes trousses, la clameur se soulevait, la fuite enflammait l'acier, sous les cris les gens cavalaient, aiguillonnés par la panique. Les rats quittaient le navire.

La bouche d'aération, au-dessus, là où l'autre avait disparu. Je me ruai sur une vieille échelle en métal, tirai sur une grille et m'enfonçai dans l'ouverture infâme.

C'était une vaste conduite cimentée où l'on tenait presque debout. L'air y circulait lourd, ronflant, brûlé par ces parois écrasantes, fuyant sous la terre. Les tronçons se succédaient, dans ce noir d'encre, où les pas de l'homme-au-chapeau battaient une sinistre mesure. Une bifurcation, juste devant. Gauche... Il avait pris à gauche. Son souffle roulait furieux, sifflant, amplifié par l'écho.

Soudain, plus de pas. Je plongeai à temps, guidé par l'instinct de flic, tandis qu'un feu de poudre illuminait la gueule de ténèbres, suivi de deux autres, très rapprochés. Les balles fusèrent dans l'ellipse, éraflant le béton de flammèches rouges et de cisaillements assourdissants. La traque reprit aussitôt.

Six balles. J'avais compté six balles. Normalement, son revolver était vide.

Normalement.

Un long hurlement ébranla l'obscurité, suivi de gémissements incessants. J'accrus l'allure, les bras décrivant de grands moulinets devant moi pour me guider.

Plus loin, mon pied percuta des éboulis, mon biceps droit s'écorcha à des barres de fer. Dans ma glissade, mon oreille frôla un pic d'acier tendu en une arme mortelle. Je sentis l'odeur du sang frais, là où avait dû s'éperonner le type.

Je gueulai à mon tour, la douleur décupla ma hargne et je me mis à courir, sans garde, sans savoir si un trou allait m'avaler ou un autre obstacle me défoncer l'arcade. Le conduit n'en finissait plus mais les pas grossissaient, les halètements s'étiraient en grognements de bête.

Il y eut soudain un vent, puis le grand tourbillon du vide... La chute m'aspira. Ma main agrippa dans un dernier réflexe un panneau de signalisation vert, propulsant mon corps suspendu contre la brique. Sous mes pieds, une ligne de métro.

Feux rouges, lampes folles et... un tremblement... Une onde dévastatrice grimpait des rails, le terrible feulement d'une rame qui approchait.

Je me plaquai au mur, toujours suspendu, tirai sur les avant-bras, m'accrochai au bord de la bouche d'aération.

L'homme-au-chapeau se ruait droit devant, dans ce tunnel étroit à voie unique, boitillant, hors d'haleine. Il s'écroula, se releva, s'écroula encore, la jambe traînarde. J'aperçus, dans une giclée de sang, une barre métallique lui transperçant la cuisse. Il se hissa sur le côté, alors que le fer vibrait, que le raclement fou assourdissait.

Le convoi surgit de toute sa masse, propulsé de toute sa vitesse. Je hurlai, l'homme beugla, les deux mains en avant comme pour repousser la bête.

Dans un raz-de-marée d'étincelles, la morsure des freins me vrilla les tympans.

Sous une vapeur rouge, j'aperçus ce couvre-chef

blanc qui volait comme une colombe et ce corps, au ras du mur, presque intact, les jambes volatilisées...

La rame stoppait, au fond, pleine de ses visages plaqués à la vitre arrière.

Mon cœur me faisait mal, ma trachée brûlait, ma tête tournait, enflée de souffrance. Je me laissai choir jusqu'à terre. Ma gorge lâcha un râle maudit, tandis que mes genoux percutaient une traverse. J'engendrais la mort sous chacun de mes pas. Et les crissements... Les crissements des freins se remirent à gémir dans ma tête...

Le baiser de l'acier sur le disque. Les cris de mes chéries. Leur bouche grande ouverte au moment du choc.

Je m'arrachai les cheveux à deux mains, une poignée m'en resta entre les doigts.

Chancelant, les traits démolis par la rage, l'horreur, les pleurs, je me relevai, avançai, me penchai sur le buste, détournant le regard de cette face aux yeux implorants, de cette expression figée, clamant encore.

Ma main tremblante plongea sous la veste, fouilla la poche, en rapporta un petit carnet. Pas de papiers, pas d'argent, aucune identité. Juste ce carnet. Piètre fragment de vie...

Je tournai les pages, le cœur au bord des lèvres, alors que le chauffeur rappliquait au loin, braillant des *Mon Dieu ! Mon Dieu !* par-dessus les clameurs sourdes des passagers.

Je plissai les yeux, sous cette lumière mauvaise, synthétique.

Des heures de rendez-vous, des lieux. *Parking Est Orly, allée 4B, 3 juin, 22 h 45. 1 cobra.*

Ou encore *Parc Brossolette, Melun. 7/3, 1 h 15. 2 Tsé-tsé. Gros collectionneur, bon prix.*

Soudain mon corps se comprima.

*19 juin. Appeler Ronan, voir possibilité* Lucilies bouchères.

*25 juin. A/R Guinée pour livraison du 27.* Plasmodium falciparum. *Scarabées ruches : 27 juin. Livraison.*

*Coord : 49° 20' 29" nord, 03° 34' 20" est.*

*RDV à 00 h 00.*

Je fermai les yeux et m'abattis contre les parois noires de crasse.

L'homme-au-chapeau et l'assassin s'étaient rencontrés voilà vingt jours pour une livraison mortelle. Un lieu de rendez-vous dont j'avais sous les yeux les coordonnées GPS. On le tenait enfin... Peut-être...

Autour de moi, des lampes d'alerte clignotaient. Rouge, encore et toujours rouge.

Dans ces incandescences morbides, ma montre indiquait une heure quatorze.

L'homme-au-chapeau avait eu les jambes arrachées par le dernier métro.

# Chapitre vingt et un

Je ne m'octroyai pas le temps de respirer, de me replier dans ce tunnel de ténèbres. Une fois l'alerte donnée, dès que les équipes pénétrèrent dans les bouches d'aération et investirent l'Ubus, je m'envolai pour ce lieu de rendez-vous secret. Brûlé par ma rage, par cette violence gratuite, cette folie grandissante, je ne marchais plus à l'intelligence, à la réflexion. Non, non. À présent, je chassais, traquais, d'une manière brute, avec mes tripes. Rien ni personne n'aurait pu m'empêcher d'aller au bout.

Pas même Del Piero qui, lorsqu'elle flaira ma colère, la fureur sourde jaillissant de mes pupilles, préféra m'accompagner et prendre le volant. Habillée en circonstance. Jean noir, sweat beige et chaussures militaires aux pieds. Loin du totem en tailleur.

Porte de Charenton. Maisons-Alfort. Créteil. Puis la gare de triage de Villeneuve-Saint-Georges, long vaisseau gris ronflant sur ses flancs. Del Piero avalait le bitume, la pédale d'accélérateur lourde, le regard porté vers l'horizon où filaient les dernières étoiles.

Dans ces visions de renaissances, sous la montée de l'astre repoussant la nuit, je n'éprouvais plus le soulagement du jour nouveau. Des cauchemars de sang et de cris me hantaient encore l'esprit. Au plus profond de moi, le cycle de la vie n'existait plus.

Je tournai des yeux vides vers Del Piero, caressant mon alliance du bout des doigts.

— Vous avez une famille, des enfants ?

Elle ne répondit pas immédiatement, comme embarrassée par cette brusque irruption dans le silence.

— Je suis divorcée... Mais j'ai deux beaux enfants, Jason et Amandine...

J'inspirai longuement, la nuque contre l'appuie-tête.

— Dans ce cas, vous ne devriez pas être ici...

Elle garda en ligne de mire la rectitude d'asphalte, imperturbable, hormis ce petit mouvement de mâchoire et cette contraction infime qui trahissaient la profondeur de ses tourments.

— Il y a une petite fille qui me rend visite, le soir, murmurai-je encore. C'est dingue... Au moment où je vous parle, je me rends compte que j'ignore même son prénom...

Je me pris le front dans la main.

— C'est tellement... étrange... Les trains... Comment elle a su pour les trains... Elle n'y connaissait rien...

— Et ?...

Je secouai la tête.

— Ce... cette gamine me rappelle tout ce que j'ai perdu, elle m'ébranle intérieurement, et pourtant vous ne pouvez imaginer à quel point je souhaite chaque soir sa présence. J'en laisse ma porte d'entrée ouverte. C'est dans le manque qu'on se rend compte de la valeur des choses et de l'importance des êtres...

La commissaire me considéra d'un air sombre.

— Pourquoi me dites-vous cela ?

— N'attendez pas de ressentir un pareil manque. Ce métier n'a pas d'issue, c'est un ogre qui vous volera vos proches. J'ai pisté des assassins toute ma vie. Le dernier d'entre eux a ravagé l'esprit de ma femme et bousillé nos existences. Celui de trop...

— L'Ange rouge, c'est ça ?

Je mirai le plafonnier.

— Chaque jour, j'ai espéré que Suzanne irait mieux, qu'elle se remettrait des sévices, des tortures physiques et morales subies durant de si longs mois. Je me persuadais que les traumatismes mentaux finissent forcément par guérir, qu'à voir notre petite Eloïse, elle trouverait la force de combattre son mal invisible. J'y ai cru, j'y ai vraiment cru... Et voilà le résultat aujourd'hui...

Je la fixai intensément.

— Croyez-moi... Ce métier vous volera votre famille.

Elle détourna le regard, la bouche légèrement ouverte, enroulée dans ce silence si éloquent. Je l'observai une dernière fois, dans l'attente d'une réplique, d'un sursaut, d'un *je sais, commissaire, mais je suis comme vous*, mais il n'y eut que la douleur muette. Je posai l'arcade sur la vitre passager, l'œil sur ces champs morts, si sinistres...

— Nous arrivons bientôt... fit-elle enfin, désignant la croupe noire d'un bois gigantesque.

— Vous n'êtes pas convaincue, n'est-ce pas ? Vous pensez que cette piste ne nous mènera nulle part ?

— Ces coordonnées GPS nous larguent au beau milieu de la forêt. Que pourrait-on y découvrir d'autre que... des arbres...

— Les cartes topographiques ne peuvent révéler ce que nos yeux apercevront.

— Peut-être... Mais avouez qu'il y a de quoi être sceptique.

— Pourquoi être venue, alors ? Pourquoi avoir

réclamé Sibersky et Sanchez pour nous accompagner, alors qu'il y avait du pain pour tout le monde à l'Ubus et dans ces tunnels ?

Ses lèvres se crispèrent.

— Je... sais pas trop... Depuis le début, vous n'avez eu que de bonnes... intuitions...

— Mes intuitions... Evidemment...

Dessous, la Seine palpitait, ivre de tranquillité, alors qu'en face, la forêt de Sénart brandissait ses mâchoires d'un vert sombre. Sous les premières frondaisons, l'obscurité regagna en puissance, en lutte contre l'aube lointaine déjà rouge de chaleur. Après bifurcation, la route nous planta dans les profondeurs incertaines du lugubre. Sanchez et Sibersky vinrent se garer à nos côtés.

— Alors ? demandai-je à Del Piero en désignant le GPS portatif.

Elle sortit et annonça, sous le soleil pâle des phares :

— L'appareil indique deux kilomètres, nord nord-est. C'est-à-dire... cette direction...

Pas de sentier. Un mur d'écorces dans un délire de feuilles.

— À quoi ça rime ? beugla Sibersky. Il n'y a rien ici !

— Tu t'attendais à quoi ? répliquai-je avec agacement. Une piste balisée de flambeaux ?

Sanchez s'appuya sur le capot de sa voiture.

— Et on a besoin d'être quatre pour faire la cueillette aux champignons ? ajouta-t-il avec un air de provocation. Je commence à en avoir ma claque de cette journée !

— Il est cinq heures du matin. Ta journée, elle vient juste de démarrer ! En route... Et la ferme !

Sous le couvert de ma Maglite, j'ouvrais la marche et Sanchez, à juste litre, la fermait.

Dans ces murailles végétales, les chênes se tordaient en spirales tourmentées, les animaux se cachaient nombreux, levant des brames lointains ou des craquements tout proches. L'endroit appelait un autre style de peur, cette frayeur d'enfant d'où surgissent des monstres ensanglantés et des loups mythiques. Dans la respiration lente du bois, nos cœurs battaient à l'unisson.

Nous contournâmes des mares à la brume sévère d'où claquaient des cris d'oiseaux, avalâmes des raidillons, chevauchâmes des escarpements d'humus... La forêt grossissait, tendue en arcs bruissants, au fil du GPS qui nous emportait dans cette gueule d'ogre.

À peine trois cents mètres avant la cible. Nos pas ralentirent, nos dos se courbèrent malgré le doute, dans ces ténèbres angoissantes, une fois nos lampes éteintes. Nous progressâmes alors au jugé, les paumes sur nos armes, guidés par cette seule loupiote verdâtre qui rayonnait de l'appareil électronique.

Dans les dix derniers mètres ne s'élevaient plus que nos haleines sifflantes d'angoisse et cette mort, prête à fuser de nos revolvers... Cinq... Trois... Un...

*49° 20' 29" nord, 03° 34' 20" est.* Pas d'erreur. Nous y étions. Les faisceaux lumineux giclèrent. Fûts, frondaisons, ramassis de branchages.

— L'emplacement d'un putain d'arbre ! Bordel ! Bordel de bordel !

Feu d'artifice d'insultes, jaillies de quatre bouches énervées.

— La piste s'arrête ici ! ragea Del Piero sans cacher sa déconvenue. Ce n'était qu'un stupide endroit de rendez-vous ! Rien d'autre ! Je m'en doutais !

Je la toisai d'un air mauvais.

— Je ne vous ai jamais priée de venir !

Sanchez se perdit dans des gestes osés, Sibersky tournait sur lui-même, les mains au ciel.

— Tous ces étangs, ces eaux croupissantes ! constatai-je sans céder à ma déception. L'endroit isolé, la proximité avec Issy-les-Moulineaux. Tout concorde ! Il aurait pu choisir tellement plus simple ! Un parking, un parc, une zone industrielle ! Pourquoi un lieu si difficile d'accès ? La prudence ne peut pas tout expliquer !

Je fixai Del Piero.

— Cette forêt doit forcément cacher des habitations non répertoriées !

— Impossible ! répliqua-t-elle, un poil irritée. Elle est sous le contrôle de l'Office national des forêts, les cartes topographiques sont régulièrement mises à jour. Croyez-moi, il n'y a ni maisons, ni souterrains, ni galeries secrètes. Du végétal... Rien que du végétal...

— Merde, c'est pas possible !

La commissaire haussa les épaules.

— Ces bois sont cernés d'agglomérations. Draveil, Etiolles, Epinay, Montgeron, j'en passe et des meilleures. Vous avez raison, l'assassin doit habiter le coin, ce qui représente un indice non négligeable. Non négligeable mais, dans l'heure, difficilement exploitable. Autant chercher une aiguille dans une botte de foin.

Je frappai du poing contre l'écorce, observai ces troncs qui chuchotaient entre eux. J'imaginai l'homme-au-chapeau-blanc face au monstre invisible, ici, en ces lieux de feuilles. Leurs regards viciés, l'échange des bestioles tueuses. La forêt... Empire des insectes... Fourmis, araignées, papillons... Encore et toujours là. Pouvait-il s'agir d'un simple hasard ? Mes lèvres se mirent soudain à trembler.

— J'ai... Merde, on aurait dû y penser avant ! App... appelez l'entomologiste !

Del Piero, qui s'éloignait sous le couvert de sa lampe-stylo, m'examina par deux fois.

— Pardon ?

— Houcine Courbevoix ! Téléphonez-lui ! J'ai peut-être trouvé le moyen de remonter à la source ! D'atteindre le tueur !

— Et on peut savoir comment vous allez vous y prendre ? râla, comme d'une tradition, Sanchez.

— La chasse aux papillons, à cinq heures du matin, ça vous tente ?

Le lieutenant Sibersky lançait des bâtons, vautré sur un tronc mort, l'inspecteur Sanchez roupillait à grandes gorgées de ronflements, tandis que Del Piero contemplait les feuilles frissonnantes dans le levant, avec de petits yeux. Quant à moi, je luttais contre la fatigue, fumant à proximité d'une mare où rampait une vapeur sinistre. Au-dessus, haut dans le ciel, les frondaisons saluaient l'arrivée du jour.

L'entomologiste débarqua enfin, sa montre GPS dans une main, un large sac de sport dans l'autre. Dans son bermuda bleu et son polo orange, il ressemblait à un manège de foire.

J'accourus vers lui.

— Tu en as combien ?

— Treize, répliqua-t-il en observant Sanchez qui avalait un dernier grognement. Le reste est mort.

— Et vous avez amené les croissants ? eut la force de plaisanter Sibersky.

Malheureusement pour lui, sa vanne n'amusa personne. Nous nous regroupâmes autour du sac ouvert.

Dans de petites boîtes transparentes, les lépidoptères crépitaient d'impatience.

— Ils ont l'air nerveux, constata Del Piero en se frottant les paupières.

— Ils sentent peut-être la phéromone. Si l'assassin élève des femelles dans un rayon de dix kilomètres, ces mâles vont nous conduire directement à bon port. Vous avez eu une sacrée idée, commissaire !

— Et pourtant, il n'est pas au mieux de sa forme... confia la rouquine.

Houcine Courbevoix s'empara d'une boîte et expliqua :

— Il y a cependant un problème, et de taille. Les têtes de mort peuvent voler jusqu'à quarante kilomètres par heure. Comment allons-nous les pister ?

— Vous n'avez pas d'émetteur ou de choses comme ça ? brailla Sanchez, des brindilles plein les cheveux.

— Pas pour de si petits animaux, malheureusement.

Je me plaçai au milieu du club des cinq.

— J'ai encore une idée, mais soyez sûrs que ce sera la dernière...

Je désignai le sac de sport :

— On lâche un premier papillon ; l'un d'entre nous le suit le plus loin possible, jusqu'à la limite du champ visuel. Les autres le rejoignent ensuite ; on renouvelle l'opération avec un sphinx et un coureur différents. Je sais que nous sommes tous sur les rotules, mais ça peut valoir le coup d'essayer...

Ma proposition fut accueillie comme on reçoit un type avec un costume blanc à un enterrement. Les sourcils se levaient, les mains couraient sur les mentons crissants.

Del Piero annonça finalement :

— Je trouve que c'est excellent !

— Pas mal, tout compte fait, admit Sanchez. Si après ça je peux rentrer chez moi et me coucher...

Je hochai la tête.

— OK. Nous allons nous relayer. Priorité à la jeunesse et... attention aux chevilles...

Sibersky se mit en position.

— Prêt ? s'enquit l'entomologiste en lui tendant sa montre GPS.

Le lieutenant acquiesça. D'emblée, le papillon prit

de l'altitude avant de filer dans les tissages bruissants. Le flic s'élança à sa poursuite, coupant au plus court entre des arbustes et des racines dangereuses. Je le vis tomber une fois, se relever aussitôt, le visage braqué vers le ciel. Courbevoix ramassa son sac, tira la fermeture et annonça :

— C'est de bon augure. Le sphinx ne vole que très rarement de jour...

Dans la minute, par portables interposés, Sibersky nous indiqua ses coordonnées. La commissaire les inséra dans son GPS, qui renvoya sur-le-champ une distance de trois cents mètres. Pas terrible...

Le lieutenant apparut, agenouillé dans les entrelacs de verdure. Du sang coulait de son avant-bras droit.

— Putains de ronces, grogna-t-il en serrant les dents.

— Salement amoché, nota Sanchez sans sourire. Je peux passer mon tour ?

Sibersky, ignorant la remarque, pointa le doigt au nord :

— Il a continué par là, tu peux prendre de l'avance.

Alors qu'il s'éloignait, Del Piero déplia sa carte et leva un sourcil.

— On se dirige droit sur la Seine, à l'extrême nord de Draveil. Il... reste plus de trois kilomètres de forêt avant le fleuve...

— Et après le fleuve ?

— Encore de la forêt...

— Putain de Vietnam, soufflai-je d'une voix que j'aurais voulue moins défaitiste. Vas-y, Houcine, envoie la bête.

Plein ciel, le papillon éclata comme un éventail de deuil.

— Seigneur... On dirait que ça fonctionne... admit Del Piero en m'emboîtant le pas. Il fonce vers le nord. En plein sur la Seine...

Et nous consommâmes de la bonne tête de mort. Il y avait dans cette situation du comique et du tragique, une sombre tristesse de voir quatre éléments de la police judiciaire, à bout de forces, s'escrimer à poursuivre de pauvres bestioles ivres de sexe. De plus en plus les bois se cabraient, jouant de vallons sévères, de mares infranchissables, de raidillons douloureux...

Nous gaspillâmes rapidement les munitions. Mes jambes bouillaient, le visage de Sibersky se décomposait de fatigue, Sanchez râlait à s'en fendre la mâchoire. Del Piero aussi morflait, même si elle essayait de garder l'allure droite et la tête haute. Mais le sifflement dans sa gorge ne trompait pas. Dégâts de cigarettes...

— Il en reste deux, alerta Houcine. C'est bientôt la fin.

— Il faut... les économiser... haletai-je, les mains sur les genoux, alors que je venais de réaliser un exploit de médiocrité. À combien... se trouve... le fleuve ?

Del Piero déplia à nouveau son plan, les manches de son sweat remontées jusqu'aux coudes. Elle suait à grosses gouttes.

— Encore deux cents mètres avant de tomber sur un très grand étang, qui se déverse dans la Seine par un court chenal. Pas de pont d'indiqué... Comment allons-nous traverser ?

— Ben on va nager ! brailla Sanchez. Tant qu'à faire ! Vous n'avez...

— La ferme ! ! ! répliquèrent quatre voix exaspérées.

Le feu de l'action nous incita à persévérer. Nos corps, bien que brûlés de fatigue, trouvaient des ressources inespérées.

Soudain la clarté grandit, le grand bleu du ciel

chassa le vert sombre des feuillages. La terre se déroba pour laisser place, en contrebas, à une gigantesque clairière d'eau. Par-delà le gris-noir de la brume, dans un alentour d'arbres, s'éveillaient sur l'onde des masses fantômes, entremêlées, craquant dans un roulis inquiétant. L'entomologiste en lâcha son sac, bouche bée.

— Bon sang... Ça ressemble à...

— Un cimetière... Un cimetière de péniches...

Cernée d'un haut grillage et de barbelés, l'étendue liquide soutenait des dizaines de carcasses fracturées. Des vaisseaux éteints, veinés de rouille, frappés par la violence de l'abandon. Paysage d'apocalypse, de destruction morbide, un lieu maudit où la mort plus qu'ailleurs semblait planer. Le brouillard rampait bas, à fleur d'eau, dans un silence dramatique que seuls les gémissements de tôle blessée venaient perturber.

— J'ai déjà vu ça à Quesnoy-sur-Deûle, dans le Nord, murmura Sibersky. Elles attendent là, des années parfois, avant qu'on vienne les découper...

Del Piero s'accroupit, les pupilles dilatées.

— Vous croyez... qu'il se cache là-dedans ?

Je m'emparai d'une boîte à sphinx.

— Nos allons en avoir le cœur net...

L'insecte fila plein champ, virevolta par-dessus l'enceinte de fer avant de foncer vers l'amas d'agonies.

Le brouillard le happa instantanément. Je plissai les yeux.

— Il est là... Dans l'un de ces bateaux malades...

— Merde... murmura Sanchez d'un ton soudain moins gouleyant.

— Approchons-nous en douceur...

Nous descendîmes prudemment l'escarpement de roches, coude à coude, comme dans ces grandes aventures d'adolescence, longeâmes la clôture, sur laquelle était clairement indiqué « Danger, zone non autorisée ». Autour ne se hérissait que cette violence verte, alors que dans l'horizon brumeux, au bout du canal, ronflait le fleuve.

— On dirait que le grillage court jusqu'à la Seine, grimaça Sibersky. Et il y a des barbelés partout. On ne pourra pas atteindre le cimetière sans barque...

Je lançai un regard furtif dans ce cercle irréel.

— Remontons la mare en sens inverse... Il doit forcément exister une brèche quelque part...

Demi-tour. La masse d'eau déroulait ses courbes irrégulières, à renfort de passages délicats et de sentiers rebelles. De plus en plus, la vapeur fine soufflait ses spectres éphémères.

— Là !

Un trou de taille d'homme avait dévoré le maillage de fer. Nous pûmes alors, à dos courbé, gagner la berge. À quelques brassées, voilée de ténèbres grises, *La Dérivante* pointait son long bec d'acier vers *Vent du sud*, dont ne restait de la cabine qu'un amas de bois brûlé. Dans l'ombre de cette flore lugubre, bien dissimulée, ballottait une barque chétive.

— Ça se précise... murmurai-je en tirant une amarre qui amena l'embarcation à portée de mains.

Les visages s'aggravèrent, au fil de l'odeur de décompositon grandissante.

— Si cette barque lui appartient, alors il n'est pas ici... remarqua Del Piero.

— Pas certain... Il faut rester vigilant...

Je m'emparai du dernier sphinx et m'installai à l'avant. L'embarcation bringuebala méchamment.

— On ne tiendra pas à quatre là-dedans...

Del Piero me tendit le bras.

— Je vous accompagne...

Venise, version petit budget... Labyrinthe pour trépassés. Les bêtes de fer grognaient, mordues au sang par la substance même qui les soutenait. La brume roulait entre les Titans comme une main curieuse. Del Piero se recroquevilla à l'arrière, ses yeux aux aguets fouillant ces routes endeuillées.

— Il existe un fleuve, en Enfer, que les défunts doivent traverser, lui murmurai-je en ramant. Je ne crois pas que ce soit seulement de la mythologie...

— Si vous vous imaginez me faire peur avec ça, c'est raté...

— N'empêche que votre voix tremble un peu...

— Et vous, vous parlez dans l'unique but de vous rassurer... Taisez-vous...

La nuit tomba une seconde fois, tant le brouillard nappait de ses épaisses toiles grises. Les carcasses noircissaient, l'air charriait une odeur de bois tiède, tandis que l'eau verdissait, polluée de mille déchets.

— On devrait lâcher le dernier papillon, suggéra mon équipière.

— Ce n'est pas la peine... répliquai-je en désignant la proue d'une péniche. *La Courtisane* nous attend... *La Courtisane*, d'un noir de jais, déployait ses tonnes d'acier malade. Un vieux trente-huit mètres de commerce, doté d'une cale capable d'engloutir un troupeau d'éléphants, d'un aplomb à donner le vertige. Nous en fîmes le tour sans un mot, pressés entre ces coques menaçantes, immobilisées par leurs seules ancres gigantesques.

Dans ce silence d'outre-tombe, on percevait pourtant des froissements d'ailes, des heurts chétifs mais acharnés. Là, au-dessus, les têtes de mort butaient contre le métal, comme autant de crépitements malvenus. Il n'en manquait pas une à l'appel. Douze têtes de mort...

— Ils cherchent à pénétrer... On y est... Le cœur de la machinerie meurtrière...

Del Piero pinça les lèvres, tout en dégainant son Glock. Je gravis les quatre barreaux d'une échelle branlante, qui me conduisit au pont arrière.

Les carreaux de la timonerie avaient volé en éclats, des nids de rouille dévoraient les garde-fous, les cordages enroulés se flétrissaient de moisissure. On aurait dit que le vaisseau dérivait entre deux mondes, dans ce champ de vestiges, abandonné de son équipage.

Del Piero monta à bord, se faufila le long d'un enrouloir en ruine avant de s'enfoncer dans la cabine. Bois gorgés d'humidité, gouvernail craquant, tôle froissée. Sous ses pieds, une trappe fermée.

Arme à la main, elle désigna un cadenas et chuchota :

— Trop neuf pour être d'origine...

Elle me fit signe de reculer, pointa son canon vers l'anse et, visage à couvert, yeux fermés, ouvrit le feu.

Une clameur d'oiseaux claqua au loin. Mon cœur bondit dans ma poitrine quand mon portable sonna.

— Je vais me coltiner une fichue crise cardiaque si ça continue... rageai-je en décrochant.

Tout en calmant mes doigts, j'expliquai à Sibersky, par téléphone, que tout allait bien...

Les marches, qui plongeaient façon phare breton, hurlaient sous nos pas. La péniche nous saluait à sa façon.

Nos ombres s'étirèrent en fins couteaux lorsque nos torches – enfin, la mienne, Del Piero n'avait que sa lampe-stylo – crevèrent l'obscurité. Dans le puits sombre, deux portes métalliques. Salle des machines sur la droite, cale sur la gauche. L'arme au poing, je disparus dans la cale, tandis que ma collègue tournait la poignée de l'autre porte.

Une ampoule rouge pleurait ses watts dans un minuscule sas, hermétique, saturé par le ronflement d'un groupe électrogène à allumage électronique. Cinq câbles électriques y puisaient leur énergie avant de filer sous le plancher. Face à moi, un panneau coulissant. Je portai la main vers lui lorsqu'un bip retentit, de l'arrière. Le bourdonnement stoppa, le noir ensevelit le confinement. Dans mon dos, un craquement. Un souffle. Une lueur aveuglante dans les yeux. Des mains brandies.

— Commissaire ? fit Del Piero.

— Si vous pouviez éviter de m'éblouir...

Son pinceau ausculta les lieux oppressants.

— Dans la salle des machines... Il y avait comme... un détecteur. Je crois que... j'ai déclenché quelque chose...

Je me penchai par-dessus le groupe électrogène et tentai de le rallumer, sans succès. Verrouillé par un code.

— Vous avez coupé l'électricité...

Je me redressai, tout en m'interrogeant à voix haute.

— Pourquoi a-t-il installé un tel système ? Pourquoi couper le courant ? Ou, plutôt... Pourquoi l'avoir fait fonctionner en son absence ?

Nous nous observâmes un instant, sans trouver de réponse. Pourquoi l'électricité ?

Je disséquai une dernière fois le sas. Tôle, poussière, boulons.

— Continuons.

— Attendez ! fit Del Piero. Et si c'était piégé ? Et si... des insectes tueurs nous attendaient là-derrière ? Ou... une bombe ou... un truc du genre ?

— Nous ne tarderons pas à le savoir...

— Non ! Je... je crois qu'on ne devrait pas ! J'ai comme... un mauvais pressentiment.

— Vous et vos mauvais pressentiments... Retournez à la barque si vous le souhaitez. Moi, j'entre, avec ou sans vous.

Elle me devança.

— Allons-y...

Nous dûmes pousser très fort pour que coulisse l'ouverture de fer.

Alors il jaillit, nous cerclant le visage de sa grande mâchoire affûtée. Le froid.

— On se les gèle ici... murmura Del Piero en se recroquevillant. Qu'est-ce que ça veut dire ?

J'envoyai mon faisceau sur la gauche, puis au fond, légèrement grelottant. Ce bloc plus vaste présentait des parois capitonnées, couvertes d'épaisseurs et d'épaisseurs d'isolant phonique. Je braquai ma lampe au plafond et la lumière me revint en pleine figure.

— Un immense miroir, vissé dans le plafond ! À quoi ça rime ?

Sur le côté, un grand drap suspendu à un fil d'acier séparait la pièce en deux. Tandis que nos torches avalaient l'espace clos, Del Piero s'immobilisa dans un cri étouffé.

— Jésus Sainte Marie...

Je suivis la direction de ses yeux. Dans le soleil artificiel, un visage. Paupières closes, bouche fermée, lèvres craquelées, d'un bleu mauve.

Un être nu, scarifié, labouré à la lame, aux poignets entravés par des bracelets rouillés. Les longs cheveux blonds mouraient sur les épaules déchirées, figées dans ce corps immobile, fauché en pleine jeunesse. Dans des coins opposés, de l'autre côté du drap, deux autres paires de chaînes, maculées de sang aux fermoirs. Pas de matelas, de couvertures. Juste des bols d'eau, des seaux où fermentait un mélange de déjections. Dans un dernier angle, deux climatiseurs. Les boutons tournés au minimum. Dix degrés.

Je m'approchai avec appréhension, la gorge serrée, le front barré de plis, tandis que Del Piero retrouvait son aplomb de flic. L'odeur de mort enflait, dans cette puanteur âcre, imprégnée dans la glace des ténèbres. Sur les parois, des traces de griffes, enrayées de sang. Des morceaux d'ongles et même, planté dans un panneau de mousse, l'ongle complet d'un pouce.

Je m'accroupis, une main devant la bouche, observant de plus près le quadrillage de plaies. Bras, avant-bras, poitrine, flancs, cuisses, mollets. Rien n'avait été épargné. J'éclairai d'un peu plus près. Quelque chose clochait. Les meurtrissures n'avaient pas saigné. Elles avaient...

Soudain, les muscles tressautèrent, les paupières s'écartèrent pour s'ouvrir sur des pupilles d'un noir furieux. Des mains m'agrippèrent les cheveux, les tirant avec rage dans d'atroces hurlements. Mes traits se crispèrent de douleur, tandis que Del Piero me hissait vers l'arrière, criant à son tour :

— Elle est vivante ! Mon Dieu ! Elle est vivante !

Maria Tisserand se recroquevilla, la tête retombant entre ses cuisses déchirées. L'horreur me claqua à la figure. Cette cire, à l'intérieur des blessures...

La propolis... La propolis liquide, en durcissant avec le froid, avait empêché l'hémorragie. Une torture sans égale, qui provoquait l'agonie et la repoussait sans cesse, telle une marée au sel brûlant. Je voyais ces chaînes, de l'autre côté du drap, j'imaginais les parents, les yeux fixés sur le miroir du plafond, perdus dans cette vision indirecte, priant Dieu pour que cesse ce calvaire, ces ignominies qu'ils avaient eues à porter jusque dans leur mort, sans savoir, sans savoir combien de jours encore le monstre supplicierait leur fille.

Del Piero se redressa lentement, affichant cette grande détresse des mères.

— Il faut... appeler... L'ambulance... Faites-le... commissaire... S'il vous plaît...

Pas de réseau, tout ce métal. Je remontai en courant, prévins les secours. Le soleil grossissait, la brume se dissipait, la chaleur grimpait, rampant sur les tôles maudites...

Je fonçai à nouveau en bas, beuglant :

— La porte ! Il faut fermer la porte !

Le thermomètre ! Trois degrés de plus, déjà ! Je nous cloisonnai à l'intérieur, fixant Del Piero d'un regard perdu.

— La température ! Si la température monte, la propolis va fondre ! Merde ! Il faut... du courant !

Nouvelle ouverture de porte. Nouveau coup de téléphone. Frémissement du mercure.

Del Piero caressait le visage perdu, de toute sa tendresse. La fille vibrait d'une terreur démente, ses poignets saignaient, tant elle avait lutté contre ses entraves, encore et encore.

Nul mot pour la consoler, elle ne gémissait plus et pourtant sa bouche restait ouverte, saturée par cette violence palpable.

Et, sur ces territoires de chair démolie, de bourgeons de sang, les plaies s'étiraient à chaque geste, l'onde rouge coulait sous la propolis qui, désormais, virait plus sur le jaune clair, prête à libérer un magma de mort sous la montée du thermomètre.

— Ne bougez plus ! Ne bougez plus ! Je vous en prie !

Quatorze degrés. L'astre rayonnait sur la tôle d'une fureur sourde, bientôt l'étuve cracherait sa chaleur dangereuse. Dans le noir du confinement, entre les cuisses de Maria, se déversait ce filet de vie d'un pourpre trop foncé. Combien de fois avait-elle été violée, humiliée, battue sous le regard d'une mère fiévreuse, d'un père torturé dans ses chairs ? Je serrais les poings à m'enfoncer les ongles dans mes paumes, je pensais à mon frêne scarifié, aux affiches balafrées, dans la chambre de cette martyre, à toute cette abjection qui jaillissait comme un geyser de sang. Quel monstre était-il ? Pourquoi ? Pourquoi ? Pourquoi ?

Mes yeux roulaient fous dans mes orbites, ma colère transperçait les pores de ma peau sous cette sueur grasse, écœurante, ce boulet de sécrétions que je traînais partout. Je me relevai brutalement et, bien qu'anéanti par mon impuissance, posai la main sur un second panneau.

— Il faut voir ce qu'il y a encore là-derrière... Veillez sur elle...

Del Piero acquiesça, embrassant la jeune fille sur le front.

J'ouvris et refermai aussitôt. Mon faisceau révéla les gouffres d'inconnu. Un matelas, sur le sol. Un petit établi, couvert de répulsifs antimoustiques pour la peau, de cachets de quinine, de vitamine B6. Au fond, une chaise essoufflée, une table branlante supportant des dizaines d'ouvrages, vergetés de moisissure.

Des dessins partout, au fusain, scotchés aux parois, sur le plafond d'acier. Par dizaines, par centaines. Des fresques de terreur, des patchworks de furie. Deux hommes aux faciès déformés, brandissant leurs mains sur un corps de gosse recroquevillé. Des grandes mâchoires grises, suspendues au-dessus d'un lit tapissé d'araignées. Des trompes géantes de moustiques, creusant le marbre d'une tombe. Et, toujours, des ciels d'orages gonflés d'éclairs, saturés de nuages hideux. Ma tête tournait. Il ne restait plus un centimètre carré de tôle visible. Le Mal. Le Mal déployait ses longs tentacules noirs.

Je pivotai encore sur moi-même, ma Maglite dévoilant à chaque fois des atrocités grandissantes. Là, un poster, sur la table, représentant la copie couleur d'un tableau du Louvre. Mon cœur manqua un battement. *Le Déluge.*

Des corps enchevêtrés, nus, aux gestes dramatiques, frappés par le tumulte des eaux. Des enfants cassés par les vagues, des femmes brisées, implorant le Seigneur, des hommes tentant d'échapper à la colère céleste. Les fragiles embarcations se rompaient, dans ce chaos d'horizon torturé, de mer furieuse, alors qu'au fond, l'Arche s'éloignait sur des crêtes d'écume.

Quatre poids empêchaient le poster de s'enrouler. Braquées sur l'œuvre, deux lampes. Le tueur étudiait ce tableau. Avec la plus grande attention. Je devinais ses doigts, courir sur les êtres en perdition, je voyais sa langue tournoyer sur ses lèvres, alors que ses phalanges caressaient chaque silhouette abattue. Que cherchait-il dans cette hécatombe ?

*Alors, au son de la trompette, le fléau se répandra et, sous le déluge, tu reviendras ici, car tout est dans la lumière.*

Le Déluge. Le dernier pan de l'énigme était en train de s'abattre...

Je me redressai, les yeux braqués sur une autre paroi. À l'origine, ces compartiments devaient servir à séparer les différentes marchandises, mais lui leur avait attribué un aménagement plus personnel. Combien de sas macabres recelait cette cale gigantesque ?

Je fis basculer l'ouverture de ferraille de toutes mes forces, dans un roulement dramatique. Des effluves de marécages, de champignons me plissèrent soudain le visage... Ainsi qu'une chaleur de four.

Des frémissements d'ailes, des bourdonnements déments. Sur le sol, dans d'immenses cuves couvertes de filets, des centaines de moustiques vibraient, agglutinés sur les parois translucides ou des nénuphars. L'eau verdissait de microbes, de larves, d'œufs, de bestioles crevées. Bien cloisonnées, au sec, des souris couinaient, effondrées par le poids des insectes qui leur pompaient le sang. Derrière, entre deux vitres, de la terre, creusée de tunnels. Vestiges d'une fourmilière... vidée de ses occupantes... Ces tranchées de ténèbres dévoilaient l'inimaginable, les frontières d'une forteresse noire, cachée dans les limbes d'un esprit malade.

Du fin fond de ma terreur, je m'aperçus que trois des cinq cuves avaient été vidées de leurs hordes sanguinaires. Il manquait des milliers de moustiques. Le fléau... Nous arrivions peut-être trop tard.

Je posai mes doigts sur les tempes, fermai les yeux, à la recherche d'un calme intérieur, appelant des ressources qui m'aideraient à comprendre, à LE comprendre. Le Déluge, l'Apocalypse, les fusains, les Tisserand...

*Franck ! Fils de pute ! Qu'est-ce que tu fais ? Tu ne nous as pas encore rejointes ?*

*Non ! Laissez-moi ! Je...*

*Amène-toi ! Amène-toi ! Fous-toi ce putain de canon dans la bouche et tire ! All...*

Des cris. Ceux, longs et douloureux, d'une femme. Bien réels ! J'étais au sol, la tête contre la tôle, fiévreux de sueur. Le canon dans la bouche...

Que m'arrivait-il ?

Je me relevai, perdu, déboussolé, me ruai vers l'arrière, traversai les salles d'horreur, chevauchant le matelas, percutant la chaise, chutant lourdement sur des amas de dessins. De toute ma hargne, j'ouvris la cloison. Del Piero était à genoux, les mains couvertes de sang.

— La propolis ! ! ! La propolis fond ! ! !

De petites gouttes suintaient des plaies, tandis que la cire se ramollissait lentement. Bras, cuisses, torse, épaules. Maria était immobile, le regard fixé sur la voûte, une prière au bord des lèvres. J'ôtai ma chemise, la déchirai en lambeaux, tandis que mon corps ruisselait.

— Tenez !

Nous épongeâmes les épanchements naissants, très vite le bleu de mon linge vira au rouge méchant. Un autre foyer se déploya à la cheville. Puis là, sous le sein droit. Le corps mutilé craquait comme un vieux navire. La malheureuse nous suppliait de ses grands yeux en amande, la bouche ouverte, cette bouche qui demandait encore *pourquoi ?*

Del Piero, à toute vitesse, arracha son sweat avec des mouvements fous, presque vains. Et elle murmurait, avec acharnement, sans cesser une seule seconde, *ça va aller ça va aller ça va aller*.

Des larmes grossissaient sur les joues de Maria, nos regards obliques se croisaient, vides d'espoir, tétanisés d'impuissance.

Del Piero ne trouva que des caresses à lui adresser, des mines tendres, des prières muettes. Aucun n'aurait eu l'indécence de l'interroger, si proche du tombeau.

Maria esquissa comme un sourire, alors que ses yeux se fermaient, que la mort arrivait, étonnamment douce. La femme, à ma droite, s'enroula à côté d'elle, la serra dans ses bras, lui passa une main dans les cheveux, au bord des pleurs.

Je m'élançai vers l'extérieur, gueulant de tout mon saoul, cognant contre les rambardes jusqu'à faire saigner mes poings. Non ! ! ! Non ! ! ! Non ! ! !

Là, dans la canicule, ne s'éveillait plus que le grincement des coques fantômes, innombrables, alors qu'autour la forêt se refermait, cette grande main possessive. Puis Del Piero remonta, les bras croisés sur sa poitrine laiteuse, frissonnante, me signalant sans mot que tout était fini...

## Chapitre vingt-deux

La péniche s'était transformée en un tumulte de voix et d'allers-retours incessants. Policiers, légiste, inspecteurs, hauts responsables de la santé publique... Les techniciens de la police scientifique avaient pénétré en priorité, afin d'installer un couloir de rubans où nous pouvions circuler sans risques de contaminer les éléments sensibles. Poils, empreintes, squames de peau, poussière. Van de Veld les avait suivis dans la foulée, sa valise en aluminium à la main.

Accoudé au bastingage, j'observais les ondoiements qui glissaient de poupes en proues. L'astre rayonnait de son plus beau jaune, imposant dans ce profond ciel bleu. Dans des circonstances normales, cette journée aurait pu être belle.

Mais la mort rôdait. En nous et autour de nous.

Peu à peu, la fatigue m'envahissait. Mes mains tremblaient un peu moins. Plus de quinze heures sans antidépresseurs ou stimulants, Deroxat, Guronsan, Olmifon, Tranxène. Même plus de vitamine C. La pénurie de pilules, à l'appartement, était peut-être un bien, en définitive. Il faudrait tenir sans, affronter les appels au secours du corps, et résister. Ne plus sombrer...

Leclerc, cravate grise sur visage fermé, me tendit un gobelet de café.

— Tu devrais retourner chez toi une heure ou deux, fit-il en s'appuyant à son tour au garde-corps. Le temps que les premières analyses arrivent. Tu n'as même plus de liquette et, franchement, tu as une tronche à effrayer un poulpe !

Je palpai mon visage creusé. Poils crissants, cernes profonds, plis prononcés. Du pas joli-joli, en effet.

— Et Del Piero ?

— En bas, avec les techniciens... Elle a passé la chemise d'un de nos hommes, tout ça pour éviter de rentrer chez elle. Un sacré bout de femme, elle ne lâche pas facilement, elle non plus...

Il se racla la voix.

— Ce salopard de tueur sait que nous sommes ici...

— Le détecteur, dans la salle des machines ?

— Oui. Il était couplé à une vieille station d'émission qui a pu envoyer des ondes radio sur, estime l'expert, un rayon d'une vingtaine de kilomètres. C'est-à-dire jusqu'aux portes de la capitale.

— L'enfoiré...

— On ne le tient pas encore, mais avec les traces qu'il y a là-dedans, on aura bientôt son profil génétique complet et son groupe sanguin. Quant aux empreintes digitales, on en possède plus qu'il n'en faut.

— Encore faut-il des suspects ou qu'il ait un casier ! Ce dont je doute franchement.

— Pour les suspects, on va se débrouiller. Le procureur a lancé une opération d'envergure à l'église d'Issy. Nous sommes dimanche, dès la sortie des fidèles, nous allons relever les identités et procéder à un filtrage. Le barman de l'Ubus nous indiquera les clients potentiels.

— Parce que vous croyez qu'il va se pointer à la messe ? Et cet... Opium ? Vous l'avez coincé ?

— Volatilisé, avec tous ses porte-flingues, les acheteurs, les vendeurs. Un beau fiasco, quoi !

Il eut un geste de sourde violence.

— L'entrée se trouvait sous le magasin africain, voisin du bar, mais la sortie *officielle* se faisait par l'arrière-cour d'un restaurant, à plus d'un kilomètre de là. Ils ont fui comme des rats, nos équipes n'y ont vu que du feu...

Il se brûla les lèvres dans son café.

— Merde ! ! ! Ce... cet Opium s'appelle Seal Bouregba, un escroc déjà arrêté pour vol de voitures de luxe. Avec sa petite équipe, il organisait la logistique, l'accès à la station, la remontée, les prélèvements d'argent. Un business qui permettait aussi aux patrons respectifs des établissements d'arrondir leurs fins de mois. On va quand même cuisiner ceux qu'on a sous la main, en attendant mieux. Barmen, serveurs, responsables. Peut-être obtiendra-t-on des éléments permettant de dresser un portrait-robot de l'assassin.

Je haussai les épaules.

— Il y avait un sacré monde là-dessous... Tout ceci risque de prendre du temps et des ressources.

Il se redressa brusquement et broya son gobelet dans ses mains.

— Je sais, je sais ! Ça part dans tous les coins ! Je me perds en paperasses, on me tombe dessus de partout, jusqu'au ministre de la santé, qui appelle ma hiérarchie au moins une fois par jour !

Un silence s'étira. Une envie soudaine de respirer, d'oublier un peu. Aussi difficile que de creuser le marbre.

— Trois des cinq cuves ne contenaient plus de moustiques, fis-je sans décrocher mes yeux de l'eau où mon visage las se réfléchissait. Le fléau... On est peut-être arrivés trop tard...

Le divisionnaire tentait de garder son aplomb, mais je sentais que la situation le déstabilisait, comme nous tous.

— Pour l'instant, aucun signe d'alerte dans les hôpitaux du secteur, fit-il. Mais la canicule ne nous aide pas. Les urgences des CHR sont saturées de coups de chaleur, le personnel soignant est débordé. Ça tombe vraiment au mauvais moment.

— C'était peut-être volontaire...

Je fixai Leclerc dans les yeux.

— Cette fille, il l'a violée, n'est-ce pas ?

— Van de Veld est catégorique, répliqua-t-il en réajustant sa cravate. On a retrouvé du sperme et du sang à proximité de ses entraves, dans le vagin, de même que... dans l'anus. Il l'a violée régulièrement... et par-derrière...

Torturée, bafouée, violentée sans pitié. Ma haine grandissait, cette rage incontrôlable, cette envie de tuer à mon tour. Après avoir inspiré un grand coup, je baissai les paupières et annonçai :

— Il y avait trois paires de chaînes, chacune dans un coin de la pièce... Le père, la mère, Maria... L'assassin voulait que les parents le voient agir... mais pas directement... Alors... il dresse un drap et... installe un miroir au plafond...

Leclerc frappa du plat de ses mains contre le garde-fou.

— Cet enfoiré est peut-être frustré, ou il a honte... Merde ! Il est même pas fichu d'assumer ses actes !

Il retrouva un calme apparent.

— ... Le légiste affirme qu'à première vue, le meurtrier, en mutilant la fille, n'avait sectionné aucune veine ou artère vitale. Aucune blessure, en soi, n'était mortelle. Il voulait prolonger le calvaire, le plus longtemps possible. C'est la montée de la température et la simultanéité des saignements qui ont entraîné le décès.

Mes tempes pulsaient, de plus en plus fort, tandis que ma tête bourdonnait.

— Il faut... analyser ces dessins... Comprendre... Pourquoi... Pourquoi... Je... Je vais rentrer me reposer... quelques heures... Oui, quelques heures... J'ai... la vision qui se brouille...

Alors que je m'apprêtais à embarquer dans un Zodiac, Houcine Courbevoix surgit de la cabine en courant, se pencha par-dessus la rambarde et désigna les papillons.

— Ça m'est revenu d'un coup, comme ça ! s'époumona-t-il dans de grands gestes désordonnés. Regardez-les !

Leclerc se pencha à son tour, l'air indifférent.

— Et alors ?

— Nous n'en avons découvert aucun dans la cale ! Des moustiques, oui, et j'ai même trouvé les vestiges d'une fourmilière, mais pas un seul lépidoptère ! Alors, dites-moi ce que ces mâles sont venus chercher ici ?

Je remontai les quelques barreaux, interloqué.

Exact. Ils n'avaient pas bougé d'un millimètre depuis mon arrivée avec Del Piero. Ils battaient de l'aile sur la coque, sans s'interrompre, avec la volonté farouche de percer la carapace d'acier.

Leclerc pointa un doigt autoritaire vers le pilote du canot.

— Polo ! Essaie d'en choper un !

L'inspecteur se débrouilla fichtrement bien, en équilibre sur un boudin, pour piéger un papillon. Non sans dommages, certes, puisqu'il lui amocha sérieusement l'aile droite. Le sphinx couina. Un long cri désespéré.

— Il... en faut un autre ? demanda le policier en tendant sa prise effarouchée.

— Ça devrait aller, mais restez à proximité ! fit Courbevoix en récupérant par l'abdomen l'insecte braillard. Bon... Aidons un peu ce gros nigaud à s'orienter...

L'entomologiste se précipita à l'intérieur de la cabine et lâcha la bestiole qui, un poil bringuebalante, hissa sa tête de mort en direction de la cale avant de disparaître dans le premier sas.

— Laissez passer la bête ! brailla Leclerc.

L'autel du carnage, avec ses entraves, ses climatiseurs éteints, son drap, son miroir, s'illuminait sous le feu des puissantes lampes à batterie. Van De Veld, à proximité de sa mallette, poursuivait son travail de fouille morbide, exigeant du photographe des plans rapprochés des plaies. Derrière lui, deux techniciens gantés réveillaient l'invisible avec des produits chimiques. Le luminol, un réactif au fer des globules rouges, transformait toute marque de sang, même effacée, en une grosse trace fluorescente. On en détecta sur les parois, près des coups d'ongles, dans les fermoirs des chaînes, sur les maillons, le sol. Le cyanoacrylate de méthyle révélait, quant à lui, des flopées d'empreintes digitales, des crêtes, des lacs, des bifurcations papillaires que dévoreraient bientôt les ordinateurs, les comparant à des milliers d'autres.

Le papillon, dans son ivresse sexuelle, ignora ces activités mortifères et fonça vers le sas suivant.

Là aussi, les flashs battaient. On photographiait les dessins au fusain, on plaçait des numéros près de chaque pièce à conviction, on enfermait divers petits matériels – stylos, gommes, ciseaux – dans les sachets apprêtés. On empaquetait la mort.

Le sphinx changea brusquement de direction, traversa le rayonnement d'un halogène avant de plonger droit sur la table. Sa cavalcade amoureuse finissait ici, sur le torse nu d'une femme à l'agonie, au milieu des flots furieux et des vagues géantes.

En plein sur la scène du Déluge... Ses minuscules pattes crissaient, ses longues antennes courbes se déroulaient, comme des radars affolés. Du fin fond de son cerveau unicellulaire, il devait se demander ce qu'il faisait là.

— Merde ! Qu'est-ce que ça veut dire ? aboya Leclerc. L'Arche de Noé...

— Cette reproduction doit être bourrée de phéromone ! Une lampe ! Une lampe à ultraviolets ! réclama Courbevoix en claquant des doigts.

— Je vais en chercher une ! se proposa un technicien.

Del Piero nous rejoignit et se pencha par-dessus l'image, un trait interrogatif dans le regard.

— J'ai déjà vu l'original quelque part...

J'enfilai une paire de gants en latex et prélevai une vieille Bible à la couverture salpêtrée, posée juste à côté. Un marque-page me porta au bon endroit. *La Genèse...*

— Vous l'avez aperçu au Louvre, répondis-je en parcourant des versets du doigt. Il s'agit d'une reproduction d'un tableau de Théodore Géricault, *Le Déluge...* Mon Dieu... Ecoutez ces passages, qu'il a soulignés :

*« L'Eternel dit à Noé : Entre dans l'arche, toi et toute ta maison ; car je t'ai vu juste devant moi parmi cette génération...*

*... Tu prendras auprès de toi sept couples de tous les animaux purs, le mâle et sa femelle...*

*... Tout ce qui se mouvait sur la terre périt, tant les oiseaux que le bétail et les animaux, tout ce qui rampait sur la terre, et tous les hommes...*

*... Tout ce qui avait respiration, souffle de vie dans ses narines, et qui était sur la terre sèche, mourut... »*

Je refermai l'ouvrage, les lèvres pincées.

— Il continue dans son délire, envoya Leclerc en approchant le nez. Ça rime à quoi, ces papillons ?

— Des messagers... Je crois qu'il s'en sert comme messagers... La phéromone les guide et eux nous guident à leur tour... Il voulait nous conduire à cette vision du Déluge.

— Tu voudrais dire qu'il comptait nous amener ici, tôt ou tard ?

— Possible. Et nous sommes peut-être arrivés plus vite que prévu... Il n'a pas eu le temps de tout... déménager...

— C'est du délire, putain ! répéta le divisionnaire.

Le technicien réapparut avec la lampe, qu'Houcine Courbevoix approcha du poster. Nous nous pressions tous les quatre autour, épaule contre épaule, le cœur au bord des lèvres.

Lumière. Le voile violet réveilla alors des filaments blanchâtres, indétectables à l'œil nu. Des filaments qui formaient des lettres et les lettres, des mots. De l'encre invisible, sur laquelle s'égaillaient des traces de phéromone.

— Seigneur Dieu ! s'exclama Leclerc, une main devant la bouche.

Del Piero se mordit les lèvres, ma mâchoire se figea, comme prise dans un gel instantané. L'immonde nous frappait au visage.

Sur chaque centimètre carré de la reproduction, le tueur avait noté des prénoms et la première lettre du nom. Des identités, des tas d'identités entassées les unes sous les autres.

Frédéric T... Jeanne P... Odette F... Michel O... Femmes, hommes, enfants peut-être...

Et là, successivement ? Renée M... Guy M... Damien M... Fabien M... Une famille complète ?

Une liste. Ce tableau dissimulait une liste de victimes. Je voyais ces vagues furieuses jaillir de l'œuvre et anéantir sous leur écume mauvaise des vies et des vies. Je pensais aussi aux cuves vidées de leurs insectes. La machine meurtrière était en marche, une grande main assassine capable des pires atrocités.

Leclerc leva les yeux vers ces tracés déments, ces tourbillons de colère, avant de plaquer ses deux mains grandes ouvertes sur son visage.

— Nous ne sommes qu'au début... murmura-t-il. Nous ne sommes qu'au début...

— J'ai compté... souffla Courbevoix. Cinquante-deux... Il y en a cinquante-deux...

Les prénoms tournoyaient, sous les rayons inquisiteurs. Des fantômes d'existences, qui réclamaient secours, là, sous nos yeux, si proches et pourtant si loin. Leclerc abattit ses poings sur la table, dans un douloureux souffle d'impuissance. Del Piero se tourna vers l'entomologiste.

— Nous avons découvert des insectes à proximité de chaque victime. Le confessionnal, le local de plongée. À chaque fois, de la phéromone. Mais vous n'y avez rien remarqué, ni textes, ni noms dissimulés ?

Courbevoix secoua la tête.

— Les techniciens de la scientifique ont tout examiné aux UV et j'ai vérifié derrière, au niveau des marques d'hormone. Aucune inscription particulière. Désolé...

— Merde ! Que foutaient ces putains de sphinx sur les lieux des crimes ? Ce fumier les utilise pour nous faire découvrir des pistes cachées ! Alors pourquoi on n'a rien trouvé ? J'ai l'impression que nous sommes passés au travers de quelque chose. Mais quoi ?

Del Piero grinça, tandis que je me redressais, la tête lourde, vide.

— Je... je vais rentrer... Je n'arrive plus à réfléchir... Tenez-moi... au courant, si vous avez du nouveau...

— Tu ne vas pas nous lâcher maintenant ? brailla Leclerc. Avec cinquante-deux victimes potentielles sur les bras ?

— Désolé, commissaire... Je me sens... vraiment pas bien... Un foutu mal de crâne. Ce serait pas... une bonne idée que...

Il me posa une main sur l'épaule.

— Excuse-moi. Ça fait je ne sais combien de temps que tu n'as pas dormi. Va te reposer un peu.

— Il va... falloir... qu'on me ramène... J'ai pas de... voiture...

— Polo s'en occupe.

Avant de partir, du bout, mais vraiment du bout des lèvres, je demandai au photographe de m'envoyer par mail, dès que possible, un scan de toutes ses photos et de chaque dessin. Il promit de me les fournir dans l'après-midi.

Alors que je m'éloignais en Zodiac, dans l'ombre des monstres curieux et de ce métal trop dense, je me surpris à adresser une parole au ciel, pour ces personnes que je ne connaissais pas... Ces cinquante-deux personnes...

# Chapitre vingt-trois

Je n'avais jamais éprouvé un tel soulagement d'enfin regagner mon chez-moi. La fatigue avait surpassé toute forme d'énergie et de mélancolie. Une seule chose allait et venait au-devant de mes yeux. Un bel oreiller à la blancheur d'ange...

Je traversai d'un pas morne le petit carré fleuri, puis remontai les allées droites et ordonnées qui se faufilaient entre les immeubles de la résidence. Les dimanches d'été, le quartier s'animait d'une forme d'ivresse populaire. Des gens descendaient faire leur footing, d'autres promenaient leur chien dans le parc, des enfants jouaient au ballon, casquette et crème sur le visage... Tout respirait la joie de vivre. Presque tout.

Quarante-huit marches avant ma caverne, avant cet hiver perpétuel que seuls les élans ferroviaires venaient ébranler. Je ne me sentais jamais autant seul qu'entre ces quatre murs, où je vivais dans une forme de transparence, à l'image de mes trains qui n'avaient pour unique distraction que celle de tourner en rond. Une bien triste punition, en définitive. Mais tout ça m'importait peu. Dormir. Je voulais juste dormir...

Là, quelque part dans l'air, la petite odeur de marijuana s'éveillait, un coin d'horizon ouvert sur la

Guyane et ma vieille voisine, que j'avais tant aimée. Elle aussi, dodelinant dans ses grands ensembles de madras, me manquait.

— Wouah, Man ! J'te savais pas si balèze ! Mate les pecs !

— Oh non !... pas lui...

Je me retournai avec mollesse. Vautré contre la porte trente et une, Willy pompait au ralenti sur une cigarette, les volutes voilant son air détaché de Rasta paisible. Vêtu d'un pyjama à pois, il dissimulait dans ses yeux d'un jaune cireux les stigmates d'une nuit terriblement zen.

— T'aurais pas dû laisser ouvert, Man ! fit-il en se levant. On rentre chez toi comme dans un moulin ! Pas fameux, pour un flic !

Je tournai brusquement la poignée. Il disait vrai, le bougre !

— Bon sang de bonsoir ! râlai-je en levant les bras. J'étais pourtant certain de...

— T'as eu une visite, en pleine nuit. La petite fille... Drôlement fringuée, en robe de chambre bleue avec des bottines rouges.

J'écarquillai les yeux, alors que l'homme aux cheveux-serpents se glissait dans l'entrebâillement. Mes tempes battaient furieusement.

— Il devait être... trois heures du matin. Je sortais fumer mon dernier... ma dernière clope, et j'ai vu que ta porte était entrouverte. Alors je suis entré, comme je le fais maintenant.

Il désigna l'enchevêtrement de rails.

— C'était le gros bordel. Tes locos roulaient comme des malades, ta télé bavait des tonnes de parasites, chaîne quarante-deux. J'ai tout éteint en repartant...

Je le suivais sans un mot, avec la bouche ouverte de ceux qui ne comprennent pas. Willy s'arrêta brusquement. Un nuage de fumée enroba son visage lisse.

— La môme était assise ici, les jambes croisées à l'indienne. Et elle parlait, c'était ça le pire, elle parlait à ce putain d'écran ! Crois-moi, c'était pas une hallu ! Moi, ça m'a foutu les jetons, direct ! Tiens, regarde mes bras, mes poils se dressent encore ! Tu sais, ma grand-mère jouait avec les trucs de vaudous, les Poltergeist. J'peux te garantir que ça existe !

Je fonçai dans toutes les pièces. Rien n'avait été retourné, pas de dégâts. Les trains miniatures ronflaient dans leurs alignements de voies, le poste était fermé. Je demandai à Willy, un léger vibrato dans le timbre :

— Et qu'est-ce qu'elle disait ? De quoi discutait-elle avec... cette télé ?

Le Black ourla ses lèvres charnues.

— Ça risque de pas te faire plaisir...

— Accouche, bordel !

Je passai une main sur mon front. Ruisselant. Mes mains tremblaient fort. Par-delà la fatigue, le calvaire recommençait.

— Elle disait qu'elle y arriverait, qu'elle trouverait le moyen...

Je l'agrippai par le col de son stupide pyjama.

— Le moyen de faire quoi ?

— Eh ! Doucement, Man ! T'énerve pas comme ça !

— Le moyen de faire quoi ! ! !

Il s'écarta d'un pas, bras en avant. Un mégot rougeoyant tomba sur la table basse.

— Le moyen de te tuer ! Aussi fou que ça puisse paraître, cette gamine cherche à te buter, Man ! C'est elle qui t'a amoché l'avant-bras comme ça ?

Je m'écroulai dans le clic-clac, une grande détresse dans le cœur.

— Ça n'a aucun sens... Aucun sens... Cette fillette est complètement cinglée...

Willy s'assit à mes côtés.

— Elle était comme... catatonique, elle ne voyait même pas que j'étais là. Elle fixait cet écran et baratinait toute seule.

Il se frotta les épaules énergiquement, comme pour se réchauffer.

— Va falloir que tu te méfies de tout. De l'eau que tu bois, de la nourriture que t'avales, des pas que tu fais dans les escaliers. J'ai vu les yeux de cette gosse quand elle s'est tirée. C'est le Diable en personne... Crois-moi, Man, je sens ces choses-là...

Il parlait sérieusement, avec gravité, tandis que ses doigts d'ébène caressaient ses lèvres craquelées. À nouveau ma vision se troubla. En moi, autour de moi, le mauvais air gonflait. Des mouches noires bourdonnaient dans ma tête, se fracassant avec hargne dans mon esprit. Et si cette enfant n'était pas venue par hasard ? Si, d'une quelconque façon, on l'utilisait pour...

Je me levai brusquement. Après avoir enfilé un tee-shirt, je m'élançai dans l'escalier, butai à me rompre les poings sur la porte numéro sept. Sept... Sept papillons. Sept fléaux. Le sept de l'Apocalypse.

Un bruit, à l'intérieur. Le sang grimpa dans mes tempes.

— Je sais que vous êtes là ! Répondez ! Répondez !

Rien. En furie, je traversai le parterre entre les immeubles et délogeai le concierge à coups de sonnette impatients.

— Venez m'ouvrir une porte ! ordonnai-je lorsque le jeune en jean et baskets apparut, aux côtés d'un doberman à la belle gueule d'émail.

— Un problème particulier ? répliqua-t-il d'un air las.

J'abusai de ma carte tricolore.

— Magnez-vous !

Il flanqua un coup de pied gratuit au chien, s'empara

d'un large anneau de clés et me talonna au pas de course.

— C'est là ! Allez-y !

— Je ne comprends pas bien, commissaire, dit-il en fouillant dans ses doubles. Cet appartement, il n'est...

À peine avait-il débloqué l'entrée que je le poussai sur le côté et chassai le battant d'un grand geste de colère.

Une bouffée de vide me frappa le visage. Sous mes pieds, un froissement de papier. Une écriture serrée, aux lettres anguleuses. Mon écriture. *Votre fille a été enfermée dehors. Elle se trouve chez moi, au troisième, en sécurité. Numéro trente-deux. Je suis policier.* La lettre n'avait pas bougé d'un millimètre.

Le gardien fit tinter son trousseau.

— C'est ça que je voulais vous dire ! Cet appartement, il n'est plus habité depuis plus de quinze jours !

Les bras m'en tombèrent au sol. Plus un seul meuble, des pièces mortes, des murs nus.

— C'est... c'est pas possible ! Il y a une petite fille ! Elle vit ici !

Le jeune se gratta les cheveux, l'air ennuyé.

— Ça, ça m'étonnerait beaucoup... Comment s'appelle-t-elle ?

— Je n'en sais rien ! Elle doit avoir dix ans, cheveux bruns, yeux noirs ! Elle se balade souvent avec des chaussures rouges !

Je tournai un robinet. Eau coupée.

— Ça m'aide pas beaucoup, ce que vous me chantez là ! J'ai six immeubles à gérer, plus de cinq cents familles ! Vous imaginez le délire ? Des mouflettes avec cette description, il en existe des dizaines et des dizaines. Vous devriez peut-être interroger les autres locataires...

Je le remerciai et frappai chez des voisins. Cinq, six,

huit, neuf. Réponse identique. Jamais vue. Mystère et boule de gomme.

Dix heures du matin. Willy avait squatté mon canapé, ses yeux explosés plus tout à fait en face des trous. Il grogna un coup quand je le flanquai dehors et refermai à double tour. Mes os me faisaient horriblement mal, mes jambes imploraient grâce, quelques bleus tapissaient ici et là mon corps épuisé. Quant à ma tête... Misère...

Je m'écroulai sur mon lit, pas douché ni changé, hors service. La mort claquait de tous les côtés. La péniche, les Tisserand, cette petite, à la violence incompréhensible. Je bouillais dans mes draps. De quelle sombre tanière sortait l'enfant au cœur à droite ? Elle m'avait épié dans mon sommeil. Elle m'avait tailladé au couteau. Elle me haïssait autant qu'elle semblait m'aimer... Ma porte... Ma porte, toujours... ouverte. Pourtant... j'étais... certain de...

... Le... Diable...

## Chapitre vingt-quatre

Je me réveillai sans violence, au milieu d'une literie chiffonnée et de la chaleur écrasante. Le radio-réveil indiquait dix-sept heures vingt et une. Sept heures d'un sommeil au plomb bien trempé, le tout sans somnifères, antidépresseurs et trains qui vrombissent. Un miracle.

Après avoir ingurgité mon traitement antipaludéen, je me traînai sous la douche, où une eau tempérée me fouetta l'échine. Une énergie nouvelle connecta mes premiers neurones et, dans cette tiédeur apaisante, je ressentis une forme de bien-être presque oubliée. Je m'attardai sous le jet une bonne demi-heure.

Le soleil glorifiait la terre, par la fenêtre du salon, flattant mes belles locomotives d'un voile doré. Je versai une goutte d'huile dans les tenders des vapeurs vives, lustrai leurs bielles d'un coup de chiffon précis avant de les élancer sur les rails. Le week-end, j'aimais à m'occuper d'elles, avec ces manières de gosse, jusqu'à les entendre siffloter de plaisir. Si Eloïse pouvait voir ça...

Armé d'un paquet de biscuits, d'un bol de café, de papier et des photos de l'intérieur de *La Courtisane*, je m'installai au cœur de cette effervescence métallique, entouré par les tunnels, les montagnes, les prés animés par leurs vaches tranquilles. Avec minutie, j'étalai les pièces importantes de l'enquête. Le message, gravé dans l'église. Les photos des Tisserand, dans leur vie et dans leur mort. Les gros plans sur les scarifications de Maria, sur son visage aussi, piégé dans la terreur des dernières secondes. Le poster du Déluge, avec ses cinquante-deux identités, les fusains... Puis j'inscrivis, en grand sur des feuilles séparées, tout ce qui me venait à l'esprit... Déluge, Apocalypse, Bible, châtiment, importance du « sept ». Sept sphinx, sept trompettes, sept fléaux... Je tirais des flèches, dressais des lignes, entourais des termes, posais des interrogations...

Petit à petit, l'espace se couvrit de mes écritures, mes ratures, mes allers-retours de pensée. Mon cerveau carburait à la drogue pure du bon flic...

Je portai ma tasse de café aux lèvres mais stoppai brusquement mon mouvement. *Tu devras te méfier de tout...* avait averti le Black aux cheveux de spaghetti. Je m'emparai d'un autre papier, notai : *La petite ? La chambre 7 ?* puis bus mon petit noir d'un trait.

Mon attention se focalisa alors sur les dizaines de dessins que m'avait envoyés par e-mail le technicien. Le coup de patte était gracieux, ce salopard ne manquait pas de talent. Mais ses assauts de mine étaient horriblement macabres, tournés vers la souffrance et le repli. On sentait sur le trait la pression des phalanges, la tension d'une main mauvaise. On devinait même, à certains endroits, les pointes de crayon brisées par l'insistance. Après tout, ces illustrations ne représentaient que la mise à plat d'un esprit malade.

Très vite, des thèmes récurrents surgirent. Le sombre du ciel, gonflé de nuages déchirés. La présence des insectes, qui se disputaient soit le thème principal – des mouches butinant entre les côtes d'un squelette, des fourmis dans les entrailles de deux cadavres en décomposition – ou qui apparaissaient en second plan, sur une fenêtre, un drap, une ampoule.

Il y avait aussi ces deux hommes soudés par la tête, avec leurs doigts crochus, leurs dents pointues, martyrisant un enfant recroquevillé qu'on ne voyait que de dos.

Ce môme... Pouvait-il s'agir de l'assassin ?

D'autres croquis représentaient une très jolie femme, à la chair pure et d'un blanc pieux, mains et pieds entravés par des cordes, reliées aux extrémités d'un vieux lit en fer. Sur son sexe rasé, le tatouage d'un nœud, une espèce de nœud marin, et des multitudes de plaies sur sa poitrine, en forme de croix, alignées comme des marques sur un calendrier. Un corps stigmatisé.

Chaque reproduction de cette captive présentait des similitudes – chambre sinistre, privée de fenêtre, au plafond bas, très bas – seule l'expression changeait, virant de la colère à la terreur, et de la terreur à la tristesse. Jamais une once de joie. Noirceur et ténèbres.

Je m'enfilai trois ou quatre biscuits, fis rouler ma nuque. Je vieillissais, mes jambes s'endolorissaient encore des jours précédents. La traque du Mexicain, puis celle dans Haxo, sans oublier les kilomètres dans la forêt, à se tordre les chevilles. Oui, je vieillissais et je n'osais imaginer la tristesse de ma vie dans quelques années, sans compagne, enfants ni petits-enfants. Un bien lugubre avenir...

Des minutes... Des minutes à me souvenir d'elles... Suzanne, Eloïse... Impossible d'obtenir des images claires, silencieuses. À chaque fois, le crissement des freins, leurs bouches hurlantes... Seigneur... Une larme.

Retour aux esquisses, que je parcourus encore et encore. Un détail m'interloqua soudain, un détail que je n'avais pas distingué jusque-là. Je plissai un peu les yeux, découvrant, à l'arrière-plan, derrière le lit de la femme attachée, une glace renvoyant un visage très flou, tout juste suggéré. Un visage enfantin. Un môme tapi dans l'un des coins de la pièce.

Le sel de l'excitation gagna mon palais. Je fouillai dans les autres planches, mes pupilles se contractèrent, dissociant le blanc du noir, le visible de l'évoqué. Comme une illusion d'optique, la figure apparut encore. Très, très habilement dissimulée. Dans le carreau d'une fenêtre, fondue parmi les nuages agités. Puis ici, réfléchie par le marbre d'un caveau. Et là de nouveau, sur la surface d'un lac où s'écrasait une cascade. Jamais un regard direct, franc, parfaitement visible. À chaque fois, des reflets cachés.

Ces yeux de gosse lui appartenaient, ces fusains ramenaient à la surface ses traumatismes passés. Aujourd'hui comme alors, le tueur ne supportait pas qu'on le regarde en face. Les posters lacérés. Viviane, morte avec les paupières bandées. Sa fille, violée dos à son agresseur. Le miroir, installé au plafond de la cale.

Les dessins... Plafonds bas, caveaux, squelettes, insectes. L'enfermait-on, gamin, dans un lieu qui le terrorisait, une cave menaçante avec des araignées, un placard où vibraient mites et moustiques ? Pourquoi cette présence féminine ligotée ? Que signifiaient ces blessures en forme de croix, sur sa poitrine ? Etait-elle battue ? Maltraitée ?

Et que dire de ces représentations, celles des deux hommes à la tête collée, pointant leurs dents menaçantes sur un bambin recroquevillé ?

Qu'avait subi le garçonnet pour que l'adulte ôte si cruellement ces vies ?

Un enfant... Peut-être ne fallait-il pas fouiller le présent... mais le passé... Je repris les notes concernant les

Tisserand. La clinique d'évaluation de la dangerosité, à Paris...

Vingt années à côtoyer des milliers de malades. Vingt années... Il fallait pousser nos recherches bien plus en amont, remonter à la source. Lorsque l'assassin était tout jeunot ou adolescent...

Je parcourus à nouveau le dossier des deux médecins. Avant Paris, Grenoble... Psychothérapeutes dans un hôpital psychiatrique... Aucune info là-dessus. Rien. Je traçai un gros point d'interrogation rouge en plein milieu de la feuille.

Je fis craquer mes os carpiens, avalai quelques biscuits. Le meurtrier se rapprochait de plus en plus, son souffle glissait, là, sur chaque vertèbre de ma colonne. À travers son guet pictural, le monstre m'observait.

Un bruit, derrière. La cuisine. Je m'y précipitai. Rien. Fenêtre ouverte, minots dans la cour, chiens qui aboient. Et personne sous la table...

Tasse de café renversée, au milieu des rails. Hérissement de poils.

*Mais non, c'est toi qui l'as culbutée, en te levant brusquement ! Comment serait-elle entrée ? Tu as fermé à clé !*

Je furetai dans l'appartement, par précaution, puis retrouvai ma position de réflexion. Mon cœur battait un peu plus vite dans ma poitrine, mon front libérait la chaleur de mon corps. Quant à mes doigts... Je les glissai entre mes jambes... Puis je démarrai les trains électriques, bien plus bruyants que les vapeurs vives. Ce chahut coutumier me rassura.

Je me replongeai dans le texte gravé en haut de la nef, en isolai le dernier point obscur. *Alors, au son de la trompette, le fléau se répandra et, sous le déluge, tu reviendras ici, car tout est dans la lumière.* Ma langue s'enroula sur mes lèvres. C'était subtil, très subtil.

Effectivement, tout était dans la lumière. Celle qui avait permis de trouver, sous *le Déluge*, les cinquante-deux identités.

Mais pourquoi *revenir ici*, dans l'église ? Pour y dénicher une piste dissimulée ? L'entomologiste avait été formel, le confessionnal avait été passé au peigne fin des UV. Aucune prose à l'encre invisible, hormis des taches de phéromone sur Viviane Tisserand. Leclerc avait vu juste, sur la péniche : s'il n'y avait pas de texte sur les lieux des crimes, pourquoi les papillons ? Où fallait-il chercher, dans ce cas ? Dans la clarté des vitraux, derrière le tympan... ou alors...

*L'Apocalypse est un texte de codes secrets, de messages cachés. Tout est en profondeur, derrière les mots*, avait dit Paul Legendre. Tout est derrière les mots...

Mon cœur partit au galop. Vingt secondes plus tard, mes pieds fous dévalaient les étages. Il me fallait une échelle, une très grande échelle ainsi qu'une lampe à ultraviolets.

Parce que tout était inscrit au sommet de la colonne fissurée, dans la maison de Dieu, depuis le début...

*Tu reviendras ici, car tout est dans la lumière...*

Et, par douze mètres de haut, sous les arches puissantes de l'église d'Issy, un nom apparut sous la lumière ultraviolette. Un nom inconnu, barrant l'avertissement initial en une grande diagonale blanche.

Vivian Maleborne.

# Chapitre vingt-cinq

Leclerc n'était pas rentré chez lui du dimanche. Quand je débarquai au 36, il pianotait sur son ordinateur portable, cerné de gobelets vides et de chewing-gums roulés en boule. Sa cravate pendait sur un porte-manteaux, dans ce bureau au plancher couleur chêne sombre, craquant comme dans un vieux grenier.

— Trois Vivian Maleborne dans toute la France, expliqua-t-il en brassant des amas de feuilles. Un gamin de douze ans, dans la Creuse... Un type de cinquante-cinq ans dans le Midi... Et un autre qui habite... dans le deuxième arrondissement !

Je me penchai par-dessus son bureau, un peu haletant.

— Ça se... précise. Et ?

— Plus tout jeune, tout jeune. Soixante-quinze ans... Ancien médecin, psychanalyste-hypnotiseur...

— C'est bien ça... L'assassin veut nous ramener en arrière. Vers le passé... Son passé...

Le divisionnaire s'écrasa dans son profond fauteuil, une nouvelle gomme à mâcher emballée entre les doigts.

— Cette affaire commence à me chauffer ! On ne fait que subir, depuis le début. Pas fichus d'établir un putain de portrait-robot ! Dernière nouvelle, tu sais quoi ? Aucune personne de l'Ubus n'a pu identifier notre fantôme. A priori, le gus se pointait avec un masque africain sur la tronche. Non mais t'imagines le délire ? Un masque africain !

— Il se cache le visage... Mais pourquoi ?

— Seul cet Opium doit savoir à quoi il ressemble, mais pour le moment... Pff, envolé, le gros Black !

Il serra les poings sur les accoudoirs.

— Là-haut, ils n'apprécient pas cette enquête un peu trop *carte au trésor*. Ils le veulent lui, et non les cadavres qu'il a semés sur son chemin.

Je déroulai un geste de colère, levant un bras par-dessus ma tête.

— Facile à dire ! On prive déjà les gars de leurs congés, on les oblige à venir le week-end ! Tout juste si on les laisse dormir !

— Je sais, je sais... Je suis bien le premier concerné... Dimanche, vingt heures, en plein juillet et je suis ici, enfermé entre ces quatre murs à remuer la mort, mais... il devient urgent de le coincer...

— Ça a toujours été une urgence pour moi.

— Tu dois aller voir cet hypnotiseur, tout de suite. Profitons de l'avance que nous avons prise sur son *jeu* pour le contrer. Si ce fumier se sert du vieux pour nous parler, soit ! Ecoutons ce qu'il a à nous dire ! J'attends ici... Tiens-moi au courant...

Il m'interpella une dernière fois, alors que je franchissais la porte de son bureau.

— Shark ! Ça va aller ? Tu sembles un peu... pâlot.

— À trop côtoyer les macchabées, on finit par prendre leur couleur.

Vivian Maleborne habitait à deux pas du Louvre, dans un grand immeuble haussmannien dont l'entrée était protégée par un gardien en uniforme rouge. Sous l'impulsion de ma carte tricolore, l'automate m'accompagna dans les longs couloirs au plafond très haut et aux tentures de velours magnifiques.

Le docteur m'accueillit en fauteuil roulant, poussé par un sbire aussi souriant qu'une statue de l'île de Pâques. Le vieillard était vêtu d'un costume trois-pièces blanc, au col de chemise si serré que son maigre cou débordait en plis de peau disgracieux. Il portait un nœud papillon noir, en parfaite harmonie avec sa couronne de cheveux d'un gris très foncé.

— C'est un commissaire de police, annonça le pousse-charrette d'un ton sans nuance. Le commissaire Sharko.

Le médecin me fixait intensément, sans ciller. Ses yeux étaient tapissés d'un fin tulle transparent, mais on devinait, par-delà le voile, le bleu mystérieux des pierres précieuses.

— Que puis-je pour vous, commissaire ?

Sa voix était en retard sur son âge, étonnamment fluide et posée.

— J'aimerais vous parler seul à seul, si vous le voulez bien.

D'un lent mouvement de main, il congédia son majordome qui disparut dans l'une des pièces, dont le gigantisme n'avait d'égal que l'immense impression de vide qu'elles insufflaient. Peu de meubles, encore moins de bibelots, aucun tableau, juste la lumière fatiguée d'un jour blafard, agonisant sur le marbre du sol. Maleborne se dirigea en marche arrière vers le salon, à l'autre extrémité du hall, sans même se retourner.

— Installez-vous, commissaire, fit-il en désignant d'un geste approximatif des fauteuils à oreillettes beiges.

Un bar, sculpté dans un mur. Des dizaines de marques de grands whiskeys et autant de cognacs.

L'ancien appréciait les bonnes choses. En m'asseyant, je déposai les fusains sur une table d'ébène. Maleborne ne réagit pas.

— De quoi allons-nous parler, commissaire ?

— D'un homme... un homme qui a dû être l'un de vos patients. Je vous ai apporté certains de ses dessins...

Un dernier rayon de soleil joua sur ses dents impeccables.

— Avez-vous vu un seul livre ici, le moindre tableau ? Mes yeux ont été toute ma vie mais aujourd'hui, ils m'ont presque abandonné. Une cataracte inopérable, j'ai le fond de l'œil mauvais, paraît-il. Le comble, pour un hypnotiseur, non ? Le fond de l'œil mauvais !

Son rire se termina en un murmure fatigué. Ça partait mal.

— Je voudrais juste...

Il me coupa encore.

— Des patients, j'en ai soigné des centaines, pour ne pas dire des milliers. Mes dernières thérapies doivent remonter à cinq ans et ma mémoire... Ah ! ma mémoire... Elle s'efface aussi vite que ma vue... Ma vie n'est plus qu'une grande plaine sibérienne...

Son regard de quartz ne me lâchait pas, figé dans l'éternel hiver de ses pupilles blanches. Que distinguait-il ? Juste des formes ? Une aura ? Des masses sans nuances ? Je me penchai vers lui, les mains entre les cuisses.

— L'individu dont je vous parle est très versé dans la religion, il se sert de supports comme l'Apocalypse ou le Déluge pour composer les messages qu'il nous adresse... Il... il pense fermement que la fin des temps arrivera avec les insectes, il les utilise comme vecteurs pour répandre sa colère... Le terme de... fléau est récurrent. Les illustrations que nous avons retrouvées sont très sombres... Ciels d'orages, cavités, squelettes et toujours des insectes... À plusieurs reprises, on y voit une femme... jeune... attachée sur un lit... Longs cheveux blonds, peau ivoirine, des croix sombres sur le corps, peut-être des mutilations... Et un tatouage sur son pubis, un tatouage en forme de nœud... Chaque...

Les lèvres usées de Maleborne s'écartèrent légèrement, tandis que le reflet acier de ses iris ensauvageait ses traits.

— ... Chaque fois, une présence l'observe, continuai-je en articulant clairement. Une présence enfantine entrevue dans...

— ... un miroir. Le visage est... très flou, vous le... distinguez à peine. Le lit est en bois... non, en métal, oui, en métal je crois, le plafond très bas... Il se dégage comme... une puissante impression... d'écrasement, d'enfermement... Je me trompe, commissaire ?

Maleborne avait parlé très lentement, avec hésitation, comme si les mots remontaient d'un puits fort profond.

— C'est... tout à fait... exact, répliquai-je sans cacher le trouble qui me gagnait.

Les sillons de son front se creusèrent plus encore, ses longs doigts osseux s'arrimaient fermement aux roues de son fauteuil.

— Qu'a-t-il fait pour que la police se déplace chez moi ?

— Il a exécuté une famille complète. Le mari, l'épouse, la fille. Et... votre nom était caché sur l'un des textes à notre attention.

Une exhalaison brûlante siffla dans sa gorge, alors qu'il plaquait ses mains sur ses pommettes d'anorexique. Je sortis un dictaphone.

— Vous permettez que j'enregistre notre conversation ? Et, je vous en prie, ne me parlez pas de secret professionnel. Votre ex-patient a commis des actes... impensables.

Alors que les ombres croissaient autour, Maleborne finit par acquiescer. Je déclenchai l'appareil sur ses premières paroles.

— Tout ceci paraît... si loin... Comment... a-t-il pu faire une chose pareille ?

— À vous de me le dire.

Il resta un instant sans réaction, la tête un peu inclinée.

— Vincent... est venu me voir alors que je n'exerçais plus depuis... quatre bonnes années...

J'avais l'impression de me retrouver au bord d'un gouffre, avec l'incroyable envie de sauter pour me rapprocher plus vite de l'issue fatidique. Toutes les clés se cachaient dans ce cerveau émietté...

— À quand cela remonte-t-il ?

— Voilà cinq ans, fin 2000... Son cas m'intéressait, un cas... incroyable... Vraiment incroyable... Je me rappelle un être fracturé, très angoissé... incapable de se souvenir des seize... non, quinze premières années de son existence... Oui, c'est ça... Ses quinze premières années...

La partie n'était pas gagnée. Le vieux bafouillait, écumait, cherchait ses mots.

— Un homme... victime d'un cauchemar récurrent depuis son adolescence... Il y voyait... cette femme, dont vous avez parlé... sanglée sur un lit en fer... Un placard avec un trou, au fond... Le tatouage d'un nœud, sur son sexe... Ces croix sur son corps...

Une gravité lourde plombait à présent sa voix. Derrière lui, au travers d'une fenêtre ovale, des troncs hargneux s'étiraient en une armée noire. Un jardin privé, peut-être.

— Et il y avait les hurlements... C'est ça qu'il supportait le moins, Vincent... les hurlements incessants dans sa tête qui... nuit après nuit, l'anéantissaient...

Il tendit un ongle manucuré vers un porte-bouteilles.

— Pourriez-vous nous servir un peu de vin, monsieur Sharko ? Le bordeaux 85, s'il vous plaît.

Je me sentais frigorifié. Les voix, dans sa tête... Les cauchemars, les hurlements. Suzanne, Eloïse. Un être fracturé, disait-il. Brisé intérieu...

— Commissaire ? fit-il en inclinant sa maigre tête d'oiseau. Je vous sens... soudain distant...

— Ex... cusez-moi... je pensais juste... à quelque chose...

Je lui tendis son verre, bus une gorgée de ce breuvage qui devait coûter des mille et murmurai d'un timbre que j'aurais voulu moins vacillant :

— Continuez, docteur, je vous écoute...

Il huma son grand cru, puis s'en humecta d'un geste fin les lèvres avant de poursuivre :

— Avez-vous déjà vu le mental influer sur le physique, le subconscient lutter au point de blesser et de torturer le corps ? Vincent appartenait à ces *stigmatisés*, ces êtres frappés par une puissance psychique phénoménale...

— Qu'entendez-vous par là ?

— Chaque fois que je poussais l'analyse trop loin, que je déverrouillais des portes, Vincent se mettait à saigner du nez... très intensément... C'est... la seule image physique que je garde de lui... Ces rivières rouges sur le flou de son visage...

— Le flou de son visage ? Vous voulez dire que... vous ne pouvez pas le décrire ?

Le vieillard porta ses mains noueuses à ses paupières plissées.

— Hélas non, ma vue était déjà atteinte... Je conserve juste de lui une impression générale, une vision confuse... Si lointaine...

— C'est pas vrai ! Et quelle impression ?

— Je... ne sais plus... La même impression que j'ai de vous, ce soir, sans vous distinguer réellement... Grand... Cheveux foncés... Châtain, peut-être bruns... Et une voix... très grave...

Il se prit le front dans les mains.

— ... Rien d'autre... Rien d'autre, désolé...

Je contractai les mâchoires. L'assassin s'était un jour assis ici, peut-être dans ce même fauteuil. Avait-il goûté à ce vin, lui aussi ?

— Et son nom ? Donnez-moi son nom !

— Il m'a toujours dit qu'il s'appelait Vincent... même pendant nos séances. Vous savez, l'hypnose n'est qu'un état de semi-conscience où le patient ouvre certaines barrières et en ferme d'autres... Priez un hypnotisé de se déshabiller alors qu'il n'en a pas envie, il ne le fera jamais... Vincent s'était fixé certaines règles avant de venir ici... Peut-être trop... Quelque chose, dans sa tête, cherchait à le protéger... Quelque chose de suffisamment fort pour provoquer les saignements...

Je me levai et m'accroupis devant son fauteuil. Ses yeux rayonnaient d'un froid intense, alors qu'à l'extérieur, le soleil déclinait entre les troncs, jetant une poche d'ombre grandissant autour de nous. Le salon se transmua en une cave sombre, saturée de mystères.

— Racontez-moi son histoire, docteur.

Maleborne fronça ses sourcils neigeux.

— Ne me demandez pas des miracles, vous n'aurez que ce que ma mémoire voudra bien me restituer, c'est-à-dire... des bribes... Après soixante-dix ans, le cerveau a perdu plus de dix pour cent de sa masse... les neurones, quant à eux...

— Les enregistrements ! Vous avez bien des enregistrements audio des séances !

Il secoua la tête.

— Vincent est revenu les récupérer l'année dernière...

— C'est pas possible...

Presque triste, il plongea ses lèvres fébriles dans son verre, puis finit par dire :

— Notre travail s'est focalisé autour de sa quinzième année... Je vais vous raconter les épisodes à reculons, si vous le voulez bien... C'est de cette façon que nous avions procédé quand il se tenait là, à quelques centimètres...

— Je vous écoute.

Face à moi, deux fentes horizontales, d'un blanc de vipère.

— Vincent a... seize ans. Il habite avec... son oncle et sa tante, au bord de la mer... Une grande maison... très lumineuse... avec énormément de fenêtres. D'en haut, on y voit les bateaux d'un côté... les maisons du village de l'autre... Vinc...

— Quel village ?

— C'était sans importance... Je n'en sais rien et... ne m'interrompez plus, s'il vous plaît... Vincent aime les journées ensoleillées... car, depuis quelque temps... les nuits lui font peur. Un méchant cauchemar s'est installé dans sa tête... Une vision qui l'arrache de son sommeil, le laissant en pleurs... Nous... remontons alors jusqu'à cette fameuse nuit... où le mauvais rêve est apparu... La nuit d'un très violent orage... Il aperçoit de grands flashs, entend les murs trembler. Le vent... gémit dans les gouttières et... les volets claquent... Au loin, la mer est noire, furieuse... Les vagues ébranlent les bateaux... Vincent hurle, recroquevillé dans un coin de sa chambre... Il tremble, urine sur le sol... Il est seul dans la maison... Son oncle et sa tante sont sortis au restaurant... Il croit qu'il va... mourir...

Maleborne claqua brusquement des doigts.

— Pour la énième fois, Vincent saigne du nez. Nous interrompons la séance... Notre avancée dans son psychique est... pénible et douloureuse, mais nous sentons que... nous sommes sur la bonne voie... Vincent accepte de poursuivre la thérapie. Il témoigne de beaucoup de volonté...

Il reprit un peu son souffle, lapa de petites gorgées de vin avant de poursuivre :

— Donc, l'orage a créé le cauchemar... Pourquoi ? Reculons... avant, bien avant cet orage. Vincent ne cauchemarde pas encore, il a quinze ans... Il vient d'arriver dans cette nouvelle demeure qui donne sur la mer... mais pour lui, à vrai dire, tout est nouveau... La plage, l'école, les camarades. Une chambre l'attend... avec des jouets, des puzzles, des disques... Il reçoit beaucoup d'amour... Des figures se succèdent autour de lui... Il sait qu'ici, il sera bien... Il est heureux... Il a l'impression de renaître, ou même de naître... L'analyse révèle qu'il... est très intelligent, comprend vite, s'adapte très facilement. C'est un gentil garçon, coopératif et entreprenant... Ceux qui le côtoient sont fiers de lui...

Les paroles ruisselaient de ses lèvres, pareilles aux remous d'une rivière tranquille. Il s'en dégageait une vibration douce, si ensorcelante que l'on avait envie de s'en laisser bercer.

— Allons plus en arrière, approchons-nous du point de rupture... Un mois plus tôt... 1980, je crois... Oui, c'est ça, 1980, l'année de la mort de Sartre... Il y a vingt-cinq ans... Important pour vous, la date, n'est-ce pas commissaire ?

— Effectivement. Vincent aurait donc aujourd'hui... quarante ans...

Il acquiesça.

— Donc, 1980... Une très longue route... la nuit... la

pluie qui fouette les vitres de la voiture... Vincent est allongé sur la banquette arrière... Il pleure, il est terrorisé... Il n'a aucun souvenir de l'homme et la femme assis à l'avant... Elle, se retourne de temps à autre, sourit, lui caresse les cheveux... Avec le conducteur, elle chuchote sans cesse... Il n'entend pas, la pluie est trop forte...

Maleborne tressauta.

— ... Durant cette séance, se dresse en face de moi un être qui sanglote, s'agite, se cabre brusquement. Je sais que le travail va aboutir. Mais je devine aussi que... l'inconscient lutte, bec et ongles. Le défi se révèle très dangereux... Les saignements croissent en intensité et violence. Mais nous poursuivons nos rencontres... Il fallait aller au bout, c'était primordial pour... sa santé mentale...

L'hypnotiseur ne racontait plus, il vivait ses paroles. Autour l'espace s'effaçait, saturé d'ombres et de spectres naissants. Ne restait du vieil homme que cette transparence oculaire, ces cristallins blessés, hermétiques aux grandes lumières du crépuscule.

— Remontons... de quelques heures... à l'origine... Avant cette longue route... Son réveil à l'hôpital... Vincent se souvient... une chambre, deux personnes autour de son lit... On lui dit que... qu'il s'est cogné la tête très violemment et... qu'il est resté dans un coma profond... plusieurs semaines... Il n'a le souvenir de rien, ces visages sont ceux de... sa tante et de son oncle... mais il ne les reconnaît pas... Sa mémoire implicite n'est pas affectée... comme souvent dans les amnésies... Il sait le nom des arbres, distingue les couleurs, peut compter jusque des mille et des mille... Un test de QI révélera même qu'il a une intelligence au-dessus de la moyenne... mais... sa mémoire explicite, celle des souvenirs, de ce qu'il fut, est anéantie... Il ignore qui il est... Il a oublié tout ce qui précédait ce réveil... Il réclame une mère, un père... On lui répond que le père est parti avant sa naissance et... que la mère est décédée d'un cancer des poumons, quand il était... tout jeune... Il ne peut qu'admettre... Il passe encore plusieurs semaines à l'hôpital, on lui explique que... sa tante et son oncle sont sa seule famille et... qu'ils se sont toujours occupés de lui... Il va repartir avec eux et... rebâtir son identité... car sa mémoire risque... de ne jamais revenir...

Maleborne s'agita brusquement dans son fauteuil.

— ... Devant moi, Vincent s'évanouit... Une hémorragie trop forte... Je me précipite, tombe de ma chaise ! Je pose mes mains sur sa poitrine ! Le cœur ! Le cœur a cessé de battre ! Faites-le revenir ! Faites-le revenir, je vous en prie !

Je lui pressai fort la main.

— Docteur !

Il happa une grande bolée d'air, comme après une apnée douloureuse, desserra son nœud papillon d'une main frémissante et manqua d'arracher le dernier bouton de sa chemise.

— J'ai failli appeler les pompiers... Mais j'ai aperçu... une palpitation sur sa gorge... Sa jugulaire battait... Elle battait alors que son cœur... était arrêté... J'ai cru à un nouveau phénomène étrange, une manifestation de son inconscient... puis j'ai pensé à autre chose... À ces personnes qui naissent avec les organes inversés... Alors j'ai posé la main à droite... Le cœur battait...

Impossible ! Comme la fillette... Tout s'embrouillait dans ma tête. Le réel, l'imaginaire, les souvenirs. Maleborne continuait à parler, la sueur aux lèvres :

— Alors j'ai tout interrompu... C'était trop risqué... Nous... y étions presque... Nous avons failli toucher au but... Franchir le mur du coma... Tout s'est arrêté, définitivement... Je ne l'ai plus jamais revu, sauf quand il est revenu chercher ses enregistrements, l'année dernière... Alors j'ai compris... J'ai compris que la barrière avait été enfoncée, qu'il savait à présent et... qu'il cachait un... terrible... secret... Je l'ai senti... Il était froid comme la mort... Comme la mort... On aurait vraiment dit... quelqu'un de différent... Je ne le reconnaissais pas...

Mes tempes pulsaient. La petite, au cœur à droite... Deux êtres de constitution anormale, surgis au même moment dans ma vie... Mais... Qu'y avait-il à comprendre ? C'était une histoire de dingue ! Je secouai la tête. Il fallait clore l'entretien.

— Je compatis à votre douleur, docteur... soufflai-je, mais...

— Ce n'est pas ma douleur... C'est la sienne... Vincent n'a pas subi un choc physique, comme l'ont prétendu les médecins, mais psychologique... d'une violence capable de le plonger dans le coma et de lui fracturer la mémoire. Tous ces gens... lui ont menti...

— Il faut... me donner des détails qui pourraient m'aider davantage. Ces toubibs qui l'ont soigné à l'hôpital avaient bien un nom ? Ses tuteurs aussi ? Tous ces gens, ces lieux ! S'il vous plaît !

Le vieillard rabattit sa main devant lui, comme pour mettre fin à ces évocations trop éprouvantes.

— Des noms... Bien évidemment, qu'il m'en a cité ! Il m'a même décrit un à un les jouets qu'il avait dans sa chambre, le nombre de pièces de ses puzzles. Mais... comment voulez-vous que je m'en souvienne ? C'était tellement... secondaire ! Vous ne saisissez pas bien, commissaire, je crois...

Il enveloppa son verre ballon de ses paumes, comme la flamme d'une bougie qu'on chercherait à protéger.

— Vous a-t-il déjà parlé d'une fillette ? Dix ou onze ans ? Cheveux noirs, très jolie ?

— Jamais.

— Et si je vous dis Tisserand ?

Il secoua la tête, l'air un peu agacé. Je lui énumérai des prénoms inscrits sur le tableau du Déluge.

— Non, non, non...

Le déclic du dictaphone conclut mes salves de questions. Je laissai une carte de visite sur la table.

— Vous avez raison. Il a réussi à défoncer lui-même cette barrière, il connaît l'origine de son cauchemar et la cause de son oubli. Voilà pourquoi aujourd'hui il tue des gens... Et il en tuera encore tant que nous ne l'aurons pas arrêté... J'espère que des flashs vont vous revenir. Jour ou nuit, appelez-moi, même s'ils vous paraissent sans importance.

Maleborne m'agrippa soudain le poignet et ne le lâcha plus.

— Ces personnes... Elles ont dû le blesser alors qu'il était enfant... Tout vient de là... Du traumatisme... Il ne faut pas fouiller son présent... Mais son passé... Ces prénoms... à quoi correspondent-ils exactement ?

— Il s'agit d'une liste. Une liste de cinquante-deux victimes qu'il s'apprêtait à nous livrer...

— Oh ! Mon Dieu... Cinquante-deux... Les démons de son enfance...

Ses doigts, sans plus de forces, finirent par se décrocher de ma veste. Alors que je m'éloignais, il m'interpella une dernière fois :

— Attendez ! Juste un détail, un petit détail ! Il se remémorait des montagnes... Les montagnes couvertes de neige, qu'il apercevait depuis la fenêtre de sa chambre d'hôpital...

Un nom explosa dans ma tête.

Grenoble. Là où les Tisserand avaient vécu, il y a plus de vingt-cinq ans.

# Chapitre vingt-six

Ma lanterne s'éclairait progressivement. Le tueur avait subi un choc émotionnel d'une violence rare, un choc qui lui avait arraché la mémoire. Pourtant les souvenirs avaient persisté, quelque part, piégés entre les toiles complexes de son inconscient. Alors, parfois, ils affluaient par débris, dans les méandres de la nuit, au travers d'images codées, de hurlements.

Ces hurlements que Suzanne poussait elle aussi, dans nos draps trempés. *Le choc émotionnel*. Les fractures cérébrales. Quel parallélisme troublant... Le pire des assassins et ma femme, fondus dans un même moule d'oubli. Horrible signe du destin.

Pour en revenir à Maleborne, il avait tout fait exploser chez ce Vincent vingt-cinq années plus tard, par ses consultations harassantes. Quinze ans d'oubli, de joies, de peines, de mensonges ressurgis en un quart de seconde. Une véritable bombe. Aujourd'hui, Vincent se vengeait, déchirait les cicatrices de son passé à renfort de sang et de cruauté. L'hypnotiseur avait raison. Ces personnes, sur la liste du *Déluge*, établissaient le lien avec son enfance.

Pour remonter au meurtrier, il fallait aller à la source. Vingt-cinq années en arrière. Là où tout avait commencé... Grenoble... Leclerc m'avait laissé carte blanche pour un déplacement express vers la capitale des Alpes.

Il fallait que je sente la ville frémir sous mes pieds, que j'arpente son CHR, puis l'hôpital psychiatrique des Tisserand.

Je voulais voir la chambre de son coma, de mes yeux, converser avec ses médecins de l'époque. Donner un nom à ce Vincent...

... Et mettre des visages sur les cinquante-deux identités de cette liste. Vincent revivait son enfance. La clé se trouvait là.

De retour chez moi, j'apprêtai quelques affaires pour ma longue chevauchée nocturne. Chemises, sous-vêtements de rechange, nécessaire de toilette...

L'excitation me brûlait les lèvres, en même temps qu'une très grande haine pour cet inconnu que je traquais, cet homme qui, du fin fond de sa raison, rachetait par la voie du crime ses années de vie volée.

— Tu t'en vas où comme ça, Man ? Vacances ?

Willy venait de se jeter dans mon fauteuil, son éternel mégot aux lèvres. Il n'avait toujours pas changé de pyjama. Stupides pois bleus sur fond noir.

— Tu tombes bien ! répliquai-je en enfournant dans mon sac des *Petits-Beurres*, trois bananes et mes comprimés de chloroquine. Je vais te donner le numéro de téléphone d'un collègue, ainsi que mon numéro de portable. Si tu aperçois la petite, tu nous appelles immédiatement. Tu... devras essayer de la retenir, jusqu'à ce que mon équipier arrive.

Willy dessina un huit avec ses grosses lèvres.

— Wouais... ça pourrait me causer des tas d'emmerdes ! Imagine qu'elle gueule ! J'suis un pacifique, moi, Man !

— Dans ce cas, tu la suis. Je veux savoir où elle habite. Je peux compter sur toi ? C'est très important.

Le Rasta fit jouer ses tresses de brefs mouvements de tête.

— Tu penses bien, j'suis avec toi, Man. Ma grand-mère, elle t'aimait bien. Moi aussi, je t'aime bien...

— Arrête, tu vas me faire pleurer...

Il dévoila ses dents impeccables.

— Tu reviens quand ?

— Demain soir probablement. Après-demain au plus tard...

Je descendis une première fois au sous-sol pour ranger mon sac dans le coffre, puis remontai au troisième chauffer une cafetière de café bien noir, que je transvasai dans un thermos.

Après avoir poussé Willy à l'extérieur – gentil, le Willy, mais un peu lourd à la longue – et fermé la porte d'entrée, je ressentis comme une grande victoire sur moi-même. Mes doigts tremblaient moins et je n'éprouvais pas, tout au moins dans l'instant, cette envie de me gaver de pilules. Fallait-il y voir un signe d'amélioration ?

La rectitude de l'A6. Etoiles dessus, bitume dessous. Un petit air des Red Hot, à la radio, en sourdine de mes pensées incessantes, de toutes ces images, ces dessins, ces flashs de sang. L'enquête grandissait encore en moi, avec la fougue d'un lierre sauvage. Elle chassait l'homme faible et appelait le flic, sans cesse. Ce flic qui n'avait besoin d'aucun cachet. Juste cette soif d'hémoglobine...

Mais, replié dans les ténèbres, l'homme songeait encore à son frêne, lacéré de coups de couteau. L'homme voyait les yeux blanc-bleu de Maleborne, ses lèvres craquelées murmurer des phrases enterrées, douloureuses.

Vincent... Vincent qui saignait du nez par la force de son psychisme... Un stigmatisé... Puis ce cœur à droite, comme l'enfant... Une telle rareté...

*Tu n'arrêtes pas de penser aux autres. Et à nous, tu y penses ? Ta fille ? Tu sais combien elle souffre dans cette obscurité perpétuelle, sans toi ?*

J'augmentai le volume de l'autoradio, ouvris les deux fenêtres arrière. L'air s'engouffra dans un grondement de locomotive. Les voix s'estompèrent un peu avant de revenir en fanfare. Le seul moyen, pour les supporter, restait de leur tenir la conversation.

Quatre heures à manger de l'asphalte, à broyer du noir, à subir le poids des reproches, à entendre rire et chantonner dans ma tête. J'avais roulé plusieurs fois sur la bande d'arrêt d'urgence, un peu ailleurs, mais heureusement, les rugosités m'avaient éjecté de cette torpeur dangereuse. Une aire de repos arriva enfin, une cinquantaine de kilomètres avant Lyon. Je mis mon clignotant...

Mes vêtements étaient imprégnés de sueur et de fumée de cigarettes, une vague odeur de café tiède fleurissait de l'habitacle. Sur le parking, des camping-cars, des caravanes, quelques chauffeurs fatigués, leurs femmes et marmots endormis à leurs côtés. Plus jeune, j'adorais quand mes parents se garaient sur ces espaces perdus, sous l'arc fantastique des étoiles. J'en garde au cœur le goût des vacances et une grande part de rêve. Un temps si lointain...

Alors que je sortais m'étirer un peu, des coups sourds résonnèrent contre de la tôle. Puis une petite voix, à peine audible :

— Au secours ! Au secours !

Ça provenait d'un coffre. Le coffre de ma voiture.

— Mince, Franck ! râla la gamine lorsque j'ouvris. T'aurais pu t'arrêter avant ! J'étouffe là-dedans !

Robe de chambre bleue et chaussures rouges. La fillette sauta hors de sa cachette, s'étira, les deux bras tendus au-dessus de sa tête, alors que je restais là, sans réaction, complètement abasourdi. Puis la colère afflua à mes joues. Je cognai avec une rage folle contre une poubelle.

— Merde ! Merde ! Merde ! Qu'est-ce que tu fiches ici ! ! !

Je la dévorai d'un air mauvais, les dents grinçantes, tandis qu'elle regroupait ses mains sous son menton, comme pour se protéger.

— Tu me fais peur, Franck... Tu ne vas pas me frapper, hein ?

Le front baissé, j'allais et venais, avec l'acharnement d'un prédateur furieux.

— C'est toi qui me fais peur ! Qu'est-ce que tu me veux ? Dis-moi pourquoi tu es entrée dans ma vie ! Et... épargne-moi tes airs de chien battu !

Un type qui sortait de la cafétéria se retourna dans ma direction avant de se fondre dans la nuit.

— Mais... C'est... mon chat... L'autre fois, rappelle-toi ! J'étais... enfermée dehors...

— Mensonge ! Tu n'habites pas au sept ! J'ai vérifié ! Cet appartement est inoccupé !

Ses doigts fluets montaient et descendaient sur sa maigre poitrine, au rythme de sa respiration. Elle rentra la tête entre les épaules.

— Mais je te parlais pas du sept de ta résidence ! L'autre sept, dans la résidence des Ibiscus ! L'immeuble d'à côté !

— Arrête de mentir !

— Je suis venue chez toi parce qu'on m'avait dit que tu avais des trains miniatures partout dans ton appartement ! Et moi, j'adore les trains miniatures ! J'ai toujours rêvé d'en avoir, mais maman ne veut pas m'en offrir... Elle ne m'offre jamais rien...

— Pauvre petite ! On finirait presque par s'apitoyer ! ! !

Je dévoilai la cicatrice de mon avant-bras.

— Et ça, tu peux m'expliquer ? Mon voisin m'a raconté que tu discutais avec la télé, que tu voulais me nuire !

Elle tortilla son vêtement sous ses paumes menues. Des larmes gagnèrent ses yeux.

— Eloïse et moi, on voulait te protéger ! Ton sang malade, tu te rappelles ?

— Suffit, avec ma fille ! Ma fille est morte, elle n'est plus ici, tu comprends ?

— Oh ! Franck ! Je ne veux pas te faire du mal ! Si tu savais...

Elle se jeta contre moi et me serra fort, délivrant des torrents de larmes. Je luttai pour ne pas céder à sa douceur entêtée mais n'y parvins pas. Il restait une flamme, au fond de moi, qui brûlait encore.

Je me baissai à sa hauteur et lui caressai les cheveux.

— Ça va aller... d'accord ?

Elle acquiesça, étranglée dans ses sanglots.

— Tu entends des voix dans ta tête, c'est ça ?

— Tout le temps... murmura-t-elle en étouffant un gros chagrin. Elles ne me laissent jamais tranquille... Parfois... elles m'ordonnent de faire des choses pas bien... Toujours la même chose... Eloïse, elle, elle joue avec moi. Elle est gentille...

Je la portai dans mes bras et la forçai à me regarder.

— Tu te souviens, l'histoire du frêne et du chêne ? Le cauchemar que j'avais eu ?

Elle opina lentement.

— À qui tu en as parlé ?

— Mais... À personne ! Je t'ai demandé de m'expliquer ! T'as jamais voulu ! Je sais même pas ce que ça signifie !

— Bon... Tu dois me donner ton nom. Des amis à moi vont prévenir ta mère, lui dire que tu vas bien. Puis on s'occupera bien de toi...

— Non ! Non ! Je ne veux plus la voir ! Elle n'est jamais là, tout ça, c'est sa faute ! Je veux rester avec toi !

— Mais même si je le voulais, je ne peux pas te garder !

— Je t'embêterai pas, promis ! susurra-t-elle en plaquant sa paume ouverte sur sa poitrine. J'vais m'asseoir dans la voiture, sans rien dire ! Tu t'apercevras même pas de ma présence !

Je la posai à terre et lui attrapai la main.

— C'est pas la question... Tout est tellement plus compliqué dans la vie des grands... On va aller à la cafétéria et appeler la police. Si tu ne veux rien me confier, je ne peux plus rien pour toi.

Elle se débattit avec une rage entêtée.

— Non ! Garde-moi avec toi ! S'il te plaît !

— Pas question. Sais-tu que je pourrais avoir de gros ennuis ?

— Justement ! Lâche-moi ou je raconte que tu m'as emmenée de force avec toi !

Je lui serrai le poignet plus fort.

— Quoi ? !

— Arrête ! Arrête ou je hurle ! J'te jure que j'vais hurler !

Je levai les mains en l'air et reculai de trois pas.

— D'accord, d'accord. Calme-toi...

— Regarde mes ongles, fit-elle avec un pli mauvais sur les lèvres. J'ai gratté, dans ton coffre. Tu es sur une aire d'autoroute avec une gosse en robe de chambre et tu ne connais même pas son nom. Les... voix... m'ont dit de cacher des choses, chez toi. Sous ton matelas, dans tes placards... Elles ont de sacrées bonnes idées, parfois, les voix...

Je virevoltai sur moi-même, les doigts brandis au ciel.

— C'est pas vrai ! Qu'est-ce que tu as planqué ? Petite peste !

Elle étira la bouche de ce sourire dangereux.

— Des... culottes de petite fille... Ils vont croire qui, à ton avis ? Et ce n'est pas parce que tu es policier !

Je dus lutter contre de très grandes forces pour ne pas la gifler. J'étais bouleversé, désorienté par le chantage d'une mioche ! Chanter pour quoi ? Je n'avais rien à me reprocher ! Absolument rien ! Et pourtant, elle me tenait par le bout du nez. J'avais l'IGS sur le dos, Leclerc m'observait d'un œil curieux ces derniers temps, comme, d'ailleurs, la plupart de mes collègues. Les apparences jouaient méchamment contre moi. Des culottes de petite fille... Elle avait le diable dans le corps.

Comment m'en débarrasser, si loin de Paris ? Hors de question de la ramener. Mais alors ? La traîner avec moi dans une enquête criminelle ? Et si sa mère la recherchait ? Je zyeutai ma montre. Trois heures du matin. Certainement pas le moment de déranger qui que ce soit, on me prendrait pour un dingue.

*Excusez-moi de vous déranger, mais vous savez quoi ? Il y a une fillette embusquée dans ma bagnole ! Elle ne veut pas me dire son nom, elle veut juste rester avec moi !*

Sept, immeuble des Ibiscus, qu'elle prétendait... Mentait-elle, encore une fois ? Bientôt j'en aurais le cœur net. Très bientôt ! Elle causerait, ah ça oui !

— Allez, monte là-dedans ! Et je ne veux pas t'entendre, compris ?

— Wouiiiii !

Elle effectua un aller-retour vers le coffre.

— Mon livre de *Fantômette* ! Tu vois, je ne l'ai pas oublié ! Eloïse aussi les aimait bien, ces histoires !

J'inspirai profondément, décollai d'un mouvement bref la chemise trempée de mon corps et démarrai.

L'autre, à l'arrière, chantonnait *Stewball*, l'histoire de ce cheval blessé. Je la chantais tous les soirs à Eloïse, en la bordant... Comment cette gamine pouvait-elle savoir ? Cœurs à droite, elle et le tueur... Frêne lacéré... Ses apparitions nocturnes... Sa violence, sa gentillesse... Sa mère, jamais croisée... L'appartement vide du sept... Sept, encore sept... Quelque chose d'irrationnel imprégnait cette histoire. Mais quoi ?

Malgré ma colère, mon incompréhension, je ne pus m'empêcher, dans le rétroviseur, de la fixer avec cette tendresse d'instinct, de la voir s'ensommeiller, alors qu'autour, les collines gonflaient, les vallons se creusaient, déjà tourmentés par le grognement lointain des Alpes...

## Chapitre vingt-sept

Les champs avaient craqué sous la poussée des roches, les routes s'étaient brusquement tordues, l'horizon s'était déchiré en une grande mâchoire affûtée, d'un noir presque effrayant dans la nuit furieuse. Puis l'aube avait grandi, tirant son lourd soleil par l'est. Dans cette poussière d'aurore, la vapeur blanche des échappements montait toute rose de la ville. Grenoble, alors, enflait de vie, frémissant dans le grand berceau des montagnes.

L'enfant, à l'arrière. Là, à la place d'Eloïse. Dans l'obscurité, je n'avais eu qu'à imaginer. Ma fille, allongée sur la banquette, endormie. Je l'aurais réveillée doucement, un bisou sur la joue. Elle aurait voulu son grand verre de lait, avec des morceaux de biscuits coupés dedans.

Fini, tout ça... L'imagination. Juste l'imagination...

Le centre hospitalier s'ancrait sur les hauteurs, au pied de la butte Bastille et en regard des eaux palpitantes de l'Isère. C'était un grand vaisseau spatial, dont le blanc cinglant des bâtiments ultramodernes luisait par-devant le bleu-gris du granit alpin.

À l'entrée, un gardien m'indiqua la direction de l'unité de soins pédiatriques. Sa voix sortit de ses rêves ma petite passagère, qui se frotta longuement les yeux avant de coller son front contre la vitre.

— Les montagnes !

— Exact ! Tu as bien roupillé, on dirait ?

— On est en vacances ?

— Puis quoi encore ?

Je me garai face à une immense barre aux fenêtres oblongues. Ma nuque était pleine de tension, mes muscles pareils à des cailloux. Je me versai une tasse de café tiède et agitai un paquet de biscuits par-dessus mon épaule.

— Des *Petits-Beurres*, ça te va ?

Elle secoua la tête.

— Et un verre d'eau ? Une banane ?

Même réponse muette.

— Comme tu veux, mais je laisse tout ici, si ça te tente... Bon... Tu vas m'attendre dans la voiture, OK ? Je devrais en avoir pour une heure maximum.

— Je veux venir avec toi ! répliqua-t-elle de sa voix grêle d'oisillon.

— Tut tut tut ! Rappelle-toi ce que tu as promis. Je t'ai emmenée mais, en retour, tu ne me déranges pas !

Elle abdiqua et se cala sagement dans le fond de la banquette, son livre de *Fantômette* ouvert entre les jambes.

Je piochai rapidement une chemise propre dans mon sac, me passai un filet d'eau sur le visage et lissai les plis de ma veste. Presque retapé à neuf, le vieux Sharko. Et pas tout à fait mort.

Dénicher rapidement l'interlocuteur adéquat dans un hôpital peut, pour la personne lambda, relever d'une mission impossible. Aussi fallait-il agir avec poigne. À la première blouse croisée, en l'occurrence une infirmière, j'exigeai de parler au chef de service dans les plus brefs délais. J'avais utilisé ma plus grosse voix, celle du flic sévère. Lorsque, de surcroît, elle lut *Direction de la Police judiciaire de Paris* sur ma carte et qu'elle entraperçut mon arme dans son holster, elle s'effeuilla presque.

J'eus alors droit au défilé des grades, à qui il fallait répéter encore et toujours la même histoire. Infirmière en chef, médecin, médecin-chef et, finalement, chef de service adjoint.

Cet dernier arborait un faux air du docteur Magoo. Crâne piqueté d'une poignée de cheveux, yeux luisants et une belle paire de baskets aux pieds. Son badge indiquait *Docteur Cross*.

— Je dois avouer que votre visite... me surprend un peu, fit-il en déchaussant ses lunettes. Nous sommes plutôt habitués aux brigades du coin. Mais là, direction de la police parisienne ? À... sept heures du matin ?

Une nuée d'infirmières s'était regroupée au bout du couloir. Ça chuchotait dur, mais la basse-cour se volatilisa quand Cross y alla à coups de regards furibonds. Je réajustai ma veste sur mes épaules et expliquai :

— Nous avons des raisons de penser qu'une personne que nous recherchons a été hospitalisée dans votre établissement. Et je suis ici pour le vérifier.

— Dans ce cas, nous allons régler cette affaire immédiatement. J'ai énormément de travail et très peu de temps pour le réaliser.

Le médecin me pria de le suivre et se dirigea d'un pas de grenadier derrière le comptoir de l'accueil pour s'installer devant un écran.

— Bien ! Allons-y ! Son nom ?

— Tout n'est malheureusement pas aussi simple. Je ne connais que son prénom... Et... cette hospitalisation remonte à vingt-cinq ans...

Le toubib se perdit dans un long sifflement.

— Ah d'accord ! Et... vous voulez que je fasse quoi ?

— Que vous consultiez vos archives. Cet enfant est resté plusieurs semaines dans le coma. Il...

— Je vous arrête tout de suite, trancha Cross en éteignant son écran. Nous n'avons plus ces dossiers.

Une claque en pleine figure. Docteur Magoo enfouit ses mains dans les poches de sa blouse.

— Il y a des centaines et des centaines de mètres carrés d'archives mortes sous le sol de cet hôpital. Des rapports d'entrées, de sorties, de consultations, les protocoles opératoires, établis bien avant que l'informatique devienne monnaie courante. La plupart de ces dossiers sont en cours d'informatisation, mais le Code civil nous autorise à détruire ceux de plus de vingt ans. J'aime autant vous dire qu'on ne s'en prive pas.

Six heures de route dans les pattes pour s'entendre dire ça. Les veines gonflèrent toutes bleues sur mes avant-bras.

— Et les médecins, les infirmières qui se sont occupés de lui ? Vous avez bien les moyens de les retrouver, non ? Année 1980 ! Donnez-moi les noms, juste les noms !

Une femme débarqua avec un bébé dans les bras. Elle braillait plus que l'enfant.

— S'il vous plaît ! Quelqu'un ! Docteur ! Docteur !

— Les urgences ! lança-t-il en la regardant à peine. Il faut passer aux urgences pédiatriques avant de venir ici ! L'autre aile du bâtiment, sur la gauche !

— Mais ! Il a eu plus de quarante de fièvre ! Toute la nuit ! Docteur !

Une infirmière éloigna la mère affolée, sous l'œil mauvais de Cross.

— Des fièvres, des fièvres et encore des fièvres ! Les coups de chaleur engorgent nos urgences ! Ça n'arrête pas depuis quelques jours ! Jeunes, vieux, bambins. Tout le monde y passe. Fichue canicule !

Il recouvra son calme après de petits mouvements de poitrine, puis me reluqua d'un œil blasé.

— Bref, où en étions-nous ? Ah oui ! Un coma, il y a vingt-cinq ans... Et vous aimeriez rencontrer les praticiens de l'époque... Savez-vous combien de patients nous traitons par an, commissaire ? Plus de mille... Espérer déterrer des souvenirs vieux d'un quart de siècle relève de la pure utopie !

— C'est mon problème. Y a-t-il un moyen, oui ou non ?

L'autre haussa les épaules et déroula un geste d'énervement.

— Essayez de voir avec les services administratifs ! Un bâtiment aux vitres teintées, face à la géode de cardiologie, juste derrière. Ils s'occupent de tout ça. Bon ! Excusez-moi, commissaire, mais j'ai à faire. Bonjour à la tour Eiffel...

Je l'attrapai de justesse par un pan arrière. Il n'apprécia pas vraiment.

— Une dernière chose ! Ces prénoms vous évoquent-ils quelque chose ?

Il m'arracha la liste du *Déluge* des mains, la mine furibonde.

— Vous en avez de bonnes, avec vos prénoms !

— C'est très important... Prenez votre temps...

Après un silence réfléchi, il envoya :

— Rien qui ne coïncide. Je connais bien des Olivier, Pascal, Jean. Mais... La première lettre du nom ne correspond pas... Désolé...

Il m'abandonna là, comme un rond de flan. Allez, courage ! Direction les services administratifs...

En sortant du bâtiment de pédiatrie, je reluquai de loin ma voiture. La petite lisait tranquillement à l'arrière. Cinq cents bornes, pour avaler du *Fantômette*. Et si sa mère s'était affolée ? Si elle avait appelé la police, inquiète de ne pas voir sa môme revenir ? Dans quelle galère m'étais-je embarqué ?

Services administratifs. Même topo. Carte de police, le responsable du responsable du responsable. Une attente interminable, des coups de téléphone. J'eus droit finalement à une bonne grosse, à la face de saxophoniste et aux doigts boudinés.

— La Criminelle de Paris ! fit-elle en pianotant sans se presser sur un clavier. J'aime bien le commissaire Moulin. Vous connaissez ?

— Il travaille dans le bureau juste à côté du mien.

Elle ne m'épargna pas sa plus belle risette.

— Alors, 1980... Unité de soins pédiatriques... Le chef de service était le docteur Reynalds, il a dirigé de 71 à 83. Et...

Après maints clics de souris, elle imprima une feuille.

— ... voici le listing de tous les médecins qui ont travaillé dans l'unité cette année-là. Quatorze au total... Sans compter les infirmières, quarante-sept... Je vous sors leur liste aussi... Notez que les adresses fournies sont celles de l'époque...

— Je me débrouillerai, merci bien. Puis-je utiliser votre fax ?

— Bien sûr !

Elle se mit à chuchoter.

— Dites, vous enquêtez sur quoi ? Un tueur sadique, comme dans les romans policiers ? J'adore les romans policiers.

— Plus sadique encore. Il pose des asticots dans les plaies de ses victimes et recoud par-dessus. Les pauvres se font alors dévorer de l'intérieur...

Ses joues gonflèrent comme deux petites montgolfières. Elle s'éloigna sans plus rien dire, une main devant la bouche.

Je faxai les imprimés à Leclerc, lui expliquant qu'il fallait interroger par téléphone cette cinquantaine de personnes, leur demander de se rappeler un gamin, avec un *situs inversus* et potentiellement hospitalisé dans leur service voilà un quart de siècle. Je le voyais déjà se plier de rire. Enfin, de rire... Si on peut dire...

Je remerciai la fan de séries policières et regagnai ma voiture. La mouflette aux bottines rouges sourit jusqu'à ses dernières molaires.

— Mon Franck !

— Tu vois, je n'ai pas été trop long, répliquai-je d'une voix que j'aurais souhaitée plus dure. Tu veux te dégourdir les jambes ? Il y a une machine qui fait de bons chocolats chauds dans le hall.

— J'aime pas les hôpitaux, grogna-t-elle en s'emmitouflant dans sa robe de chambre. C'est plein de microbes...

— Ah, j'oubliais ! Madame est nunuche ! Tu vas bien manger quelque chose, quand même ? Ou boire un coup ?

— Non, non et non ! Arrête de m'embêter avec ça !

Je haussai les épaules et posai mes mains à plat sur le capot, l'énumération du *Déluge* sous les yeux. Un tas d'inconnus qui avaient sans doute vécu dans la proximité de Vincent, alors que le gamin n'avait pas quinze ans. L'hôpital de Grenoble... Probable qu'il ait passé son enfance dans la région. Et, fatalement, ces gens aussi. Il fallait oublier Paris et chercher là, autour, dans le cercle des montagnes... La solution approchait, je la sentais vibrer sur la trame de ma feuille. Cinquante-deux noms... Un passé commun, il y a vingt-cinq ans... Un enfant dans un hosto... La mémoire fracturée... Grenoble...

La tôle brunissait de chaleur. Je levai un sourcil vers ce soleil déjà agressif qui, par-delà le granit, diluait sa brûlure sibylline.

Derrière, la mère avec son bébé jaillissait des urgences, un portable à l'oreille. Hystérique. Sur le parking, les voitures s'amassaient déjà, lourdes de malades aux visages pas frais.

*Des coups de chaleur*, avait dit Cross. Les coups de chaleur... Les premiers symptômes du paludisme s'apparentaient à des coups de chaleur... Et si l'assassin avait profité du pic de températures pour frapper ? Pour que la maladie se noie dans l'engorgement des fièvres liées à la canicule ? Pour qu'elle puisse se développer à son maximum et... tuer ?

Certes, la vigilance sanitaire avait été renforcée dans la région parisienne, à tous les niveaux. On poserait les bonnes questions aux patients, réaliserait les tests adéquats. Mais partout ailleurs ? Comme ici, à Grenoble ? Un verre d'eau, de bons conseils et hop, dehors ?

Les urgences... La grande enseigne rouge et blanche m'appelait à elle, j'empochai alors cette fameuse liste de prénoms. Il fallait vérifier... Juste vérifier... Je me penchai par la fenêtre.

— Attends-moi encore un peu...

— Dépêche-toi, Franck, fit-elle sans relever le menton. J'ai bientôt fini *Fantômette*.

— Je ne fais que ça, me dépêcher... marmonnai-je entre mes dents.

L'aile du service déroulait ses grands couloirs encombrés, baignés d'odeurs d'antiseptiques et bruissants de gémissements lointains. Les consultants étaient regroupés dans une salle aux parois de plexiglas, à laquelle on accédait après l'étape de l'accueil où une file d'attente grossissait déjà. Je doublai sans ménagement, provoquant des grognements et des protestations basses, puis brandis ma carte de police à la secrétaire.

— Un docteur, et vite !

Une femme en blouse, très cernée, apparut dans la

minute. Je lui resservis mon discours passe-partout, expliquant qu'il me fallait absolument le listing de leurs récents clients.

Elle m'emmena dans un bureau fermé puis souffla un grand coup.

— Un peu de calme... ça fait tellement de bien...

Elle mit en route un logiciel.

— ... Ça n'en finit plus. Nous avons eu plus de cent patients en moyenne ces derniers jours...

— Vous pouvez imprimer ?

— Je ne préfère pas, pour des raisons de confidentialité, mais je peux répondre à vos questions. Que voulez-vous, précisément ?

Je dépliai ma feuille de papier.

— J'ai en ma possession une série de prénoms avec, chaque fois, la première lettre du nom. J'ai besoin de savoir si ces personnes sont passées ici.

— D'accord... Donnez-moi juste une période de départ...

— Saisissez... deux semaines en arrière...

— OK... Démarrons la recherche au 5 juillet... Je vous écoute...

— Odette F...

— ... Non...

— Gérard G... Monique L...

— Non... Non...

— Frédéric T... Jeanne P... David O...

Elle eut un geste fatigué, alors que je débitais les identités.

— ... Non... Non... Et non. Vous en avez encore beaucoup comme ça ?

Je perdis les dernières forces qui m'animaient. J'en avais plein les bottes. Cinq cents bornes de bitume, pour remuer un passé dont personne ne voulait se souvenir. J'écrasai la feuille entre mes doigts et, dans un dernier sursaut de rage, lançai :

— Il faut... essayer encore ! Alexis U... Nathalie R... Roland D...

Elle soupira de lassitude.

— Non... Non... et... N... Attendez ! J'ai un Roland Dumortier ! Avant-hier en milieu d'après-midi !

Mon cœur partit en fanfare.

— Pour... Pour quelle raison ?

— Fièvre et fortes suées. Un simple coup de chaleur...

Le virage d'une enquête criminelle, jailli des lèvres d'une toubib qui ne se doutait de rien.

— Ce... n'est peut-être qu'un hasard, un simple hasard... Continuons ! Thierry H, Arnaud P, Valérie U...

Elle cessa de taper au clavier.

— Mais que cherchez-vous exactement ?

— Poursuivez, s'il vous plaît ! Je répète, Thierry H, Arnaud P, Valérie U...

— Doucement, commissaire... Non... Non... Et non...

— René G... Yvonne G...

Une nouvelle expression de surprise écarquilla ses yeux.

— C'est dingue ça ! Ils sont venus hier tous les deux pour... un coup de chaleur !

Elle fit courir son doigt sur l'écran, fronçant les sourcils.

— Mais... c'est assez curieux... une minute !

— Quoi ? Quoi !

De rides lui barrèrent le front.

— Avez-vous un... Christian Valentin sur votre liste, une... Laurette Boidin et un... Michel Vortreux ?

Christian V, Laurette B, Michel V. Je hochai vivement la tête, au bord de l'asphyxie. Le docteur m'invita derrière son bureau, avec de petits gestes rapides de la main.

— Comment avez-vous deviné ? haletai-je.

— Voyez ! Toutes ces personnes habitent un lieu-dit, situé sur les hauteurs, à une quinzaine de kilomètres d'ici...

— Seigneur ! C'est pas possible ! Dites-moi que j'hallucine !

— Excusez-moi, commissaire, mais... C'est quoi le problème ? Je...

— *La Trompette blanche*... Ces gens habitent tous *La Trompette blanche !*

— Et alors ?

Je portai mes paumes à mes joues. J'avais l'impression que mon corps se vidait de son sang. *Alors, au son de la trompette, le fléau se répandra*. La Trompette blanche...

— Commissaire ? Commissaire ?

Une douleur brûla en moi, une profonde déchirure des chairs. Les noms, cette encre aveugle sur du papier, prenaient subitement vie. Des hommes, des femmes étaient peut-être en train de mourir. Je voyais encore le cadavre de Viviane Tisserand, nu, foudroyé par cette maladie ignoble. Des millions de parasites dans son organisme, détruisant un à un ses globules rouges, escaladant les viscères jusqu'à frapper son cerveau. Je posai une main sur mon ventre, instinctivement, parce que cette saloperie y avait peut-être grossi et une grande vague nauséeuse remonta jusque dans ma gorge. Je me pliai en deux. Mon front se tartinait de sueur, mes yeux bouillaient dans leurs orbites. Le médecin m'attrapa par l'épaule.

— Que se passe-t-il ? Commissaire !

— Il faut... aller vérifier, tout de suite... Tout de suite...

— Vérifier quoi ?

— Le paludisme !

— Mais que...

— Un moyen ! Est-ce qu'il y a un moyen rapide de savoir si quelqu'un est contaminé ?

Elle se cabra brusquement.

— Mais lâchez-moi, bon sang ! Qu'est-ce qui vous prend ?

Je levai les bras en l'air.

— Ex... excusez-moi ! Mais des personnes sont en danger ! Dites-moi s'il y a un moyen de savoir si on est infecté par cette putain de maladie ! ! !

Impossible de maîtriser mes mains, prises de violents soubresauts. Mon interlocutrice recula, un pas derrière l'autre, partagée entre terreur et incompréhension.

— Il... faudrait voir avec le service des maladies infectieuses. Je...

— Faites ! Qu'on ramène ce qu'il faut ! Vite ! Vite !

Elle se mordit les lèvres.

— Je ne sais pas à quoi vous jouez mais... Attendez ici !

Je ne tenais plus en place. Mon corps partait en lambeaux, les afflux de sang poussaient les parois de mes veines. Cinquante-deux noms, étalés sur le papier comme autant de pierres tombales. Un carnage démesuré.

Elle réapparut avec un type balèze, genre gardien de phare, qui portait une mallette en aluminium. Docteur Flament.

— Qu'est-ce que c'est que ce bordel ! furent ses premiers mots.

— Commissaire Sharko, DCPJ de Paris. Vous avez de quoi tester là-dedans ?

Il hocha la tête, se forçant un peu.

— J'ai des kits de Parachecks, utilisés par les équipes mobiles qui partent pour...

— Parfait. Allons-y ! envoyai-je en m'élançant vers l'entrée.

Mais Flament ne bougea pas d'un millimètre. Sa grosse moustache noire mangeait ses lèvres pincées.

— Avant, vous m'expliquez ce qui se passe ! répliqua-t-il d'une voix très grave. Vous débarquez ici, exigez un tas d'informations, agressez presque ma consœur, me demandez de vous suivre pour... vérifier si des patients sont atteints du paludisme ? Ça n'a aucun sens ! Où sont vos collègues ?

Je le harponnai par la manche.

— Je vous jure que vous allez comprendre ! Mais s'il vous plaît, suivez-moi ! Des vies sont en jeu !

Le colosse hésita, puis finit par s'adresser à la toubib.

— Je reste joignable sur mon portable !

Elle acquiesça, bouche bée.

Nous fonçâmes sur l'asphalte, remontâmes la longue bâtisse de pédiatrie jusqu'à ma voiture. Une fois assis, Flament posa sa petite valise sur ses genoux.

— Voilà... les adresses que... votre collègue m'a données... haletai-je en lui tendant un imprimé. Nous devons nous rendre... à La Trompette blanche et... voir si ces gens... réagissent à votre test paludique...

À l'arrière, la petite regroupa ses genoux contre sa poitrine.

— C'est un docteur ! Pourquoi tu ramènes un docteur ici ? Tu essaies de me jouer un mauvais tour !

Je me retournai brusquement.

— Toi, ce n'est pas le moment, OK ? Il n'est pas là pour toi ! Il veut juste m'aider !

Je passai la marche arrière et fis crisser mes pneus.

— Ne faites pas attention à... ma nièce, justifiai-je en fixant mon rétroviseur. Je joue les baby-sitters, on ne devait normalement pas bouger mais il y a eu un imprévu. Je ne pensais pas que la journée serait aussi... agitée...

Le médecin serra si fort son attaché-case que les jointures de ses poings blanchirent.

— Elle... a l'air... charmante...

Il était devenu blanc comme la mort.

— Un problème ? dis-je en l'observant en coin. Vos mains... Elles... tremblent très fort...

— Pou... Pourriez-vous... vous arrêter à l'entrée ? Je dois... signaler ma sortie...

Je fronçai les sourcils. Sa voix trahissait une peur bleue.

— Signaler votre sortie ? Mais... Ça n'a aucun sens !

Il parlait sans me regarder, un pli inquiet sur les lèvres.

— C'est... la procédure...

— Pourquoi me mentez-vous ?

— Je... je ne vous mens pas...

Alors que je ralentissais au niveau du poste de garde, il me lança sa mallette au visage et se jeta sur moi, les deux bras en avant. J'eus le temps d'enfoncer par réflexe la pédale de frein.

— Mais ! Arrêtez ! ! !

Il me domina de tout son poids, comprimant ma joue contre la vitre. Une main m'agrippait les cheveux, une autre appuyait sur ma pomme d'Adam. Je parvins à envoyer un coup de boule sur le côté, il y eut alors un bruit d'os broyé.

Dans un long cri rauque, il pressa encore, de plus en plus fort, alors que des clameurs montaient de l'extérieur. Je m'arquai violemment, sa tête percuta le plafond et il finit sur son siège, à moitié groggy.

Devant, la barrière s'abaissait, deux hommes couraient dans ma direction.

Je démarrai en trombe, grillai le feu et fonçai droit dans l'avenue, laissant le grand vaisseau blanc dans mon rétroviseur. Je secouai le médecin par sa blouse.

— Mais qu'est-ce qui vous a pris ?

Flament déplia un mouchoir sur son nez, un bras levé pour se protéger.

— Vous... Vous êtes malade... Il faut... vous faire soigner...

— C'est à vous de vous faire soigner ! Vous m'agressez sans raison ! Je suis commissaire de police, bon sang ! Commissaire de police ! ! !

Il se ratatina contre la fenêtre passager.

— Laissez-moi m'en aller... Je vous en prie... Qu'est-ce... que vous allez me faire ?

— Mais je ne vais rien vous faire ! C'est dingue ça ! Vous me prenez pour qui ?

— Vous... vous êtes créé un univers dément... Ces gens n'ont pas... le paludisme... Vous n'êtes pas... commissaire de police...

— Ah d'accord ! J'aurais peut-être dû vous briefer avant, il est vrai que la situation...

— Il n'y a personne non plus à l'arrière de cette voiture... Aucune petite fille... Tout ceci... sort de votre imagination.

Je freinai violemment et l'empoignai par le col. Des bagnoles klaxonnèrent.

— Vous commencez à me chauffer sérieusement, OK ?

À l'arrière, la gamine envoyait de grosses grimaces, tirant sur son nez et retournant ses paupières.

Le médecin devenait hystérique. Il embrassa l'arrière de l'habitacle avec de grands gestes circulaires.

— Rien ! Il n'y a absolument rien ! hurlait-il. C'est dans votre tête !

La môme glissa sa frimousse entre nous.

— C'est parce qu'il ne peut pas me voir, murmura-t-elle. Il n'a pas cette sensibilité qu'ont certains, prédisposés... Tu es... différent... Il ne pourra jamais comprendre. Ne perds pas ton temps avec lui, d'accord ? Tu n'aurais jamais dû le faire venir ici... C'est un scientifique, les scientifiques sont dangereux...

Je me pris la tête dans les mains.

— Mais qu'est-ce que tu racontes ? C'est pas possible... Docteur ! Dites-moi que vous la voyez ! Elle est juste là ! Derrière vous ! Une robe de chambre bleue ! Des chaussures rouges ! Willy, mon voisin, la connaît aussi !

Flament secoua la tête.

— Il n'y a rien, monsieur... Absolument rien...

Mes bras fuyaient, mes jambes cédaient. Une incroyable impression de m'évaporer.

— Je... je ne peux plus conduire... Faites-le, docteur, s'il vous plaît... Rendons-nous à cet endroit...

— D'accord, mais... promettez-moi de me relâcher dès que... j'aurai... examiné ces personnes...

Je sortis de la voiture, tout chancelant, tandis qu'il prenait ma place au volant.

L'enfant me suivait du regard, ce regard d'un noir profond, brillant comme une pierre de vie. Alors que je m'installais, elle se faufila entre les sièges et posa son doigt sur mes lèvres. Ce doigt, dont je ne perçus pas la chaleur.

— Chut ! Franck... Chut ! Je t'expliquerai tout, quand le temps sera venu... Mais, à partir de maintenant, ne parle plus de moi à personne. Pour notre sécurité, à tous les deux...

Un fantôme... Aussi dingue que cela pût paraître, le fantôme d'une fillette flottait dans mon véhicule.

Heureusement, Willy l'avait vue, lui aussi. L'unique lien prouvant que je n'étais pas devenu dingue.

# Chapitre vingt-huit

Très vite, le paysage s'était déchiré, la roche effleurait à présent l'asphalte de ses remparts bleutés. La route sinuait sauvage, le vide plongeait d'un côté, en contradiction avec les raideurs effrontées de l'autre. On ne respirait plus, par les fenêtres ouvertes, que l'haleine blanche des Alpes.

Les doigts crispés du docteur ne décollaient plus du volant. Il fixait le serpent de bitume, sans un mot, essuyant de temps à autre la sueur qui coulait grassement sur ses tempes.

Moi, je me concentrais sur le rétroviseur. Elle se tenait bien là, à l'arrière, le front plaqué contre la vitre. Je pouvais la décrire si précisément ! Ses cheveux de jais, la finesse de ses traits, les cocardes de ses lacets, avec leurs doubles nœuds. Pourquoi Flament ne la voyait-il pas ?

Dans les temps passés, il m'était arrivé de croire aux esprits, aux présences spectrales qui revenaient accomplir une dernière mission. Mais là... Un fantôme que j'avais porté dans mes bras ? Dont j'avais senti le cœur battre ? Ce cœur à droite ?

La route chuta subitement vers un plateau d'un vert émeraude, tant la nature y frissonnait avec générosité.

Semées sur les plaines douces, une poignée de maisons élevaient leurs fiers toits rouges par-dessus le gris clair de leurs pierres. L'endroit isolé fleurait bon, entre les chèvres et les vaches mollassonnes, dans la paix du silence alpin. Et dire que la mort s'y déployait, farouche et cruelle...

Au cœur du lieu-dit, le calme rappelait ces villages perdus dans l'Est américain. Des chaises vides devant les façades aux persiennes closes. Ici comme ailleurs, on cherchait à se préserver de la fournaise qui déboulait des plaines, éclatait dans la rue en grandes flammes dévastatrices. Pourtant, par-delà les cimes, un front nuageux semblait grossir. Un mirage, probablement.

— Nous sommes arrivés, annonça mon chauffeur en se garant devant une vieille bâtisse. Roland Dumortier...

— Y a pas l'air d'avoir foule...

Je me retournai.

— Je sais, Franck, je vais attendre, glissa la gamine en agitant son livre. Je suis bientôt au bout de mon histoire... Toi aussi, n'est-ce pas ?

Elle poussa un rire léger de rossignol avant de se replonger avec acharnement dans sa lecture.

Mes coups sur la porte d'entrée de Dumortier n'obtinrent pour réponse qu'une toux écrasée, lointaine. Personne ne vint ouvrir.

— Il faut entrer, fis-je en tournant la poignée.

Le visage de Flament s'était aggravé. De l'intérieur, la toux grondait forte, pareille à une sérieuse bronchite.

— Allons-y...

Mais la porte était verrouillée, les volets fermés. La serrure ne résista pas longtemps aux limes à ongles de mon kit spécial. Flament hésita à franchir le seuil. À maintes reprises il aurait pu s'échapper, mais il m'accompagna quand même, la mâchoire serrée. L'instinct du médecin, probablement.

Des épées de lumière découpaient l'obscurité de la chambre, étoilant un visage aux yeux très brillants. Recroquevillé dans son lit, tremblant par-dessus ses draps trempés, Dumortier nous fixa bizarrement avant de s'étrangler dans une quinte sévère.

— Comment... vous êtes là... gémit-il, une serviette en éponge sur les tempes.

Le listing de l'hôpital indiquait quarante-deux ans mais l'ours en paraissait dix de plus. Des poils hirsutes jaillissaient de ses joues, sa face se contractait en un amas de rides profondes.

— Je suis médecin, expliqua Flament en s'approchant de lui. Vous êtes venu aux urgences il y a deux jours. Depuis quand toussez-vous ?

— J'ai commencé... c'te nuit... C'te saloperie de fièvre se pointe tous les quat' doigts... Jamais... jamais eu aussi froid de ma vie...

Flament ouvrit sa mallette.

— Et... pourquoi ne pas avoir appelé un médecin ?

Dumortier se redressa fébrilement sur ses coudes.

— C'te con de toubib... du village voisin... il est encore en vacances... Le plus près... c'est... Grenoble... On m'a dit... que c'te fichue fièvre passerait... Mon cul...

L'homme alité retrouva une toute relative lucidité lorsqu'il aperçut une aiguille.

— Mais... Qu'est-ce que vous foutez ici ? J'ai quoi ?

— Simple contrôle, répliqua le praticien en enfilant des gants en latex. Nous voulons nous assurer que vous êtes victime d'un simple coup de chaleur, et non pas d'une infection ou d'un quelconque virus. Je vais vous poinçonner le doigt de manière à vous prélever une goutte de sang. Vous ne sentirez rien.

— Et lui ? Qui c'est ?

— Un assistant, mentit le docteur.

Dumortier tendit un bras tremblant. Avec l'aiguillon stérile, Flament fit fleurir un pétale de sang, qu'il étala ensuite sur une bandelette jaune en son extrémité. Dans son geste, il m'adressa une œillade sévère.

— J'espère qu'après ça, vous me ficherez la paix !

Il agita la bande-test, tout en posant sa main sur le front du patient, puis il se rigidifia brusquement quand le jaune clair vira au bleu cobalt.

— Sacré bon Dieu ! Comment est-il possible que...

— Quoi ! brailla Dumortier en se suçant l'index. Quoi !

Flament peina à retrouver sa voix.

— Cette couleur... prouve la présence d'antigène du plasmodium dans votre sang. Je suis désolé mais... vous avez... le paludisme...

Dumortier tressaillit, se perdit dans une expression de vacuité avant que la réalité ne le fouette violemment.

— Mais... Mais c'est pas possible ! C'est pas possible ! Toubib ! J'ai jamais quitté c'te place ! C'est une erreur ! Une putain d'erreur !

— Navré, souffla le docteur en secouant la tête. Mais le test est sûr à cent pour cent... Je ne peux pas dire... quel taux de parasite, mais la période d'incubation est passée. Nous allons vous hospitaliser. Maintenant...

Dumortier s'arracha de sa couche et lui agrippa la manche.

— Vous déconnez, docteur ! C'est pas vrai !

Il s'effondra sur son lit, à genoux, les paumes tournées au ciel, tandis que Flament s'approchait de moi en ôtant ses gants.

— Combien... de personnes avez-vous sur... votre liste ?

Je dépliai difficilement la feuille, les phalanges paralysées.

— Cinquante-deux...

— Seigneur Dieu !

Ça y était... Le fléau était ici, dans les foyers. On pouvait le sentir à la moiteur, à la douleur des visages. Cet air lourd, humide, souillé. Nous arrivions trop tard, bien trop tard...

Je me ressaisis et poussai les identités sous les yeux hagards de Dumortier.

— Je suis sincèrement désolé, monsieur... Mais... vous devez me dire si vous connaissez ces personnes.

Il serra un drap entre ses poings, les traits décomposés, avant d'acquiescer lentement.

— Odette Fanien... Gérard Greux... Frédéric Tavernier... Oui... tous... Ils habitent... ici... au pied des collines...

Une nouvelle quinte de toux le plia en deux. Je m'assis sur le lit, les jambes fébriles. Aujourd'hui plus que jamais, je détestais mon métier.

— Commissaire... Qu'est-ce qui se passe ici ? s'éberlua le médecin, la bandelette bleue entre ses mains agitées.

Je sortis mon téléphone portable.

— Ce village est en train de mourir... Ne... ne passez aucun coup de fil tant que je n'ai pas joint mes supérieurs...

# Chapitre vingt-neuf

Leclerc avait accusé un sacré coup à l'autre bout de la ligne. Une fois seul, je lui avais expliqué que le palu avait touché un lieu-dit sur les hauteurs de Grenoble et que, pour le moment, nous ignorions l'étendue des dégâts.

Une chose était cependant certaine. Le délai d'incubation avait explosé. Si les personnes atteintes ne mouraient pas, elles traîneraient les fièvres et les malaises jusqu'à la fin de leur existence.

Le divisionnaire m'avait demandé d'assurer la plus grande discrétion, dans l'attente de directives précises des hautes instances. Il ne s'agissait pas de laisser se répandre une peur panique. Pour chapeauter un plan d'urgence, il avait contacté l'antenne grenobloise du SRPJ de Lyon. Les équipes ne tarderaient pas à débarquer, avec ambulances et personnel soignant.

À l'étage, Dumortier tremblotait en chien de fusil, brûlant de fièvre. Il délirait presque, ses yeux roulaient fous dans ses orbites d'un jaune cireux.

Le médecin, à ses côtés, paraissait désemparé.

— Nous devons l'emmener à l'hôpital ! Maintenant ! Lui et... les autres de la liste !

— Des secours vont arriver rapidement, accompagnés de policiers.

Flament me lança un regard furieux.

— Je suppose que vous n'allez pas me dire ce qui se passe ? J'ai le droit de savoir, bon sang ! À quelle... expérience diabolique ont été exposés ces gens ? Vous êtes... des services secrets ? Sont-ils victimes d'un acte terroriste ?

Je le tirai par le bras vers l'autre bout de la chambre.

— Il n'y a rien de terroriste ! Ce sont les folies d'un malade qui court nos rues. Il se venge de... ces cinquante-deux personnes... Dites, vous connaissez le coin. Y a-t-il un risque que les moustiques aient essaimé dans d'autres villages ?

— Le plus proche est à plus de trois kilomètres d'ici. Il n'y a pas eu un seul grain de vent ces quinze derniers jours et les anophèles sont plutôt endophages. Le risque est donc quasi nul... Mais... Pourquoi se vengerait-il de ces individus ?

— Je l'ignore, ça a très certainement à voir avec son passé, il y a vingt-cinq ans. La réponse se trouve forcément dans la bouche de ces villageois. Alors vous allez rester avec lui, en attendant les renforts. Je file interroger quelqu'un de plus vaillant.

— Commissaire ! Vous me devez plus d'explications !

— Je ne vous dois rien du tout ! Faites votre boulot, je fais le mien ! OK ?

Avant de quitter la chambre, je me retournai :

— Vous me prenez toujours pour un fou ?

L'homme de l'art, l'air toujours très grave, garda le silence. Je tendis un doigt menaçant dans sa direction.

— Ne parlez de ce qui s'est produit dans la voiture à personne ! Surtout pas aux policiers qui vont bientôt débarquer, vous m'entendez ? Tout ceci... vous échappe...

— J'essaierai d'agir au mieux...

J'opinai et disparus à grandes enjambées.

Mon véhicule brillait sous le soleil, le bitume se craquelait sous la chaleur. Je me penchai par la fenêtre arrière, une main en visière. Ma gorge se serra. Plus de livre de *Fantômette*, plus de gosse.

J'envoyai un regard paniqué aux alentours. Les plaines, la rue déserte. Quel nom crier ? Je ne connaissais même pas son prénom ! Je m'élançai au travers de la voie d'asphalte en courant. Pas un chien.

— Petite ! Petite ! Et merde !

Flament ne l'avait pas vue... Un fantôme... Elle ne buvait pas, ne mangeait pas, ne suait pas. Venait et allait-elle à sa guise ? Comme dans mon appartement, malgré... les portes fermées ?

Pas le moment de tergiverser, il y avait bien plus urgent. Odette Fanien. Deux pâtés de maisons plus loin. Un pavillon minuscule.

Dieu merci, elle répondit. C'était une vieille dame au teint frais, droite sur ses jambes, avec des mains semblables à des pierres érodées. Son nom figurait sur la liste, pourtant elle n'avait pas consulté les urgences et semblait moins branlante que Dumortier. Carte tricolore devant ses yeux.

— La police ?

— Pourrait-on discuter à l'intérieur ?

Des senteurs de lavande et de menthe fraîche montaient, puissantes, de pots en terre cuite.

À l'arrière, une large baie vitrée ouvrait sur les grandes mâchoires blanches des Alpes.

— Vous allez trouver curieux que je vous demande ça, entamai-je en l'aidant à s'installer dans son rocking-chair, mais comment vous portez-vous ? Pas de fièvre, de maux de tête, de toux ?

— Drôle de question mais je vais bien, merci ! Qu'est-ce qui se passe ?

Des bouquets de fleurs explosaient en papillons multicolores, soulignant avec une cruauté passive comme il devait être agréable de vivre en ces hautes terres. Sur l'invitation de la vieille dame, je m'installai sur une banquette en rotin.

— Je mène une enquête, articulai-je lentement, et les circonstances m'ont amené ici, à La Trompette blanche. Dites-moi, les déménagements sont-ils fréquents ?

— Vous rigolez ou quoi ? La Trompette blanche vieillit au rythme de ses habitants. Aujourd'hui, les jeunes partent, mais les vieux, eux, restent. On a tous grandi ensemble et on mourra tous ensemble...

La Trompette blanche, telle une photo ancienne, dont les couleurs jaunissaient avec le temps mais sans perdre son identité profonde. Assurément, les villageois d'il y avait vingt-cinq ans n'avaient pas bougé.

— L'un de vos voisins, monsieur Dumortier, est assez malade. Nous pensons que plusieurs personnes du coin, vous y compris, pourraient être touchées par... une maladie.

— Une... une maladie ? Quel genre ?

— Elle est transmise par certains moustiques, apparaît avec la fièvre et...

— Ah ! Bon Dieu ! C'est ça ! Y en a trois ou quatre qui ont chopé la fièvre ! Ils ont tous cru à un coup de chaleur, le soleil est tellement mauvais cette année ! Et... c'est dangereux ?

— Difficile de vous préciser plus pour le moment. Un médecin va venir vous ausculter.

Elle poussa sur ses pieds fatigués, le regard brusquement évasif.

— Bizarre, cette histoire... Des moustiques, y en a jamais par ici, mais j'en ai vu une flopée dans mon hall l'autre fois. D'autres aussi en avaient chez eux. On aurait dit une invasion.

Ce fumier n'y était pas allé de main morte. Plus je sème, plus je récolte.

— Ils ne vous ont pas piquée ?

Elle désigna un vase débordant de feuilles de menthe.

— Trente ans que je me frotte bras et jambes avec de la menthe fraîche, tous les soirs ! Une recette de ma mère, pour la circulation sanguine. À tous les coups, ça les a écartés.

Elle parlait avec simplicité, comme si ces *détails* ne la concernaient pas.

Je pris un air plus grave.

— Ecoutez-moi très attentivement, madame Fanien. Le prénom de Vincent vous suggère-t-il quelque chose ?

— Vincent ? Non, non... Absolument pas...

Elle avait répondu très vite, sans vraiment réfléchir.

— Et Tisserand ? Viviane, Olivier Tisserand ? Cherchez loin en arrière. Ça remonte à vingt-cinq ans.

Elle sollicita encore le rocking-chair d'un balancement mollasson.

— Vingt-cinq ans ? Oh ! C'est bien trop vieux tout ça... Non, non, désolée. Tout ceci ne me dit absolument rien.

— Faites un effort, bon sang ! Il y a vingt-cinq ans ! Il a dû se passer quelque chose de sérieux ici, à La Trompette blanche !

— Sérieux ? Mais...

— Rappelez-vous de deux docteurs, les Tisserand ! Un gamin de quinze ans, Vincent ! Une femme aux longs cheveux torsadés, jeune et très jolie, peut-être sa mère ! Avec des cicatrices, partout sur la poitrine ! Ça vous évoque bien quelque chose, nom de Dieu !

Elle tressaillit soudain. Ses joues qui vibrent, ses mains sur ses tempes. Le tourbillon d'un malaise.

— Vin... Vincent ! Suis-je bête ! C'est de ce Vincent-là dont vous me causiez !

— Oui ! Oui ! Ce Vincent-là !

— Oh ! Mon Dieu !

Le souvenir était là, sur le bout de ses lèvres. Si fragile, si loin, mais pourtant tout proche. Un pétale prêt à éclore. Je lus dans ses yeux la détresse d'un marin perdu. Son rocking-chair s'immobilisa dans un dernier craquement.

— Oh ! Vincent... Vincent... Vincent...

Je pris une position plus entreprenante, le dos vers l'avant, le front bien droit.

— Parlez-moi de lui.

Elle secouait la tête de dépit.

— Pas étonnant que ça m'a pas fait tilt... Après le drame, aucun des habitants de La Trompette n'en a reparlé. On voulait oublier... Tout oublier... Oh ! Pourquoi retourner ça aujourd'hui, après tant d'années ? C'est une cicatrice... si douloureuse...

Son regard triste accrocha la photo de son mari. Je l'accompagnai dans le silence quand elle pointa soudain un index fébrile.

— Vincent vivait sur l'autre versant de cette colline...

— Avec ses parents ?

— Juste sa mère... Son père les a abandonnés quand sa mère a commencé à... entendre les voix... Ils n'étaient pas mariés... Juste concubins... Il est parti comme ça, du jour au lendemain. On ne l'a plus jamais revu...

— Sa mère entendait des voix ?

Odette acquiesça, les yeux rivés sur les vallons verdoyants.

— Elle n'avait pas vingt-cinq ans... Une femme... magnifique... Mais c'était... une beauté empoisonnée... Une représentation cachée du Diable !

Elle réagissait à ses propres paroles. Ses rides se plissaient, son visage devenait colère.

— Jeanne d'Arc, je me souviens... Tout le monde, à La Trompette, l'appelait Jeanne d'Arc... Elle était persuadée que...

La vieille dame se signa.

— ... le Seigneur l'avait choisie, avec six autres messagers, pour mettre à l'épreuve les hommes face aux péchés. Les sept péchés capitaux...

Elle compta sur ses doigts, très lentement.

— ... Avarice... Colère... Envie... Gourmandise... Luxure... Orgueil... Et paresse...

Cette fois, sa main désigna une Bible, posée sur une étagère. Sa jugulaire battait fort, toute bleue sur son cou très pâle.

— Tout ceci n'avait aucun sens, poursuivit-elle d'une voix blanche. Les péchés capitaux n'existent pas dans la Bible, aucun des pères de l'Eglise n'y fait allusion. Ils n'apparurent qu'au sixième siècle, ils n'ont rien à voir avec Dieu ! C'était de la pure... folie, rehaussée d'une grossière erreur ! Et cette... folle prétendait parler au nom du Seigneur ? Et elle osait se rendre à l'église, le dimanche, y traînant son pauvre garçon ? Je l'ai détestée rien que pour ça !

Elle porta une main tremblante à ses lèvres.

— De ressasser tout ça me donne la chair de poule...

Elle croisa les bras sur sa poitrine, la mine distante.

— Personne ne la soignait ? Un médecin, un spécialiste ?

— Ça a duré des années comme ça. Elle... comment dire... n'était folle que par intermittence. Elle pouvait travailler, élever son fils, entretenir sa maison. Mais quand les crises la frappaient, elle... devenait quelqu'un d'autre. C'était... effrayant... Bien plus tard, quand les gens en blouse sont venus, ils ont collé un nom à sa maladie... Schizophrénie...

— Des gens en blouse ? Qui ça ?

Elle poussa sur ses bras, le visage froissé, et se servit un grand verre d'eau.

Le goulot claqua contre le verre, elle renversa même un peu de liquide sur la table.

— Vous... vous en voulez ?

— Oui, s'il vous plaît... Qui étaient ces gens en blouse ?

Elle expira longuement.

— Vous... Vous voulez réveiller cette histoire malheureuse, alors je vais vous la raconter... Mais, je vous en prie... ne brûlons pas les étapes...

— D'accord, d'accord... Juste un détail, avant. Son nom... Le nom de Vincent...

Elle me lança un regard assombri.

— Oui, bien sûr. Vous êtes policier, il n'y a que ces choses-là qui vous intéressent ! Des noms ! Le reste, vous vous en fichez !

— Vous vous trompez. Vous ne pouvez pas savoir à quel point j'ai envie de le connaître, qui il était, pourquoi il a tant souffert. Parce qu'il a souffert, madame, n'est-ce pas ?

Elle écarta un rideau d'une des fenêtres de la façade.

— Enormément... Il s'appelait... Vincent Crooke. Oui, Vincent Crooke...

Je le tenais enfin.

— Ça alors, annonça-t-elle l'œil rivé au carreau, il y a des hommes en tenue militaire qui entrent dans les maisons. Ce serait trop vous demander de me dire ce qui se passe ?

— Ne... n'y prêtez pas attention ! Continuez, je vous en prie ! L'histoire !

— Pas avant vos explications ! Il semblerait qu'ils veulent aussi venir chez moi !

— Et merde !

Je me jetai dehors, la rage aux lèvres. Deux types au pas dur se précipitèrent vers moi.

— Commissaire principal Lallain, antenne grenobloise, entama le plus grand, en costume bleu et cravate rayée. Et voici le médecin-major Bracks.

— Merde ! Que fiche l'armée ici ? envoyai-je sans tendre la main.

— On préfère garder au maximum le contrôle de l'information ! répondit Bracks sur un ton sans ambiguïté. Ordres du ministère ! Cette population va être conduite dans le service de parasitologie de l'hôpital militaire de Grenoble, sous notre escorte !

Loin, très loin dans le ciel, il y eut un craquement d'orage. L'air se saturait d'une moiteur électrique.

— Je vois le genre ! rétorquai-je d'une voix sèche. Excusez-moi, mais je retourne là-dedans terminer mon interrogatoire !

— Minute ! intervint le flic. Il va falloir que vous me détailliez tout le dossier, Sharko, et très vite !

Mes nerfs commençaient à se tendre. J'entraînai le duo un peu à l'écart.

— Pas le moment de me saouler avec de l'administratif, OK ? Faites votre boulot de ramassage, je termine le mien ! Ces gens sont en train de crever, on a plus urgent que de palabrer !

Odette Fanien nous observait au travers de sa fenêtre, les poings sur la poitrine.

Entourés de blouses et de treillis, les villageois s'engouffraient dans les ambulances alignées en une longue procession blanche. Hommes, femmes, même des enfants. Des sanglots étouffés roulaient sur la plaine, mêlés aux lamentations sinistres des plus malades. L'endroit n'était plus qu'une chape de gémissements, un camp morbide d'où éclataient sans mesure des prières violentes et des hurlements d'incompréhension.

— Un putain de merdier ! cracha Lallain en desserrant sa cravate et ôtant sa veste.

Un médecin voulut franchir le seuil d'Odette Fanien. Je me précipitai sur lui.

— N'entrez pas là tout de suite, bordel ! Je m'en occupe !

Il grogna un coup avant de passer à la maison voisine.

— Ecoutez, Lallain. Laissez-moi terminer cet interrogatoire en paix avant d'embarquer Fanien, OK ? Après, je vous raconterai tout ce que vous voudrez !

— D'accord, Sharko. Mais magnez-vous ! On n'a pas notre journée.

M'isolant, j'appelai Leclerc et lui communiquai un nom, Crooke, avant de retourner dans ce pavillon minuscule, recroquevillé dans les profondeurs des Alpes. Là où m'attendait la fin de l'histoire...

Et la naissance d'un monstre...

## Chapitre trente

La vieille dame ne décollait plus son front de la vitre. Ceux qu'elle avait côtoyés toute sa vie, ses voisins, amis, compagnons de parole disparaissaient brusquement, happés par la vengeance d'un seul être.

— Qu'est-ce qui se passe dehors ? Pourquoi toutes ces ambulances ? Ces militaires, ces docteurs ? Vous avez parlé d'une maladie ! Les moustiques !

— Ils transportent un parasite qui pourrait causer des fièvres, mais les médecins vous donneront un traitement très efficace. Dehors, c'est impressionnant, mais on préfère prendre nos précautions et vous faire passer des examens à l'hôpital.

— L'hô... L'hôpital ? Mais... Et vous là-dedans ? Pourquoi la police ?

Elle ne lâchait pas l'affaire. Ces crétins en kaki avaient vraiment débarqué au mauvais moment.

— Je... je suis à la recherche de Vincent. Nous pensons qu'il est revenu à La Trompette blanche semer ces insectes, pour se venger. Ecoutez, madame Fanien, je sais que c'est difficile pour vous, mais vous devez me raconter cette histoire parce que, sinon, Vincent pourrait recommencer. Vous comprenez ?

Odette se laissa submerger par les émotions, les sillons profonds de son visage se comprimèrent, s'entre-croisèrent, appelant peine, colère, chagrin. Au bord des pleurs, toute ramassée sur une chaise, elle tamponna ses joues de roche avec un mouchoir.

— On ne méritait pas ça... On ne méritait pas ça...

Je m'installai à ses côtés et lui pris les mains.

— Aucun être humain ne mérite une chose pareille, quoi qu'il ait pu faire... Odette, je vous en prie... Aidez-nous à le coincer.

Elle versa une larme, puis releva le menton en signe de collaboration.

— Donc, repris-je tout bas, sa mère entend des voix, qui lui ordonnent de mettre à l'épreuve les hommes en les confrontant à l'un des sept péchés capitaux. C'est bien ça ?

— Oui...

— Quel péché s'était-elle vu confier ?

Ses doigts noueux s'enroulèrent sur les miens.

— L'envie... Par l'envie, elle testerait la fidélité. De l'envie naîtrait l'adultère, que la Bible condamne sévèrement. L'envie allait se répandre sur nos collines paisibles en un grand serpent sournois et destructeur.

Ses paroles saignaient, à nouveau son visage s'obscurcissait, à l'image des nuages qui dévalaient furieux des pentes. Un craquement plus sévère résonna dans les vallées. Ça approchait...

— Elle emploiera tous les subterfuges, les artifices pour piéger nos maris. Et elle y arrivera. Oh ça oui, elle y arrivera !

— Comment ?

— Le charme. Les sous-entendus. Les tenues affriolantes. Les bains qu'elle prenait au petit matin, nue, à la cascade, loin dans la forêt... Oh ! Croyez-moi, les hommes connaissaient cet endroit ! Puis... On découvrira plus tard, chez elle, un tas de composés aphrodisiaques ou des hallucinogènes puissants... Notamment des psilocybes, des champignons du coin...

— Comme des philtres d'amour ?

— En quelque sorte, oui...

— J'avoue que j'ai du mal à saisir... Vous auriez dû réagir ? Je ne sais pas moi, vous...

Elle rabattit sa paume sur la table.

— Vous n'avez pas vécu ici, ne connaissez pas l'état d'esprit de l'époque ! Vous ne pouvez pas comprendre...

Je levai le front vers les ondulations verdoyantes. J'y imaginai l'être de chair aux longs cheveux ondulés, aux yeux de jade, aux seins rebondis, jaillie de l'un des dessins au fusain pour embaumer les mâles de ses potions diaboliques.

— Et Vincent ?

Elle inspira profondément, de ses poumons fatigués.

— La police nous apprendra plus tard qu'elle le forçait à épier ses perversités... Dans la chambre, il y avait une glace déformante au plafond qui... faisait onduler les corps... Vous savez, un peu comme dans les foires.

J'acquiesçai.

— ... Puis un placard, percé d'un trou, où elle enfermait le petit avant d'amener des gars dans son lit... Un trou trop haut pour que le gamin ait les yeux en face... Alors, on a supposé qu'il ne voyait sa mère... que de biais, par l'intermédiaire de ce drôle de miroir... On n'a jamais bien su... le pourquoi de ce stratagème... Apr... Apr...

Son verbe fléchissait, tant ses pensées la blessaient. Je lui serrai à nouveau les mains fort entre les miennes.

— Prenez votre temps, Odette. Tout le temps qu'il faudra...

— Après... l'acte, elle... se mutilait la poitrine avec... un couteau... Elle... y traçait... une croix...

Comme un trophée de plus... Il... il paraît aussi que... qu'elle s'était... fait ligaturer les trompes... pour... pour ne plus jamais être fécondée...

La ligature des trompes. Le tatouage représentant le nœud... Odette allait craquer, elle n'irait pas au bout. J'empoignai les rênes de la conversation, inclinant un peu la tête.

— Je crois savoir le pourquoi de ce stratagème, la glace déformante. Vous voulez en connaître la raison ?

Elle leva un visage attristé, opinant lentement.

— La mère ne voulait montrer à son fils qu'un reflet d'elle, une simple image. Peut-être lui faire sentir que ce n'était pas elle qui officiait, pas son âme mais juste son enveloppe charnelle. Le corps n'est qu'un instrument ; le miroir le dématérialise encore plus, il l'aplanit, le déforme, le détache de son propriétaire, il sépare la chair de l'esprit... Je crois que Vincent l'a perçu comme tel et il n'en a jamais voulu à sa mère... J'en suis même persuadé...

Elle émit un long souffle rauque. Moi aussi, l'histoire me prenait aux tripes, me soulevait de terre, m'ébranlait.

Je nous versai un nouveau verre d'eau. Elle le but à grandes gorgées bruyantes.

— Donc, repris-je d'une voix comparable à un murmure, Vincent grandit avec une mère qui a des crises de délire et attire des hommes chez elle. À quoi ressemble sa jeunesse à La Trompette blanche ?

Elle garda le verre au creux de ses paumes.

— Un mur de dégoût a grandi contre ces deux êtres... Les femmes détestent la mère, leurs gosses détestent Vincent... Personne ne le connaît réellement, en définitive... Il est très solitaire, parle peu, reste constamment enfermé, aux côtés de... cette folle. Je pense même qu'il... qu'il s'occupait d'elle, quand elle ne pouvait pas le faire... On le voyait souvent remonter des bûches de la forêt... ou aller chercher le lait et le pain au village voisin...

— À Veyron, c'est bien ça ?

— Oui, Veyron... Les quatre ou cinq années où il a vécu ici, il a subi les agressions verbales, les brimades, les sobriquets. *L'œil de Satan Jean d'Arc.* À l'école primaire de Veyron, ou dans le bus qui l'emmenait au collège, à Grenoble, il était, pour les enfants comme les parents, tantôt le fils de la folle, tantôt le fils de... la salope... Il a traversé cette route tous les soirs en pleurs, avant de grimper sur sa colline, sous les insultes... Que vous dire ? Je... je n'ai pas été différente des autres... Je les ai haïs, moi aussi...

Elle considéra la photo de son mari, les yeux embués.

— ... pour ce qu'ils m'avaient volé...

Odette se leva et resta figée devant sa baie, les pupilles rivées vers ce vert d'émeraude.

— Nous sommes maintenant en 1980, poursuivis-je en la rejoignant. Vincent a quinze ans. Comment cela s'est-il terminé ?

Elle croisa les bras, bouleversée par le froid intense de ses souvenirs.

— Mal, très mal... Nous... avions promis de ne plus jamais en parler... à quiconque... Il fallait oublier... Tout ce mal...

— On n'oublie jamais... Tout reste enfoui là, en nous, quoi qu'on fasse...

Elle rencontra mon regard dans le reflet de la vitre.

— Un... un soir d'été, la folle est descendue en larmes, sanglotant que son enfant avait disparu, qu'il... qu'il était parti en courses à Veyron sans en revenir. Vous l'auriez vue cogner à nos portes ! Personne ne lui a ouvert, on... lui a même...

— Ri au nez ?

— On peut dire ça, oui... L'air était très chaud, brûlant même, je me rappelle... Certainement l'un des étés les plus étouffants, jusqu'à cette année... Ensuite... elle part errer dans les collines puis... s'enfonce dans la forêt, alors que la nuit tombe et que l'orage gronde très fort au loin... Les hommes veulent l'empêcher d'aller là-bas et partir eux-mêmes à la recherche du gosse, mais... les femmes font bloc. Pas question de lui porter secours, surtout pas eux ! À ce moment, personne ne pense à Vincent, la colère, la rage, le ras-le-bol sont trop forts...

— Et ?

— Elle est revenue le lendemain matin... les membres en sang, les paumes ouvertes... L'orage avait été d'une violence inouïe, la forêt est dangereuse, très pentue et pleine de silex tranchants, de racines... Son fils n'était pas là... Cette fois, l'inquiétude grandit... Sans crier gare, la folle se rue sur Renée, la mère des frères Ménard... Elle lui arrache les cheveux, lui lacère le visage de ses ongles, prétendant que ses mômes ont toujours détesté son petit et lui veulent du mal... Les hommes se précipitent, on appelle la police...

Le drame grandissait, on pouvait palper, rien qu'à observer ces collines, l'ambiance morbide de l'époque. Des habitants isolés, apeurés, haineux, ligués en masse contre une pauvre femme et son fils.

— ... L'un des Ménard finit par avouer, sous la pression de la police... Alors il raconte... Avec son frère, ils ont voulu effrayer Vincent en l'entraînant dans un endroit qu'ils ont découvert, derrière la cascade de la Goutte-d'Or, loin là-bas, derrière la forêt... Le minot aurait glissé au fond d'une galerie, alors ils ont fui, pris de panique... Vincent sera remonté de la grotte une nuit et un jour après sa disparition...

Elle pleurait à présent, de larmes silencieuses.

— Les hommes qui sont allés... visiter cette grotte profonde rapporteront qu'elle était envahie... d'insectes... Des centaines d'araignées, de cafards, un tas de bestioles horribles... pire que dans un cauchemar... Il paraît que c'était à cause... de l'humidité et de la lumière, je sais pas trop... Imaginez un peu la terreur du gamin... Un gamin de quinze ans...

— J'imagine parfaitement, croyez-moi, j'imagine parfaitement... Et donc, Vincent retrouve sa mère ?

— Quand il rentre chez lui, il... il y découvre deux médecins... un homme et une femme, qui... qui lui expliquent que sa mère ne va pas bien... qu'ils... qu'ils vont la placer en sécurité, pour la soigner...

— À l'hôpital psychiatrique ?

— Oui...

— Les Tisserand...

— Pardon ?

— Ces docteurs s'appelaient Tisserand...

Elle ne releva pas, fonçant dans cette dernière ligne droite.

— Un policier garde Vincent avec lui mais... dans un moment d'inattention, il lui échappe et réussit à se glisser dans la chambre... où la mère est sanglée sur le lit, alors que les médecins s'apprêtent à l'embarquer... Elle abjure, hurle que ce sont des envoyés de Satan, qu'ils nuisent à sa mission et qu'il faut les éliminer... Vincent crie à son tour, on l'arrache à sa mère à laquelle il s'accroche fermement... Puis... Le drame s'est produit... Lor... lorsqu'ils la libèrent... pour... la faire sortir, elle s'empare... du couteau caché sous son matelas... ce même couteau qui lui servait à se mutiler... Elle s'en infligera trois coups en pleine poitrine...

Elle avait mimé le geste.

— L'un des deux toubibs, la femme je crois me rappeler... informe alors Vincent que... sa mère va mourir... Il s'évanouira instantanément, paraît-il... Ils l'ont évacué en ambulance...

Elle se retourna brusquement.

— La suite, on ne la connaît pas... On ne voulait pas la connaître... Tout était fini...

Ses lèvres se refermèrent comme un vieux livre qu'on n'ouvrirait plus jamais. Son regard s'égara vers le plafond. Y cherchait-elle la réponse à une quelconque prière ?

Je redressai les épaules, lentement, secoué jusqu'aux derniers os. Devant moi, s'esquissait le portrait d'un gamin humilié, à l'enfance meurtrie dans une succession d'images violentes et de heurts incessants.

Je comprenais le silence de ses oncle et tante, cette porte fermée sur son passé en sang, cette envie de lui offrir une seconde naissance. Quelle avait été l'ultime pensée de Vincent avant son coma ? Celle de deux docteurs, les Tisserand, le dépouillant de sa mère pour l'éternité ? Ou celle de ces visages mauvais, hommes sans scrupule, femmes et progénitures, qui les avaient acculés dans les retranchements de la méchanceté ?

À l'extérieur, les derniers secours prenaient la route.

Ce fut au tour d'Odette, qui n'avançait plus que tête baissée comme si, quelque part, elle portait le poids mort de ses regrets.

Les cendres noires des nuages mangeaient le soleil, le paysage virait au gris, l'herbe frémissait d'un vent grossissant. L'orage arrivait, droit sur nous. Avec son armada d'éclairs et sa fraîcheur cinglante...

Une voiture stoppa, juste à mes côtés.

— Suivez-nous ! fit Lallain. On file à l'hôpital militaire poursuivre les interrogatoires, puis aux bureaux. Vous m'expliquerez tout là-bas !

— Les premiers bilans pour le palu, ça donne quoi ?

— Vingt-neuf personnes contaminées, sur les cinquante analysées. Plus trois hors liste mais en vacances chez les malades... Trois petits-enfants...

— Putain, c'est pas vrai ! Vous... vous m'avez parlé de cinquante... Il y avait pourtant cinquante-deux noms ?

— Ces deux-là n'habitent plus ici mais Grenoble. Une équipe est partie sur place, on n'arrive pas à les joindre...

Je fronçai les sourcils.

— De qui s'agit-il ?

— Les frères Damien et Fabien Ménard...

J'eus du mal à déglutir. Les deux hommes martyrisant le corps juvénile recroquevillé sur les fusains. Leurs mains crochues, leurs dents pointues... Eux... Les frères Ménard...

Je me penchai par la fenêtre.

— Je... Je vous rejoins... Encore une chose à vérifier...

— Magnez-vous alors ! grogna Lallain. Je me goure, ou vous faites tout pour me foutre des bâtons dans les roues ?

## Chapitre trente et un

J'étais resté là, seul, appuyé sur ma voiture, la tête dans mes mains tremblantes. La Trompette blanche ne respirait plus, privée de ses âmes, étouffée par la maladie. Tout s'était passé si vite... Le tueur rachetait sa jeunesse volée, comme Zeus avec Tantale, il avait condamné ces gens à un supplice éternel ; la prison de leur corps. La fièvre partirait et viendrait, les ébranlant, transparente aux notions de temps et d'espace. Pire qu'une exécution. Une bombe, au creux de leurs entrailles. Ils se souviendraient, toujours, à chaque fois... Ils se souviendraient d'une femme qu'il aurait fallu soigner, d'un enfant qu'il aurait fallu aider.

Les premières gouttes éclatèrent comme de grands baisers humides. Je brandis les paumes au ciel, l'eau s'y invita sans retenue, tandis que les collines tressaillaient, leurs sols libérant soudain leurs bonnes odeurs de terre fraîche. Je partis alors, les maisons aux murs blancs et toits rouges s'évanouirent lentement, dans cette brume d'eau, comme si rien de tout cela n'avait existé. Juste un rêve...

Je roulai jusqu'à Veyron, ce village d'où se déroulait l'immense forêt de pins à la pente agressive, érigée d'arbre en arbre jusqu'aux flancs des sommets. Dans quelques heures, on traquerait Vincent partout en France, arpenterait chaque pavé, interrogerait proches, voisins, amis. On chercherait, mais on ne trouverait pas. Parce qu'il avait une dernière mission à accomplir. Ici, en ces terres fracturées.

Les frères Ménard.

Je m'engouffrai dans un bistrot, la veste par-dessus la tête tant le ciel crachait, puis demandai le moyen d'atteindre la Goutte-d'Or. La patronne, un peu surprise, m'accompagna sur la terrasse et désigna une montagne en forme de dent de requin.

— Il n'y a pas de sentier balisé qui mène à la cascade. C'est un endroit sauvage et dangereux, en bordure d'un gouffre d'une dizaine de mètres de profondeur... Je vous déconseillerais d'y aller aujourd'hui... Nous ne sommes pas encore au cœur de l'orage et, croyez-moi, il va être d'une violence rare !

— Je prends le risque...

— Vous seriez pas parisien, vous ?

Elle ravala vite fait son sourire.

— Bon, si vous n'avez pas peur de la foudre, ni de glisser dans la gorge, libre à vous ! Il y a un parking, un peu plus en hauteur. Garez-vous là et attaquez la forêt de cet endroit. Gardez toujours *la dent du Diable* en ligne de mire. Après deux kilomètres, vous arriverez normalement au bord du canyon. Longez-le par la droite. Vous trouverez alors la cascade... Mais, encore une fois...

Je m'éloignais déjà, dans ces rideaux de pluie, la remerciant d'un bref coup de menton.

Entre un aller-retour d'essuie-glace, je dégotai l'aire de stationnement, un simple espace défriché à l'écart de toute forme de civilisation. Je vérifiai l'état de mon Glock. Chargé, sécurité du percuteur en place. La Maglite, dans ma boîte à gants. Mon portable, que j'enroulai dans un emballage de sandwich. J'étais paré. Seul problème, cette flotte, tant désirée... Et qui se dressait devant moi dans un vacarme de vitre brisée.

Instantanément, ma chemise, mon pantalon se gorgèrent d'eau, mes souliers de boue. Devant, racines piégeuses, silex acérés, aiguilles bruissantes. Et une brusque noirceur de suie. L'orage. Fougueux et diabolique.

En mire, la *dent du Diable...* Happée en sa pointe par le déluge... Découpée par les troncs sinistres... Mais toujours là, puissante, érigée.

J'imaginais... J'imaginais Vincent, traîné par les deux frères, sous la colère du ciel, dans ces mêmes fureurs liquides, insulté, peut-être battu. Je voyais les ombres croître, autour, comme autant de démons, alors que la forêt se refermait, obscure, pareille à une grande main assassine. J'avançais sur ses pas d'enfant et frissonnais tout autant. Son passé explosait devant mes yeux. Ses hurlements, ses peurs, son calvaire. Aux autres de subir, maintenant. Il allait le leur rendre au décuple. Par la brutalité de ses meurtres.

Je le détestais pour ça.

Combien ? Combien à marcher ? Le sol grimpait, sans cesse. Je m'accrochais aux branches, me hissais aux souches, m'écorchais à sang, ce sang qui ruisselait jusqu'à mes pieds. Les flots boueux enflaient, la pluie claquait sur mon corps, fumant comme une vieille chaudière et je dus, à maintes reprises, faire une pause, essuyer mes doigts gourds et rappeler ce souffle qui ne venait plus.

Cette fin, j'avais déjà l'impression de l'avoir vécue. Pas une impression. La réalité. Il y avait tant d'années. Ces endroits rendus irréels par les éléments déchaînés. Cette quête du Mal absolu. La souffrance des êtres, au-delà de l'entendement. Tout allait-il finir dans le même bain de terreur ?

Les mauvais pressentiments de Del Piero. Peut-être pour maintenant...

J'aurais dû prévenir une équipe. Hélicoptères, fusils, mort. Appeler Leclerc peut-être ? Savoir qui était Vincent ? Non... Non... Je le voulais, face à moi, dans la pureté de mon ignorance. Je le voulais tel que je le concevais. Authentique. Beau et violent. Simple et abominable. Un être par-delà les frontières du bien et du mal.

L'ultime face à face. Un seul vainqueur... Je le tuerai... Je le tuerai de mes propres mains pour ce qu'il avait fait.

Une pente plus abrupte, escaladée à l'arrache, dans un déchirement de gorge. Puis l'haleine d'un ravin. Peu profond. Quinze mètres, à tout casser. En son fond, le gros bouillon d'un torrent. *Par la droite*, avait dit la femme. Un éclair fracassa un arbre sur l'autre rive. Le paysage flamba, avant de replonger dans ce noir de cataclysme. Le tonnerre faillit ébranler la terre.

Je m'agrippai à tout ce que je pouvais, dans la douleur insoutenable de mes articulations et de mes cuisses brûlantes. Le passage était vraiment étroit, glissant au possible. Le gouffre guettait. L'averse emprisonnait le paysage. Troncs gris, parois grises, montagnes grises. L'uniformité d'une nécropole.

Là-bas, plus à droite encore, la roche s'extirpait du sol en un colosse de granit. Un flanc de montagne, brut et offensif. Coiffé de sa cascade, écrasante de puissance. Je m'approchai du déluge d'eau, les mains sur les genoux, avec un halètement devenu grognement. *Une cavité, derrière la cascade*, avait dit la vieille dame. Où ? Et comment l'atteindre ? Les torrents dévalaient d'une paroi verticale, à fleur de vide, avant d'éclater au fond du canyon dans un lac intermédiaire. Non, impossible. Pas sans cordage. Des enfants...

Comment avaient-ils pu découvrir une grotte, y emmener Vincent ?

Et sa mère ? Etait-ce l'endroit où elle attisait les regards des mâles, dans sa nudité originelle ?

J'avais emprunté la mauvaise voie, forcément. *Les dessins au fusain. Le reflet des yeux dans le lac*. Oui !

Le dessin se trouvait là, sous mes pieds. Il ne fallait pas attaquer la Goutte-d'Or par le haut... Mais par le bas... Par le petit lac...

Une vibration, dans ma poche. Le portable. Un nom, sur l'écran, martelé par les barreaux d'eau. Leclerc. J'hésitai, puis sortis l'appareil de l'emballage. Voix lointaine, à peine audible. Grésillements, parasites en tout genre, roulement incessant du tonnerre.

— Shark ! Ecoute bi... ce que... te di...

— Allô ! Commissaire !

— Vincent Croo... On ...etrouvé !

Je plaquai l'engin contre mon oreille.

— Je n'entends rien ! ! ! Vous dites que vous l'avez retrouvé ? Vous avez retrouvé Vincent Crooke ?

— Oui ! ! ! On l'a retr...vé !

Je me sentis soudain très con, au cœur du déluge, dans le trou du cul du monde. Ils l'avaient eu... Sans moi...

— Il pleut ! Je ne peux pas m'abriter ! ! ! Je vous rappelle dans une heure ! Le temps que je regagne ma voiture, OK ?

— Non ! ! ! Ne... croche pas... On a un... oblème ! ... énorme prob... ! ! !

Je me recroquevillai, protégeant au possible le téléphone de la flotte.

— Un problème ? Quel problème ? Quel problème ! ! !

— Vin... Crooke... mort ! ! ! Il est... ort...

— Quoi ? Qu'est-ce que vous racontez ? Il est mort ? !

— Y a quat... ans ! ! ! Quatre...

— Allô ! Allô ! Commissaire ! ! !

Plus de tonalité. Je recomposai son numéro. Sans succès.

— Merde ! Merde ! Merde !

Je fracassai cette saloperie d'appareil contre un rocher, bouillant de rage. Avais-je bien saisi ? Vincent Crooke mort, il y a quatre ans ? Non ! Impossible ! Ça n'avait aucun sens ! Je ne poursuivais pas un fantôme, nom de Dieu ! Ces cadavres, ces gens malades, le mauvais air ! Le message, Maleborne, l'hôpital, La Trompette blanche ! Tout m'avait amené à Vincent Crooke ! À sa jeunesse ! Mais alors...

Quelqu'un d'autre tuait. Quelqu'un d'autre remontait à la source, dans la peau de Vincent Crooke. L'usurpateur d'un anonyme... Animé d'une cruauté démesurée. Pourquoi ?

La réponse là, derrière la cascade. Aller au bout. Sous mes pieds, l'encaissement. Comment descendre ? Rebrousser chemin ? Eviter la forêt ? Je me frottai les joues, le front, saturés d'eau, la pluie ruisselait sur ma nuque, entre mes omoplates. L'orage fracassait sa hargne, tout près. La forêt partout, ses éperons tendus aux cieux. Devant, derrière, au-dessus. Le vide. Deux nouvelles heures de route ou... trois secondes ?

Le tout pour le tout. Pour savoir, comprendre. Torche dans une main. Glock dans l'autre. Puis le néant. La chute m'aspira. Un fracas. Une gifle. Des bulles.

Une grande gorgée d'air. Je respirais. Les immeubles d'eau grondaient, tout près, dans un nuage d'écume, de vapeur froide, tandis que les roches se comprimaient. Je me hissai sur la rive, m'agrippai aux flancs de granit, approchai du monstre liquide...

Une coupure, sur un rocher tranchant. Paume en sang. Je lançai un grand cri en transperçant la muraille aqueuse. Tête entre les épaules, yeux fermés. Des tonnes sur le crâne... Une paroi, enfin. Mes doigts palpèrent alors un décrochis... Une grotte...

Vingt-cinq ans en arrière. Voyage dans les travées du temps.

Maglite en sale état, mais fonctionnelle. Quant au Glock... Il avait vu pire.

Je m'enfonçai dans les toiles d'ombre, les doigts collés à la pierre. Le sol glissait, comme couvert de glaires. Le rugissement de la cascade s'éloignait, relayé par d'étranges crépitements. Bruissements d'ailes, crissements de pattes.

J'allumai ma lampe torche. Juste à temps, car le sol plongeait dans les ténèbres, juste devant, en une espèce de toboggan géant. Et là, sur le côté, une corde nouée autour d'une protubérance. Une corde tressée de gros nœuds. Je l'attrapai.

Au fil de la descente, le peuple des insectes cavernicoles croissait. Des mouches énormes agglutinées sur des champignons. Des araignées monstrueuses, munies d'espèces de pinces. Des mites noirâtres, sans yeux. Un monde de répugnance. Le cauchemar de Vincent.

Le sol enfin, mâchoire de stalagmites et de stalactites. Une bouche humide. Le froid saisissant. Le flop languissant des gouttes. Et des gémissements lointains... Inhumains... Ils étaient là, dans la gorge du néant...

Une lueur, plus en profondeur. Des ombres qui s'étirent, les silhouettes figées des roches déchirées. J'éteignis ma torche, me cramponnai à mon arme. Loin du monde, au fond de la terre, la peur m'enveloppait.

Le goulot vira brusquement sur la droite, la lumière grandit soudain. Un puissant projecteur, accroché haut.

Des espaces qui s'écartent. Des fûts de calcaire d'une nuance de pétale. Des concrétions tordues, des draperies ondulantes, des choux-fleurs minéraux. Et le vert émeraude d'un lac souterrain. La beauté cachée de l'enfer.

Je m'agenouillai dans un recoin, entre les stalagmites, flingue tendu devant moi. En léger contrebas, au bord du lac, deux hommes, face à face, attachés à des colonnes séparées d'à peine un mètre. Nus, le visage brûlant de terreur.

Des points rouges, minuscules, en mouvement sur leur corps. Je ne distinguais pas bien. Des insectes ?

Panoramique visuel. La voûte, explosion de roses, de bleus, de jaunes, jonchée de pics mortels. Des arches éclatantes, des labyrinthes rocheux, des cavités étriquées.

Alors je le découvris, de dos, assis en tailleur dans une niche surélevée... Vincent. Non, pas Vincent. Mais son usurpateur... Un large paletot sur les épaules, une capuche sur la tête... Affairé à dessiner.

Je me relevai doucement, le pied léger, progressai, tassé sur moi-même. L'un des frères m'aperçut, puis l'autre, juste après. Des fourmis... des fourmis rouges, échappées au compte-gouttes d'une boîte transparente, escaladaient leurs corps rasés. Parties génitales, nombril, torse, oreilles, elles étaient partout, affamées de chair. Certaines s'engouffraient dans leurs bouches maintenues ouvertes par un anneau de métal. Leurs poignets, chevilles, ripés de sang, tant ils avaient lutté contre leurs chaînes, tant la souffrance, le feu des piqûres devait être grand. Un calvaire abominable.

Je posai un doigt sur mes lèvres, appelant au silence. Exactement au même moment, ils se mirent à hurler.

Plus le choix ! Je fonçai, dérapai sur un film d'eau, me redressai de justesse en criant :

— Ne bouge pas ! Lève les mains ! Lève les mains !

La silhouette frémit, sans se retourner. Les frères gueulaient à la mort. Mes phalanges enroulaient la gâchette, mon canon pointait la capuche bruissante. Trois mètres, deux mètres... Des feuilles de papier, sous mes pieds. Noir et blanc. Femmes, squelettes, ciels d'orages. Des dessins.

— Tourne-toi ! Lentement !

Il n'obéissait pas. Sa main lourde écrasait un fusain entre le pouce et l'index. J'approchai encore. De mon Glock, je poussai l'arrière de son crâne.

— Tu vas te tourner, bordel ?

Alors le corps s'éboula sur le côté. Des grappes d'asticots suintèrent par ses orifices en bourgeons blanchâtres. Narines, oreilles, globes oculaires. Un cadavre... Je braquais un cadavre ! Mais alors...

Un déclic, derrière moi. Le baiser froid d'un canon sur ma tempe.

— Amusant, non, un peu d'obscurité, quelques vers et on a l'impression que les chairs sont en mouvement. Les sens de l'homme sont tellement imparfaits.

La voix... rien à voir avec celle de Ray Charles... Tellement moins mûre, presque enfantine.

Je relevai la tête, mais un coup sur la nuque m'ébranla. Mon arme roula dans la pente.

— Alors c'est toi, *le Méritant* ?

Du bout de son flingue, il me força à le regarder. Face à moi, un masque de sorcier africain, aux peintures vives, par-dessus un corps nu gonflé de muscles saillants. Taille, largeur d'épaules, épaisseur des cuisses... Carrure identique à la mienne. Rigoureusement.

— Il faut avouer que tu t'es bien débrouillé, poursuivit-il. Surtout pour la péniche... Je voulais effectivement t'amener là-bas, à la scène du *Déluge*, te faire découvrir ce qui fut, durant quelques semaines, mon lieu de vie mais... tu as été plus rapide que prévu, je n'ai pas eu le temps de peaufiner les derniers détails et de nettoyer un peu.

Il fit battre ses pectoraux.

— *Sanctus Toxici*... Je suppose que c'est par là que tu es remonté jusqu'à moi... Comment tu as su ?

Je me redressai sur mes avant-bras, l'occiput douloureux.

— Mais... qui es-tu ? Quel rapport avec Vincent Crooke ? Pourquoi nous avoir... trompés ?

Il appuya sur un petit bouton, derrière le masque.

— Je n'ai roulé personne !

Sa voix devenait à présent, effectivement, celle de Ray Charles, de Vincent Crooke...

— J'ai juste suivi le chemin qu'il n'a jamais osé suivre. J'ai agi comme il aurait dû agir, en respectant chaque point, chacun de ses défauts et de ses qualités. Jusqu'aux masques. Les masques... Je suppose que toi et ta tripotée d'analystes en avez déduit que Vincent souffrait d'un problème au visage, non ? Que vous êtes stupides !

Il était fier de lui, ça sourdait de ses pores.

— Je te vois réfléchir, tu sembles pensif, fit-il encore. Tu te demandes, hein ? Tu te dis que je suis un pauvre type battu, violé par un père alcoolique. Tu crois qu'adolescent, je torturais des animaux ou tombais en extase devant des incendies, à me branler sous mes couvertures ?

— En partie, oui. En tout cas, tu es sérieusement perturbé.

Il ricana.

— J'ai eu une jeunesse des plus heureuses ; je me rends à la messe chaque dimanche ; je suis sorti dans les premiers de ma promotion et je devais même terminer ma thèse de troisième cycle sur le *Plasmodium*, avec deux ans d'avance ! Tu le connais bien le *Plasmodium* maintenant, non ? Ha ! Ha ! Ha ! Mais cette thèse... Je ne la finirai pas... Mes aspirations sont différentes, maintenant... Bien plus... simples...

Il vrilla l'arme sur ma tempe.

— Ma mère m'a choyé, mon père aurait voulu m'aimer, mais il n'a jamais pu. Des saloperies, dans sa tête. Des tas de cauchemars, des montées d'angoisse, le repli sur soi. Je me souviens, plus jeune, il mettait souvent des masques, à la maison, des masques de clown avec de grands sourires, mais... mais ce n'était que pour dissimuler sa détresse... Pour ne pas nous faire ressentir son mal-être, pour cacher ses yeux, chaque jour gonflés de larmes. Tu ne peux pas savoir à quel point je l'admire pour ça.

Le fils... Il était le fils de Vincent Crooke... Quel âge pouvait-il avoir ? Vingt-deux, vingt-trois ans ? Il serra plus fort sa crosse.

— Ça te troue le cul tout ça, hein ? Mon père s'est suicidé il y a quatre ans. Je me rappelle encore, à son retour de chez Maleborne, l'hypnotiseur. Il portait le masque blême de Pierrot, ce masque d'une tristesse effroyable, qu'il n'a plus quitté jusqu'à sa mort. Ce soir-là, il nous a tout raconté. Cette enfance, à laquelle je t'ai initié... La beauté de sa mère, sa folie, son dégoût des hommes. Les agressions, les moqueries. Il nous a commenté chacun de ses dessins, ceux qui sont ici, sous tes pieds ou que j'ai volontairement abandonnés dans la péniche... Je voulais que tu apprennes à connaître mon père, progressivement, que tu reconnaisses son calvaire. Que tu comprennes pourquoi ces gens ont été punis. Ils le méritaient, tous ! Ils connaîtront la profonde signification du mot souffrance.

— Mais... Pourquoi la fille des Tisserand ? Elle était innocente !

— Ces deux médecins ont privé mon père de l'être qui comptait le plus pour lui. Je voulais leur rendre la pareille, à ma façon... Et puis... Elle était plutôt bonne...

L'un des frères hurla. Du fond de son masque, l'homme dégorgea un rire ignoble.

— Ha ! Ha ! Ha ! Ecoute-les ceux-là ! Si tu les avais entendus supplier ! *Je vous en prie, monsieur ! Pitié ! Pitié !* Et patati et patata ! Ils étaient pourtant plus entreprenants quand ils ont traîné de force mon père ici, qu'ils lui ont avoué qu'ils le laisseraient crever comme un chien ! Il n'a jamais glissé, comme ils l'ont prétendu. Ils voulaient le tuer ! Le tuer, tu m'entends ? Hein ! Les gars ? C'est bien ça ? Je ne me trompe pas ?

— Qu... qu'est-ce que tu leur as fait ?

Il agita sa longue tête en bois.

— *Wasmannia auropunctata*. Des fourmis urticantes d'Amérique du Sud, extrêmement agressives. Elles adorent piquer les yeux et les parties génitales, et pénètrent volontiers dans les endroits à l'abri de la lumière. Une bouche par exemple. Leur poison finira par les occire, à petit feu. Un long... très long supplice... À la hauteur de leur méchanceté.

Je désignai le cadavre, dont les orbites plongeaient dans les miennes.

— Et lui ?

Le masque oscilla, comme une marionnette folle.

— Cette merde ? Tu n'as pas deviné ?

— Ton grand-père... Tu as aussi assassiné ton grand-père...

— Il les a abandonnés à leur triste sort comme de vieilles chaussettes. Veux-tu que je t'explique ce que je lui ai réservé ?

— Tu ne t'en sortiras pas ! On sait qui tu es, toutes les polices du pays sont à tes trousses. Ce n'est plus qu'une question d'heures.

Il approcha sa figure de bois de mon visage, me couvrit de la tiédeur de son haleine.

— Etrange, dit-il en pressant le canon sur mon front. Tu es venu seul ici. Je m'attendais plutôt à l'armada.

— Je voulais Vincent, là, face à moi. Et j'y découvre son fils. Je ne te cache pas ma déception... Ces crimes sont les tiens, uniquement les tiens ! Ils n'ont rien à voir avec ton père !

La face de sorcier se figea brusquement.

— Non, tu n'imites pas ton père ! poursuivis-je en essayant de planter de l'assurance dans ma voix. Il portait des masques pour cacher ses émotions et vous protéger ! Toi, tu te dissimules derrière parce que tu as honte de ce que tu fais, tu n'oses pas affronter le regard de tes victimes ! Pourquoi avoir violé Maria Tisserand par-derrière ? Pourquoi ce bandeau, sur les yeux de sa mère ? Avec le miroir au plafond, ils te voyaient sans te voir, tu cherches à te déculpabiliser de tes actes ! Tu as peur du jugement de Dieu, je me goure ?

— Arrête !

— Quel dilemme, n'est-ce pas ? Croire en Dieu d'un côté, et buter des gens de l'autre. L'enfer ou le paradis ? L'enfer pour toi, sans aucun doute ! Non, tu ne venges pas ton père. Tu salis sa mémoire ! Tu assouvis un besoin de défier, de torturer ! Tu n'en saisis pas la raison, peut-être prends-tu même du plaisir et c'est ce qui te fait le plus mal. Tu n'es pas différent d'un Ted Bundy ou d'un Francis Heaulmes. Une pourriture. Tu es la pire des pourritures !

Le canon, sur mon œil gauche. Le souffle de ses narines, court, saccadé. Il allait appuyer. Ma femme, ma fille... Toutes proches... Un dernier sursaut.

— Attends ! Je t'en prie ! J'ai... j'ai une dernière question ! Tu peux au moins m'accorder ça ! Une dernière question !

— Pourquoi je le ferais ?

— Je... je suis *le Méritant*, j'ai compris l'histoire de ton père, j'ai ressenti sa souffrance... Tu me dois bien ça... Je t'en prie...

Il jouait cruellement avec le silence.

— Je t'écoute...

Je me relevai davantage, sur les genoux.

— Le parc de la Roseraie... Comment tu as su pour le message, sur le frêne ? Je n'en ai jamais parlé à personne.

Derrière son masque, il sembla réfléchir.

— De quoi tu parles ?

— J'aimerais savoir, avant de rejoindre ma famille... S'il te plaît... Pourquoi avoir lacéré ce que ma femme et moi avions gravé sur le vieil arbre ?

— Je n'ai jamais détruit de tronc ! Je ne t'avais jamais vu avant ! Tu peux me croire, je ne te mentirais pas dans ton ultime instant ! Tu as fini ? T'es prêt à moisir en enfer ?

— Tu... tu m'y rejoin... dras... très... bientôt...

Il y eut un bruit, derrière lui. Des claquements de pas... Mes pupilles frémirent, par-dessus son épaule. La petite, là, à quelques centimètres !

— Non ! Va-t'en ! Va-t'en ! Je ne veux pas que tu assistes à ça ! ! !

Surpris, le criminel hésita un dixième de seconde. À la force des mollets, je me propulsai sur le côté, hors de son champ de vision restreint.

Il tira une fois, trop haut, peinant à tourner sa lourde tête de bois. Je lui expédiai mon pied dans son flanc, il grogna, tira, encore et encore, à l'aveugle... Des stalactites se décrochèrent, poignards acérés. Les frères beuglaient encore, de peur, de douleur.

Je me ruai sur l'homme, il m'agrippa au cou, tous muscles bandés. La pente nous aspira, nos corps roulèrent, brisant les stalagmites les plus fragiles, butant sur les autres. Il cogna, de toute sa rage. Côtes, poitrine, nez. Giclées de sang... Puis pesa de tout son poids sur moi. Ses pectoraux qui saillent, et son halètement, toujours... Plus d'air !

Je me débattais de toute ma hargne, mais mon dos restait plaqué au sol. Mouvements vains, il était trop lourd, le dénivelé m'empêchait de me relever... J'agonisais...

Soudain, deux pieds, juste devant mon nez. Deux petites chaussures rouges, dont l'une propulsa une stalactite brisée dans ma main. Je repliai mes doigts sans force. Un dernier geste...

Je brandis le pic et, gueulant tout mon saoûl, le lui plantai entre ses omoplates, jusqu'à sentir la chaleur de sa chair, entendre le son rauque de son dernier râle.

Il s'écroula sur moi, avec la mollesse terrible d'une bête abattue.

Je me redressai, lentement, les mains sur la gorge, crachai, pleurai presque, de ces larmes froides, sans vie.

La fillette se jeta dans mes bras, je pus sentir le parfum de ses cheveux, percevoir les battements de son cœur. Elle vivait. Et elle venait de me sauver la vie.

— J'ai une dernière chose à faire... murmurai-je en la posant doucement.

— Vas-y, mon Franck... Vas-y...

Je m'agenouillai près du corps inerte, ce corps si jeune, dans la force de l'âge, et le retournai.

Le masque africain pâlissait dans l'éclat blanc du projecteur, ses traits figés effrayaient, rappelant le terrible courroux d'un vieux sorcier vaudou.

Avec précautions, je retirai la lanière de cuir, à l'arrière du crâne. La parure glissa alors sur le côté, presque au ralenti, dévoilant un très joli visage, aux traits purs... Le visage d'un enfant qui aurait pu être mon fils.

Ce fils que je n'ai jamais eu, cette fille, que je ne verrai jamais grandir. Cette femme chérie, qui ne vieillira que dans mes souvenirs... Toutes les deux, je vous aime tellement.

Et je pressai l'enfant contre ma poitrine. La petite fille au cœur à droite...

# Chapitre trente-deux

Veyron. Un bon chocolat chaud, dans cet unique troquet, sous ce même étau de pluie, au cœur de cet orage dont la fureur semblait croître des entrailles de la terre. Au creux des montagnes, le noir du ciel écrasait la moindre lueur d'espoir. Tout était fini.

Les secours avaient évacué le corps de Jérémy Crooke pour la morgue, mais son unique tombeau aurait dû, en définitive, rester cette grotte lugubre et glaciale.

Les frères Ménard avaient résisté au poison des fourmis, ils vivraient, mais à quel prix ? Leurs nuits trembleraient de cauchemars et de réveils furieux, avec pour seul goût sur la langue celui de la terreur. Quant aux habitants de La Trompette blanche... Dieu les bénisse...

La fillette se tenait là, face à moi, un nouveau livre de *Fantômette* entre les mains. De temps en temps, elle relevait ses beaux yeux noirs, me souriait avec une infinie tendresse avant de se replonger dans sa lecture. Je me levais, elle se levait, je buvais, elle me regardait, comme nourrie de chacun de mes gestes. Elle devenait mon ombre, mon soleil, ma vie.

Je ne lui posai pas de questions, pas encore, tout au moins. J'acceptais juste sa présence, dans l'instant, sa présence chaleureuse et frigorifiante, dangereuse et terriblement enivrante. Elle me donnerait des explications. Bientôt.

Je pris la route pour Grenoble où je comptais louer une chambre d'hôtel avant ma remontée vers la capitale. C'était ça, ma vie. Arpenter la pluie.

Un perpétuel recommencement, jalonné de traque et de tristesse. On en arrêtait un, dix autres le relayaient, engendrés par la veine intarissable du mal. Oui, je me sentais triste, mais maintenant elle était là, à mes côtés. Rien que pour moi. Je m'écoutais cogiter, voyais les gens me dévisager bizarrement... Je me dis que, quelque part, je devais devenir fou. Une bien douce folie...

Dans ma descente vers la ville, de grosses gouttes battaient mon pare-brise, mes phares n'éclairaient qu'un crachat saumâtre. Mes yeux plongèrent vers la combe.

*Prends garde à ce ravin, Franck. Je sais que plus rien ne te retient ici-bas, maintenant. Mais ne fais pas de bêtises, d'accord ?*

*Nous t'attendrons le temps qu'il faudra. Eloïse aussi patientera. Il le faudra bien, même si c'est difficile.*

Je secouai la tête, plissai le front. Sur le siège passager, la gamine s'agitait. Du bout du pouce, elle tournait les pages de son livre à toute vitesse.

*La route ! Prends garde à la route !*

Un parapet, devant. La violence d'un virage... Mes freins crissèrent, mes pneus réussirent de justesse à accrocher la route... Le soulagement de l'ultime braquage.

— Il était moins une, hein ? poussai-je d'une voix blanche.

— Moins une pour quoi ?

— Pour qu'on tombe dans le vide, pardi !

— Tu sais, moi je n'aurais pas senti grand-chose...

Un sourire timide chassa mon angoisse.

— Tu... tu penses repartir quand ? Je veux dire... là d'où tu viens ?

— C'est pas moi qui *va* partir. C'est toi qui vas m'accompagner.

Brusquement, son visage s'obscurcit, ses yeux s'assombrirent plus encore, transpercés de ténèbres. Les pages de *Fantômette* tournaient seules, à un rythme fou, tandis que ses cheveux s'électrisaient dans l'air.

— Tu dois m'accompagner, Franck ! Dans l'autre monde ! Il est l'heure !

La pente grandissait, le frein moteur gémissait.

— Tu... Tu restes à ta place, OK ? ordonnai-je en tendant un bras dans sa direction. Ne bouge surtout pas de là ! Ce monde-ci me va très bien !

Elle se dressa sur son siège, pareille à un cobra.

— Tu n'as pas le choix ! Il est trop tard !

— Mais pourquoi ? Qu'est-ce que tu attends de moi, bon sang ?

Elle s'abattit sur mon volant.

— Non ! Arrête ! ! !

La voiture changea brusquement de direction. Le dernier flash qui illumina mon existence explosa dans un grand feu d'étincelles...

## Chapitre trente-trois

La lente respiration des organes. Le grondement chaud du sang, quelque part, dans ses tunnels serrés. Boum boum... Boum boum... Le feulement de l'air, dans ma gorge. Une pulsation de paupières... Le grand éclair blanc du jour. Et les espaces fermés d'une chambre d'hôpital.

Après mon réveil, ce fut Leclerc qui s'approcha le premier, suivi de deux hommes dont l'un en blouse et l'autre en costume sombre.

— Content de te revoir parmi nous, Shark !

Je portai une main à mon crâne. Un bandage me le comprimait.

— Que... que s'est-il passé ?

Le médecin poussa sur ma poitrine, alors que j'essayais de me redresser un peu.

— Votre véhicule a percuté un parapet et s'est encastré dans un rocher, à quelques centimètres d'un ravin. Votre tête a tapé violemment la vitre passager. Vous avez eu une chance phénoménale de vous en être sorti avec si peu de séquelles. Vous n'avez qu'un traumatisme crânien minime.

Par la fenêtre, les cimes enneigées resplendissaient sous le soleil.

— Je... je suis resté inconscient combien de temps ?

— Une vingtaine d'heures... Vous vous êtes réveillé dans l'ambulance et comme vous étiez très agité, nous vous avons administré un sédatif. Vous vous trouvez au CHR de Grenoble...

Je m'abandonnai un instant, transpercé par une immense fatigue. Tout me revenait en mémoire... L'orage, la gosse sur mon volant, le parapet...

Après m'être massé les tempes, je m'enquis, désignant l'homme à la cravate :

— Et qui est ce monsieur ?

L'intéressé s'approcha, les mains dans le dos.

— Docteur Reeve. Je suis psychiatre...

Je fronçai les sourcils.

— Encore un psy ? J'avoue que je ne saisis pas bien.

Reeve se racla la gorge.

— Le docteur Flament, qui vous a accompagné à La Trompette blanche, nous a fait part de vos... hallucinations. Cette... petite fille aux chaussures rouges et à la robe de chambre bleue. Je suis ici pour que nous en discutions.

Un feu de colère empourpra mes joues.

— Quoi ? C'est... c'est du délire !

Il ne perdit pas son aplomb.

— Essayez de garder votre calme, commissaire. Je ne suis pas venu ici pour vous agresser, mais simplement pour parler un peu.

Je voulus m'emmurer dans le silence, mais ne pus m'empêcher d'exploser.

— Mais... Que voulez-vous que je vous explique ? C'est inexplicable ! Oui, il y a une môme qui apparaît quand bon lui semble ! Elle s'installe chez moi, observe mon réseau de trains, dans le salon ! Elle lit des livres que ma fille lisait ! Elle prétend communiquer avec elle ! Mais... Que vous dire d'autre ? Personne n'a l'air de la voir, c'est ça le pire ! Il n'y a que moi et Willy !

— Votre voisin, c'est bien ça ?

— Oui. Demandez-lui ! Et vous verrez que je n'ai pas d'hallucinations ! Bon sang ! J'étais bien le dernier à croire aux fantômes !

Leclerc s'approcha du lit, la mine fermée.

— J'ai... j'ai fait vérifier certaines choses...

— Commissaire... Me dites pas que... Vous non plus...

Il baissa le regard et le releva aussitôt.

— L'appartement de ta voisine guyanaise n'a jamais été habité après sa mort. Tu n'as pas de voisin qui s'appelle Willy. Tu es seul à ton étage.

Cette fois, je me redressai avec force.

— C'est pas possible ! ! ! Mais ! Comment vous pouvez raconter des conneries pareilles ?

— Je ne raconte pas de conneries... Ce Willy t'a-t-il déjà proposé d'entrer chez lui ? Peux-tu me décrire l'intérieur de son logement ? Et son métier, c'est quoi ? Il est étudiant, ouvrier ? Vas-y !

— Commissaire ! Mais...

— La... la porte de ton domicile était entrouverte. Ça t'arrive souvent, ce genre d'oubli ?

Je me pris la tête dans les mains.

— Du coup, Polo a cru bon de vérifier qu'on ne te cambriolait pas, il est allé jeter un œil chez toi... Il... a retrouvé deux couteaux, sous la table de cuisine. L'un avec de la sève d'arbre sur le manche, mais l'autre... avec du sang séché... La blessure, sur ton bras... Ce n'était pas une boîte de conserve... Je crois que tu t'es coupé tout seul...

Je le dévisageai.

— Comment osez-vous ! ! ! C'est une farce ou quoi ?

— Il n'y a pas que ça... Le Franck Sharko que je connaissais n'aurait jamais passé quelqu'un à tabac, comme tu l'as fait avec Patrick Chartreux. Ce Franck Sharko-là avait des principes.

— Je...

— Tu parlais souvent aux collègues de ton réseau de trains dans ton salon, de tous ces petits personnages, des locos électriques, des vapeurs vives ! Mais il n'y a rien chez toi ! Que des emballages de rails entassés, par douzaines, même pas ouverts !

Il tendit ses paumes au ciel.

— Rappelle-toi aussi, je t'avais parlé d'absences, quand tu avais rencontré l'inspecteur de l'IGS. Tous ces signes... Ces tas de boîtes vides de médicaments, chez toi. Antidépresseurs, stimulants, somnifères...

Il se retourna brusquement, la tête dans les épaules.

— Merde, Franck ! Je suis désolé... Tu ne peux pas savoir à quel point... Dire qu'on ne s'est rendu compte de rien...

Mes lèvres tremblaient. Les mots ne venaient plus. Brouillard. Malaise. Frissons. Soudain, deux doigts apparurent, derrière la tête du psy, imitant des oreilles de lapin.

— Yo, Man ! Y paraît que tu te payes des frayeurs ?

J'expirai longuement.

— Willy ! Oh ! Willy ! Aide-moi à démêler ce sac de nœuds ! Ils me prennent pour... je ne sais quoi ! Un taré ! Explique-leur pour la fillette ! Tu l'as vue toi aussi ! Dis-leur que je ne suis pas fou !

Il pompa un grand coup sur sa cigarette et dispersa un vaste nuage de fumée.

— N'écoute pas ce qu'ils racontent, Man. Ils veulent juste t'embrouiller. Mais moi je suis là pour t'aider. Tu m'appelles, je viens.

Je plaquai mes mains sur mon visage.

— Oh non ! Ils ne te voient pas non plus... Seigneur...

Et, tandis que Willy jouait le pitre, tandis que la môme arrivait, derrière lui, les yeux pleins de chagrin, comme pour se faire pardonner, deux voix continuaient à entrer en moi, lointaines, très lointaines.

Deux voix que je n'écoutais plus. Celle de Leclerc et de l'homme en costume...

— Docteur... Qu'est-ce qui lui arrive ?

— Seule une analyse approfondie nous le dira... Je ne préfère pas trop m'avancer.

— S'il vous plaît...

— D'accord... À première vue, et au regard de ce que vous-même et le docteur Flament m'avez raconté, son cas laisserait penser à une schizophrénie paranoïde, caractérisée par une richesse de productions délirantes et hallucinatoires.

— L'un de nos meilleurs flics, un schizophrène ? Mais c'est impensable ! Il vient de mener l'une des enquêtes les plus éprouvantes de sa carrière ! Pas un n'aurait réussi aussi bien !

— Il existe plusieurs formes de schizophrénie, plus ou moins violentes. Certains malades, notamment les schizoïdes paranoïdes, peuvent parfaitement continuer leur activité socio-professionnelle et sont loin d'être des malades mentaux. Cette pathologie n'affecte aucunement l'intelligence. Elle s'installe parfois si lentement que la famille, et même le sujet atteint, peuvent mettre longtemps à se rendre compte que quelque chose cloche. On appelle cette forme de dégradation lente *schizophrénie de survenue graduelle*.

— Mais... Il a plus de quarante-cinq ans ! Pourquoi ses hallucinations sont-elles apparues si tard ? Elles sont liées à la disparition de son épouse et de sa fille ?

— Entre autres. Sans oublier les facteurs du quotidien. Stress, tensions, pressions, renfermement sur soi et solitude. Cette enquête l'a aussi fortement affecté, je suppose ?

— Oui...

— Outre ces facteurs, on soupçonne même la génétique. Mais tout ceci reste très flou. Quoi qu'il en soit, son esprit s'est progressivement fracturé, le rendant incapable de dissocier le fictif du réel. Ça a commencé de manière très anodine, avec les locomotives, où il s'est recréé un univers qui lui était familier, une espèce de cocon protecteur, de pépinière à souvenirs. Ces petits trains devaient lui rappeler sa gosse, les agréables moments passés avec elle. Inconsciemment, il voulait la ramener à lui.

— C'est évident, oui...

— Alors les personnages fictifs sont apparus et, peu à peu, se sont immiscés dans sa vie. Probable qu'au départ, ils ne se manifestaient que ponctuellement. Au détour d'un couloir, dans la rue, la cuisine, la chambre. Juste l'impression d'une présence. Puis leur emprise a grandi. Ils le distraient, lui parlent, commencent à l'accompagner dans ses sorties avant de disparaître inopinément. D'ici quelque temps, ils ne le lâcheront plus, le troubleront, accapareront toute son attention.

— Et... ce coup de couteau, sur son bras ? Et l'accident de voiture ? La maladie, là aussi ?

— Apparemment, l'un des deux personnages, la gamine, est dangereux, et c'est ce qui m'inquiète le plus. Ça peut aboutir à des mutilations ou des tendances suicidaires. La fillette est la projection de ce qu'il a au fond de lui, dans son inconscient. Cette volonté, peut-être, de rejoindre sa famille. En passant par le suicide.

— Nom de Dieu... Est-ce qu'on retrouvera le Franck Sharko d'autrefois ?

— Pour s'en sortir, il devra comprendre que ces êtres sont fictifs, qu'ils sont le pur fruit de son imagination. Il y parviendra en se rendant compte de leurs erreurs, des situations impossibles dans lesquelles ils se retrouveront. Par exemple, les fictifs accompagnant les schizophrènes ne vieillissent pas, changent rarement de tenue, fument des cigarettes qui ne se consument jamais. S'il se rend à la piscine, seront-ils capables de nager ? Il leur posera ces questions-là, ils devront se justifier et peut-être les piégera-t-il... C'est une dure lutte contre lui-même qui l'attend.

— Combien de temps ? Combien de temps cet enfer va-t-il durer ?

— Le cerveau ne peut pas se guérir lui-même, malheureusement. Il devra suivre une cure psycho-sociale, avec soutien psychothérapeutique et médication adéquate, à base d'antipsychotiques, qui atténueront voire effaceront les hallucinations. En moyenne, l'amélioration de son état nécessitera quatre à six semaines. Il faudra encore une période de trois mois au moins pour ajuster la posologie et éventuellement la modifier, avec le minimum d'effets secondaires. Suivant les cas, le traitement peut s'étendre sur plusieurs années. À vie, même, parfois...

— Merde... C'est pas vrai... C'est pas vrai...

Je sentis soudain la chaleur d'une main, sur mon épaule. Leclerc s'installa sur le bord de mon lit, alors que Willy faisait encore le clown, agitant ses cheveux en spaghetti comme un hard-rocker déjanté.

— Je ne te l'ai pas encore dit, mais t'as vraiment assuré avec Jérémy Crooke, me confia le divisionnaire d'une voix un peu fébrile. Je n'en connais pas deux qui auraient pu assurer comme toi.

J'acquiesçai, lentement, la nuque posée sur mon oreiller.

— Et son père, Vincent, qui était-il vraiment ?

— Il a eu Jérémy très jeune, fit Leclerc, à seize ans, avec une femme qu'il ne quittera plus jamais. C'était quelqu'un de très simple, qui gagnait sa croûte chaque jour dans une usine de textile... Mais avec de gros problèmes affectifs. Dépressions à répétition, tristesse permanente. D'après son épouse, il portait très souvent des masques joyeux, pour donner une illusion de bien-être... Au fond de lui, même sans savoir, il ne voulait sans doute pas imposer à ses proches de revivre ce qu'il avait subi plus jeune.

J'eus un regard vague.

— J'aurais tant aimé connaître ce Vincent... C'est une bien triste histoire... Aussi triste que la mienne...

Je fixai Leclerc intensément, les lèvres serrées, pleines de ma douleur. Je déclarai finalement :

— Je suppose que si je me lève, là, maintenant, et que je retourne au 36 exercer mon métier, ça ne le fera pas, hein ?

Leclerc serra les mâchoires.

— Des gens compétents vont s'occuper de toi, Franck. Et puis, tu pourras peut-être nous aider, même loin du terrain ? Les scènes de crime à analyser ne manquent pas ! On a tellement besoin de cerveaux !

— Comme un vieil ami à qui on demanderait un service de temps en temps ?

Je lui pris la main et souris.

— Ravi d'avoir travaillé avec vous, commissaire... Ce fut un très grand honneur...

Il enveloppa ma main des deux siennes, les porta à son cœur et s'éloigna lentement, m'accordant ce dernier regard de ceux qui prennent en pitié.

Et je retins mes larmes, avec cette fierté des rois déchus. Parce que je ne voulais pas que la petite fille qui venait d'apparaître me trouve en pleurs. Cette petite fille, dont je ne connaissais même pas le prénom...

# Épilogue

*Quatre ans plus tard*

Dans ce crépuscule de printemps, le sable craque tiède sous mes pas, une douce caresse levée par une brise légère me pèse un peu sur les paupières. La journée a été belle, la mer roule de tranquilles vagues qui s'échouent silencieuses sur la côte du Nord.

Ma foulée est bonne, mon souffle délié. Sur le grand croissant doré de la plage, j'accélère la cadence. Mon corps en a encore sous le capot, il répond au quart de tour. Ah, bien sûr, mes formes se sont un peu arrondies, surtout le visage, mais j'ai bon espoir de retrouver ce galbe élégant d'il y a quelques années. Et puis, la motivation est là, forte de cette rage qui gronde en moi, cette rage de vie et de grands espaces. Quand je cours, ni Willy ni Eugénie ne trouvent la force de me suivre. Sa clope au bec, le Black crache ses poumons au bout de dix mètres, tandis que la fillette a de bien trop courtes jambes pour prétendre rivaliser. Dans ces parcelles d'évasion, ils disparaissent enfin de ma tête et ne reviennent que tard dans la soirée.

Si je le pouvais, je traverserais la planète au pas de course, sans jamais m'arrêter, de par les montagnes majestueuses et les océans infinis.

Juste pour cette tranquillité de l'âme.

L'autre jour, j'ai vécu une situation vraiment insolite avec Willy, sur un mur d'escalade.

C'est un vrai singe, il s'arrime à ma corde de rappel derrière moi et me suit, grimpant d'une main, fumant de l'autre. Même dans le vide, il parle, encore et encore, s'agite, fait l'idiot, comme toujours. Si seulement les gens pouvaient le voir !

Alors j'ai pris mon couteau et ai coupé la corde. Je l'ai vraiment surpris, il n'a trouvé aucune parade et ses yeux se sont creusés de surprise. En tombant, il a crié :

— Tu m'as eu, mec ! À tout à l'heure, en bas !

Ces subterfuges, dans leur débilité profonde, me permettent de trouver ce simple repos qui, à mes yeux, vaut toutes les perles du monde. Je mène un combat de tous les instants, mon cerveau en lutte contre mon cerveau.

Ce soir, le soleil se couche sur un lit de rouges merveilleux. Je m'assois sur un rocher et me régale de la respiration calme du grand vide. Les mouettes volent haut, décrivant de petits huit impatients.

J'apprécie cette escapade en solo plus que jamais. Moi, seul face à l'infini.

Avec des visages souriant en toile de fond. Ce que Suzanne et Eloïse peuvent être belles dans ma mémoire... Plus de cris, de crissements. Terminées les images violentes. Juste la pureté de ce qu'elles furent réellement. Des diamants. Mes diamants...

Aujourd'hui je sais *qu'ils* n'existent pas, *qu'ils* sont le fruit de mon imagination, mais je ne peux les empêcher de me harceler. Alors je les ignore, dans la mesure du possible. Les comprimés, ces dizaines et dizaines de comprimés, m'aident grandement dans cette délicate entreprise, même s'ils affectent un peu mon attention et me décrochent, dans de rares circonstances, de la réalité.

Il existe un équilibre entre la médication et l'abstinence qui, paraît-il, est très difficile à trouver, tant les rechutes menacent. Mais je pense avancer sur la bonne voie. Je me sens bien...

Mon nouveau métier me plaît. Durant ma longue convalescence, j'ai passé une licence de criminologie avec des étudiants qui n'avaient pas la moitié de mon âge. Un retour en arrière nécessaire pour l'obtention du diplôme qui me permet aujourd'hui de donner des cours à l'Ecole de police de Paris. Mes relations à la DCPJ, le soutien de Leclerc et de mes collègues m'ont permis d'obtenir ce poste convoité. Maintenant, je dois faire mes preuves, mais j'ai confiance, ayant toujours assuré jusqu'au bout, quelle que fût ma mission. Ça doit faire partie de ma nature. Et puis, je suis si bien au contact des jeunes. En quelque sorte, ils me ramènent ma fille. Enfin, ce qu'elle aurait pu être, je veux dire...

Devant, le soleil enflamme les dernières braises du ciel. Le jour se meurt, tandis qu'un autre se prépare déjà, derrière, plus fort encore. La Nature nous l'enseigne chaque jour, il faut faire le deuil des choses passées, parce que ce qui pointe devant brille d'une beauté sans cesse renouvelée.

Faire le deuil, en gardant sur les lèvres le goût de ce qu'elles furent. Des deuils de miel...

Je ne vous oublierai jamais.

POCKET N° 15821

*« Un thriller aussi givré que diablement ficelé sur les méandres du cerveau comme antichambre de la folie. »*

***Le Point***

## Franck THILLIEZ
## PUZZLE

Ilan et Chloé sont spécialistes des chasses au trésor. Longtemps, ils ont rêvé de participer à la partie ultime. Celle de ce jeu mystérieux dont on ne connaît pas les règles, seulement le nom : *Paranoïa.*

Le jour venu, ils reçoivent enfin la règle numéro 1 : *Quoi qu'il arrive, rien de ce que vous allez vivre n'est la réalité. Il s'agit d'un jeu.*

Suivie, quelques heures plus tard, de la règle numéro 2 : *L'un d'entre vous va mourir.*

Quand les joueurs trouvent un premier cadavre, quand Ilan découvre des informations liées à la disparition toujours inexpliquée de ses parents, la distinction entre le jeu et la réalité est de plus en plus difficile à établir. *Paranoïa* peut alors réellement commencer...

**Retrouvez toute l'actualité de Pocket :**
***www.pocket.fr***

POCKET N° 16946

*« Thilliez ou l'art de filer la chair de poule tout en caressant dans le sens du poil. Le baume du tigre. »*

***Libération***

**Franck THILLIEZ**

**RÊVER**

Psychologue réputée pour son expertise dans les affaires criminelles, Abigaël souffre d'une narcolepsie sévère qui lui fait confondre le rêve avec la réalité. De nombreux mystères planent autour de la jeune femme, notamment concernant l'accident qui a coûté la vie à son père et à sa fille, et dont elle est miraculeusement sortie indemne.
L'affaire de disparition d'enfants sur laquelle elle travaille brouille ses derniers repères et fait bientôt basculer sa vie dans un cauchemar éveillé... Dans cette enquête, il y a une proie et un prédateur : elle-même.

**Retrouvez toute l'actualité de Pocket :**
***www.pocket.fr***

POCKET N° 17274

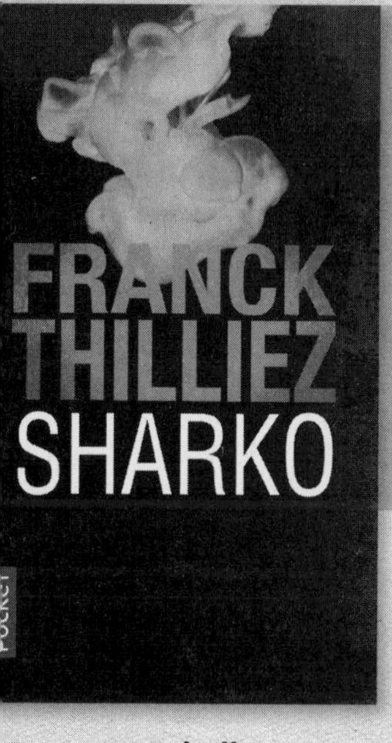


*« Franck Thilliez joue avec brio n'épargnant ni ses personnages ni ses lecteurs. »*

***ELLE***

**Franck THILLIEZ**
**SHARKO**

Lucie Henebelle et Franck Sharko sont flics au 36 quai des Orfèvres, unis à la ville comme à la scène. Un jour, Lucie n'a pas eu le choix : en dehors de toute procédure légale, elle a tué un homme. Pour protéger Lucie, Franck a maquillé la scène de crime. Une scène désormais digne d'être confiée au 36, car l'homme abattu n'avait rien d'un citoyen ordinaire, et il a fallu lui inventer une mort à sa mesure.
Lucie, Franck et leur équipe vont donc récupérer l'enquête et s'enfoncer dans les brumes de plus en plus épaisses de la noirceur humaine...

**Retrouvez toute l'actualité de Pocket :**
***www.pocket.fr***

Découvrez
des milliers de
livres numériques chez

12-21

→ www.12-21editions.fr

12-21 est l'éditeur numérique de Pocket

Composé par Nord Compo
à Villeneuve-d'Ascq (Nord)

Imprimé en Espagne par
Liberdúplex
à Sant Llorenç d'Hortons (Barcelone)
en septembre 2021

POCKET – 92, avenue de France – 75013 Paris

N° d'impression : 94595
Dépôt légal : février 2008
Suite du premier tirage : novembre 2020
S20500/15